D0508683

UNA VOZ DIFERENTE EN LA EDUCACIÓN MORAL

CONCEPCIÓN NAVAL DURÁN
CARMEN URPÍ GUERCIA
(Editores)

UNA VOZ DIFERENTE EN LA EDUCACIÓN MORAL

EDICIONES UNIVERSIDAD DE NAVARRA, S.A.
PAMPLONA

Primera edición: Enero 2001

Ediciones Universidad de Navarra, S.A. (EUNSA)
Plaza de los Sauces, 1 y 2. 31010 Barañáin (Navarra) - España
Teléfono: (34) 948 256 850 - Fax: (34) 948 256 854
e-mail: eunsa@cin.es

ISBN: 84-313-1839-2
Depósito legal: NA 64-2001

Imprime: NAVEGRAF, S.L. Polígono Berriainz, Nave 17. Berriozar (Navarra)

Printed in Spain - Impreso en España

ÍNDICE

INTRODUCCIÓN A UNA VOZ DIFERENTE EN LA EDUCACIÓN MORAL

Concepción NAVAL DURÁN
Universidad de Navarra

¿Una voz diferente en la educación (moral)? o quizá ¿una educación (moral) en una voz diferente? Sea un caso u otro, lo que este libro viene a ser es testigo de un movimiento internacional, al menos en el mundo occidental, de recuperación de las dimensiones afectiva, estética, moral y cívica de la educación, sin por ello desdeñar la entraña intelectual radical que posee, y todas ellas desarrolladas en unidad, armonía.

Desde la filosofía, la psicología y la sociología de la educación se viene a constatar este hecho y a subrayar la necesidad de clarificar los fundamentos: ¿qué entendemos por educación moral en sentido comprensivo? En la filosofía política contemporánea, la educación moral ha sido una cuestión clave en el debate entre los teóricos liberales y sus críticos. Los psicólogos e investigadores sociales han mantenido una viva discusión en torno al desarrollo moral. Algunos protagonistas de este debate son bien conocidos: L. Kohlberg, C. Gilligan y N. Haan. Es interesante que muchos de estos pensadores reconocen que el estudio empírico del desarrollo moral es dependiente –de algún modo– del concepto previo que se posee de progreso moral o de persona moralmente madura.

Kohlberg se alinea en la tradición kantiana de la filosofía moral. Gilligan, sin adoptar una concepción filosófica explícita del ideal de persona moralmente madura, critica de modo acertado a los que –como Kohlberg– apuntan que el fin de la educación moral es un cierto tipo de razonamiento, porque, señala, no tienen en cuenta suficientemente el papel de la emoción y las relaciones personales en la experiencia moral vivida.

Por otro lado el fin al que apunta la educación moral y la noción de desarrollo humano, tienen implicaciones en las prácticas educativas –didácticas, organizativas, institucionales– que se desarrollen. Los que, por ejemplo, mantienen, con Aristóteles, que el cultivo racional de las inclinaciones y emociones tiene un lugar importante en el crecimiento moral, les otorgan un papel diferente al que les dan los que, con Kant o Locke, afirman que el crecimiento moral implica un cierto rechazo a la inclinación en favor del razonamiento imparcial.

La educación moral o formación del carácter no es una idea nueva, como es obvio; es tan antigua como la misma educación, y de algún modo entre los clásicos grecorromanos era el concepto abarcante de toda la educación, inclusivo de todos los aspectos parciales. Pero, aunque tan antigua, siguen vivas, latentes, algunas cuestiones que, de algún modo, fueron planteadas entonces, han sido retomadas a lo largo de los siglos y hoy se nos hacen especialmente presentes. Preguntas tales como: ¿cuáles son las fuentes de la moralidad en la persona humana?, ¿cómo nos hacemos moralmente buenos?, ¿cómo se adquieren los hábitos morales?, ¿son resultado de la socialización, o más bien de procesos psicológicos más o menos autónomos dentro del individuo?, ¿son fruto de la cognición o más bien es una cuestión afectiva, dependiente del sentimiento o las emociones?, ¿existen diferencias en este desarrollo entre el hombre y la mujer?, ¿cómo aprende el niño que actuar de un modo es mejor que hacerlo de otro?, ¿qué relación hay entre deseos y razones a la hora de la acción?, ¿cómo aprende el niño a responder: qué quiero, qué es lo que más quiero, o qué es mejor que haga?

Así se apunta –y se irá viendo a lo largo de las páginas de este libro– a la necesidad de recuperar la noción de hábito, virtud, formación del carácter; la natural dimensión social de la persona humana, el papel fundamental del diálogo y la conversación en la actuación educativa al tratar de atender también a las dimensiones retórico-poéticas, no sólo lógicas, en la comunicación educativa.

Se presentan las aportaciones de la primera parte del libro como dimensiones emergentes de la educación moral, de una especial viveza en el momento presente. En la segunda parte en cambio, se ofrecen unas cuantas experiencias prácticas en distintos niveles educativos, que ponen de manifiesto esta nueva sensibilidad a la que venimos haciendo referencia que es un auténtico reto educativo.

Puede sorprender al lector –aunque es una riqueza desde nuestro enfoque– encontrar artículos en castellano y en inglés indistintamente. Obedece a una razón de coherencia: respetar el idioma en que fueron escritos originalmente. Siempre se acompañan de un resumen en el idioma alternativo. Contamos como colaboradores en el volumen con autores de distintos países de Europa y América, lo cual viene a aportar una visión internacional complementaria.

Es fruto, en fin, este libro, de la cooperación, el diálogo y la amistad a lo largo de unos años, de un grupo de colegas preocupados todos –desde distintos puntos de vista– por dotar de contenido humanista a la globalidad de nuestros proyectos educativos; unidos por la ilusión de la promoción de una diversidad creativa y una atención a la educación completa de la persona –afectiva, estética, moral, intelectual y cívica– como un auténtico proyecto de humanización que fundamenta todo proyecto educativo. A todos y cada uno: gracias.

Pamplona, 14 de Septiembre de 2000.

PRIMERA PARTE

DIMENSIONES EMERGENTES EN LA EDUCACIÓN MORAL

EL DIÁLOGO EN LA EDUCACIÓN MORAL: PRESUPUESTOS, FINALIDAD Y CONDICIONES

Aurora BERNAL MARTÍNEZ DE SORIA
Universidad de Navarra

El título de esta publicación colectiva evoca la voz de una autora feminista, Carol Gilligan, que propone un modo de hacer la educación moral[1]. La autora acentúa que cabe distinguir una forma de percibir típicamente femenina y hace extensiva la sensibilidad maternal y la propone como eje de un modelo ético: el quehacer ético consiste en el cuidado de las personas.

La tarea de educar, examinada en la subjetividad de quien la realiza, no se distingue de la labor de cuidar a las personas; cuidar es conservar, guardar y mantener; cuidar es encargarse, mimar, desvelarse, y esmerarse; cuidar es proveer, y curar; cuidar es ponderar, vigilar y asistir. La educación moral guarda lo más personal de las personas, que al crecer requieren de orientación, y acompañamiento. La libertad que expresa ese núcleo irrepetible de la realidad es amparada por el educador, constituyendo el principal cometido de la educación moral.

Gilligan acierta en este punto, y conduce a replantearse los propios presupuestos morales al dedicarnos al cuidado de las personas, en su dimensión más delicada que es la moral. El guardar del cuidar se traduce en la práctica educativa como respeto, que supone en el educador aparentemente pasividad y sin embargo, contiene un alto grado de operación si es auténtico. Sin embargo, es frecuente confundir la conducta respetuosa con una actitud pasiva, colindante con

1. GILLIGAN, C. (1982) *In a Different Voice: Psichological Theory and Women's Development* (Cambridge Mass., Harvard University Press).

ese afán de ser neutral para no imponerse, y que suele esconder indiferencia, y en definitiva descuido de lo personal ajeno. La ética del cuidado, denuncia en parte ese lance.

La consideración del otro supone atención, admirarse de lo bueno aunque incipientemente se observe como posibilidad, como capacidad apuntada. Respetar es brindar un homenaje, es aplaudir a la persona como es, y por tanto resulta el punto de partida, camino, y llegada de la formación moral. El educador se detiene para ver pero no sólo mira, se deja ver. No sólo muestra su ejemplo sino que dice y permite decir. Procura el diálogo. Luego no es de extrañar que el recurso mayoritariamente manido en los planteamientos de educación moral sea el diálogo.

La plática permite el nacimiento y cambio de disposiciones, actitudes, sentimientos, razones e incluso de hábitos. La conversación transcurre siempre con segundas, no me refiero a segundas intenciones como estamos acostumbrados a pensar –a desconfiar– sino que 'segundas' expresa ese posible dar lugar a más efectos que el primero de transmitir sentimientos e ideas. Resulta un procedimiento útil para conocer, pactar, convencer, expresarse pero además constituye un valor porque consiste en un bien que construye la libertad propia.

El uso de la palabra –hablar con otros– interpela a las principales dimensiones humanas y precisa un mesurado esmero. El cuidado va más allá de la cautela, de la prevención, y orienta la voluntad a querer al otro, y a querer con el otro. El educador, aprecia las ventajas del diálogo, lo facilita y al hacerlo promueve la libertad. Los educandos mediante el diálogo aprenden a ser libres porque se ejercitan en decir lo que quieren, queriendo lo que piensan, y en querer a los demás desde una actitud básica de cuidado que aumenta hasta convertirse en hábito. Únicamente desde estos presupuestos, el diálogo forma moralmente a las personas. Preocupa que muchas de las instancias a favor del diálogo esconden una pretensión alicorta aunque legítima, dentro de lo correcto, que consiste en concebirlo como instrumento de consenso para resolver cuestiones. Los problemas fáciles se solventan con procedimientos eficaces. Si lo acordado resulta, el pacto se mantiene, y el diálogo cumple con su función de mediación. En cambio, los conflictos sociales graves, anclados en dificultades personales, no se saldan con medidas eficientes, sino que en la mayoría de los casos requieren cambios en el uso de la libertad de las personas implicadas. Es decir, la política y el derecho orientan la resolución de los problemas de los ciudadanos hasta cierto punto, lo decisivo se juega en el ámbito de la elección y su mantenimiento, en una esfera moral.

Por este motivo tiene tanta importancia el diálogo. Al conversar auténticamente –intentaré mostrar qué significado expresa la autenticidad– se muestra lo que se piensa y siente, se escucha el razonar y sentir del otro, para aprender más y mejor, para acordar lo conveniente, que no coincide siempre con lo que interesa en particular. La apertura –de cabeza y de corazón– de los que participan en el diálogo permite: sumar contenidos, añadir matizaciones, girar la atención; las propias convicciones –las ideas religiosas, éticas o políticas a las que se está fuertemente adherido– se enriquecen, y constituyen el punto de partida necesario, aunque no suficiente, para el buen uso de la libertad. El diálogo puede rozar e incluso penetrar el terreno íntimo del convencimiento al que no llegan las leyes, y alcanza a cualificar las convicciones.

Eso es, en gran parte, lo que se propone la educación moral, que respetando la libre decisión de las personas, 'tiembla' si se equivocan en la práctica, y procura remover el error. Eso no es imponer, ni adoctrinar, ni manipular es cuidar a las personas. Sobre la base de una confiada benevolencia es posible el diálogo político, afirma Llano[2]. Dígase donde se dice político: moral, social o interpersonal, se apela a la misma dimensión humana. La benevolencia no es neutra porque el que se esfuerza por buscar racionalmente –queriendo– el bien del otro, que es el bien de ambos, no puede ni debe asumir cualquier bien[3].

Si se acepta la libertad de las personas, con todas sus consecuencias, el diálogo es una tarea seria que supone aprender a desempeñarla, y asumir sus reglas. Estos criterios del dialogar emanan del modo de ser de las personas y de las sociedades que integran, y para vivirlos hay que comprender el dinamismo de la racionalidad, de la libertad, del lenguaje, y de la sociabilidad.

El diálogo constituye desde la perspectiva de la educación moral: un procedimiento para el desarrollo moral individual, un método para vivir la ciudadanía, un valor –meta deseable de las personas como individuos y ciudadanos–, una cualidad aprehendida –saber y querer dialogar, y de hecho hacerlo–. Únicamente se puede establecer el diálogo como procedimiento, valor, y cualidad si se parte del mismo como condición: el ser humano es dialogante[4].

2. LLANO, A. (1999) *Humanismo cívico*, p. 96 (Barcelona, Ariel).

3. BILBENY, N. (1999) *Democracia para la diversidad*, p. 121 (Barcelona, Ariel). El autor expone con acierto que no es suficiente para desarrollar o explicarse la propia identidad con preguntar quién eres, o de donde vienes, sino qué quieres. Esto mismo se puede referir al diálogo. No se trata de descubrir al otro sólo por su identidad estática, lo que ya es, sino la dinámica, lo que quiere llegar a ser.

4. NAVAL, C. (1996) En torno a la sociabilidad humana en el pensamiento de L. Polo, *Anuario filosófico* 29, pp. 872-73: "Ese carácter dialógico de la persona es ya hoy algo corrientemente admitido en los estudios sobre el hombre. De la fenomenología personalista y el existencialismo, ha pasado también a las reflexiones sobre ética y política, y hay muchos autores que convergen en estas consideraciones: E. Levinas, M. Bajtin, E. Mounier, etc. Si no hubiera otro alguien que nos reconociera, nos escuchara, y aceptara el diálogo y el don que ofrecemos, la persona sería un fracaso, una tragedia, una soledad completa".

1. PRESUPUESTOS ANTROPOLÓGICOS PARA AFIRMAR EL DIÁLOGO

La aproximación directa al significado de la voz diálogo remite a esa actividad que consiste en la conversación que mantienen dos o más personas, que alternativamente manifiestan sus ideas o afectos. El diccionario nos ilustra con otro significado, que remite a una actividad artificial, construida, como es el caso de considerar al diálogo como género de obra literaria en la que se finge una plática o controversia entre dos personajes. En tercer lugar, se entiende que dialogar es discutir o tratar en busca de avenencia. Sin comprobar si el diccionario –o la lengua en uso– refleja la realidad, en este caso, ilumina una idea: la búsqueda de acuerdo no es el primer propósito en el uso de la palabra dialogar. Luego antes que procedimiento para el establecer el consenso, la capacidad de dialogar emana de alguna dimensión humana operativa, en la que se alberga otra intención que salvar las posiciones diversas sobre cualquier asunto de interés para establecer un acuerdo. Si esto es así, la ética discursiva o comunicativa de Habermas, 'nos sabe a poco'.

Dialogar es un modo de comunicarse, de hacer a otro partícipe de lo que uno tiene por medio de palabras porque es propio del ser humano relacionarse con los otros, de la manera en la que más se manifiesta su peculiar modo de ser, ser racional. Por eso, platicar es una tarea moral, intrínsecamente moral, que puede contribuir al desarrollo del ser humano, haciéndole mejor como persona en una comunidad. El diálogo acrecienta la convivencia hasta propiciar una vida intensamente moral. Este aserto supone apelar a la naturaleza constitutivamente comunicativa del ser humano, racional y social, que se explica por ser vulnerable, por ser dependiente, y además por ser personal o donal[5].

En el diálogo se observan las características humanas específicas, contempladas en las más antiguas reflexiones antropológicas. Aristóteles expresó con pocas palabras esa conexión entre racionalidad, lenguaje, sociabilidad y moralidad. Al desempolvar algunos pasajes de su *Política*, la inspiración del clásico sugiere que "el hombre por naturaleza es un hombre político, y que el insocial por naturaleza, y no por azar o es mal hombre o es más que hombre"[6]. Por mal, el Estagirita entiende la privación que resulta de una deficiencia en el ser constitutivo –lo que ya se es– o en el ser moral –lo que se está siendo mediante el

5. GATTI, G. (1999) L'éducazione morale attraverso il dialogo paritario, *Orientamenti pedagogici*, 46, pp. 253-266. Este autor procura completar el planteamiento de Habermas aunque acaba afirmando que la naturaleza esencialmente social del hombre es debida a su vulnerabilidad, como si la sociedad sólo sirviera de apoyo para el desarrollo de la persona, y olvidara que es también ámbito de donación personal.

6. *Política*, I, 1, 1253a.

propio obrar libre–. Otra forma de decir lo mismo es sostener que el ser humano sólo lo es si es social. Únicamente alcanza su humanidad en sociedad. Ser sociable por naturaleza incluye ser ya algo y desplegarlo, según esa concepción dinámica de natural[7].

La expresión genuinamente aristotélica dice *zôon politikón*. Comprender lo social como político sugiere un modo de concebir la sociabilidad humana. Al explicarlo, Aristóteles alude al habla, y con ésta a la racionalidad. La palabra manifiesta que el ser humano se une a otros no sólo para buscar cómo subsistir sino para alcanzar el bien que le es propio. Basta un quejido para expresar el placer y el dolor; la interjección es un signo directo del sentimiento súbito por la reacción ante lo que sucede. La palabra refleja mucho más. Ese conjunto de sonidos articulados expresa una idea que a su vez puede remitir a otras ideas. Pues bien, la palabra, su existencia, explica que el ser humano es social y no sólo racional; su racionalidad se muestra y desarrolla cuando está con otros. Se puede pensar sin hablar; aunque el pensamiento alcanza un desarrollo mejor hablando[8].

Necesitamos asir el pensamiento con signos de naturaleza corporal aunque pensar es una actividad que no se reduce a la de hablar. Se experimenta la distancia entre pensar y hablar pero en su interior, el sujeto no sabe delimitar si cuando habla piensa, o si todo lo que piensa es con palabras. Y usa el lenguaje porque, en la comunicación con los otros, además de subsistir, busca ese bien propio, que incluye el bien común, mediante la razón. Tener en común el sentido del bien y del mal es lo que crea la sociedad propiamente humana, y no sólo gregaria como la de los animales[9].

7. La naturaleza según Aristóteles es: principio de movimiento, sustancia, materia, forma, especie y fin; no es algo estático ni acabado; "La naturaleza es una causa, y lo es como causa que opera para un fin" (*Física*, II, 199b). Las cosas naturales son por naturaleza, son para ser como son (*Ibid.*, 199a). La naturaleza de las cosas les da una forma pero no están hechas según esta forma de manera acabada; reservan potencia por actualizar (*Ibid.*, 201a). Esta forma acabada, en el ser humano se cumple mediante su obrar, y específicamente a través de su *praxis* libre.

8. MARINA, J. A. (1998) *La selva del lenguaje. Introducción a un diccionario de los sentimientos*, pp. 41-42, pp. 193ss (Barcelona, Anagrama). En esta obra divulgativa, que remite a los principales estudiosos del tema, se recoge desde distintas perspectivas esa idea: el conocimiento de la realidad se mejora y acelera por medio del lenguaje y de la interrelación con otros seres humanos.

9. *Política*, I, 1, 1253a: "(...) el hombre es el único animal que tiene palabra. La voz es signo del dolor y del placer, y por eso la tienen también los demás animales, pues su naturaleza llega hasta tener sensación de dolor y de placer y significándosela unos a otros; pero la palabra es para manifestar lo conveniente y lo dañoso, lo justo y lo injusto, y es exclusivo del hombre, frente a los demás animales, el tener el sólo el sentido del bien y del mal, de lo justo y lo injusto, etc., y la comunidad de estas cosas es lo que constituye la casa y la ciudad".

Ese bien común origina el vínculo social porque es susceptible de ser compartido que es más que ser repartido. Luego la sociabilidad, la inclinación a tratar con los demás para satisfacer las propias carencias, culmina en posibilitar que cada ser humano se empeñe en esa relación para cubrir los requerimientos de los demás. Se acaba celebrando la dependencia de un modo en el que se alcanza el máximo grado de libertad. El descubrimiento de otros, su conocimiento, puede conducir a transcenderse a uno mismo, uniéndose en sí mismo: racionalidad, sociabilidad, y moralidad. Aristóteles, que no llega a hacer explícita esta argumentación, concreta la implicación entre estas dimensiones humanas al explicar la condición sociable como amistad. Recordando el famoso libro VIII de la *Ética a Nicómaco*, se encuentra explicada la naturaleza de los diversos vínculos sociales, a saber, amistad como placer, amistad como utilidad, y amistad como virtud. El último caso, la amistad virtuosa, supone el deseo del bien del otro por su persona, y esto de un modo recíproco. La meta de lo social sólo se alcanza con un proceder ético[10].

En este clima de empeño moral se origina la confianza, básica para cualquier actividad cooperativa, en la que las energías se gastan en conseguir lo bueno, sin malgastarlas en un exhaustivo control de lo nocivo, como sucede en las relaciones sociales impregnadas de prevención ante los que quizá mantengan como primera instancia de su obrar el propio interés, aunque perjudique a los demás. Vivir en común es la base de la amistad[11]. En la amistad civil se sustenta la unidad, la concordia, y la justicia. El lenguaje, comunicarse con palabras, con sonidos articulados, es el puente material de tal unión aunque no es el único requisito de la sociabilidad. La palabra une porque hace común lo que se piensa o/y lo que se quiere, al mismo tiempo que nutre a la razón, a la voluntad y a los afectos de las personas de lo común. Así lo expresa Aristóteles al explicar cómo se produce la amistad, la mejor forma de la sociabilidad: "Luego es preciso tener conciencia también de que el amigo es, y esto puede producirse en la convivencia y en el intercambio de palabras y gestos"[12].

La razón capacita para abrirse a la realidad, también a la del otro, y posibilita la comunicabilidad, mediante la que se encauza e intercambia el resultado de esa apertura humana a lo real. Y es que los actos más subjetivos, más arrai-

10. *Ética a Nicómaco,* VIII, 1156a: "Pero la amistad perfecta es la de los hombres buenos e iguales en virtud; porque éstos quieren el bien el uno del otro en cuanto son buenos, y son buenos en sí mismos; y los que quieren el bien de sus amigos por causa de éstos, son los mejores amigos, puesto que es por su propia índole por lo que tienen estos sentimientos y no por accidente, de modo que su amistad permanece mientras son buenos...".

11. *Ética a Nicómaco,*VIII, 1161b.

12. *Ética a Nicómaco*, IX, 1170b.

gados en lo irrepetible del ser humano como sucede con el conocer y el amar, cuentan con la capacidad de conformarse, de hacerse a la forma de lo que se quiere y ama. Lo que se piensa y quiere es comunicable porque los otros pueden pensar y querer lo mismo, esencialmente lo mismo[13]. La racionalidad humana al mismo tiempo que dota de irrepetibilidad a las personas les hace iguales en su inclinación a hacerse con la realidad.

La aserción sobre el nexo entre racionalidad, lenguaje, moralidad y sociabilidad se mantiene a lo largo de los siglos pero va tomando un acento antropológico diverso. La modernidad torna en pugna estos elementos, y si anteriormente se proponía a los hombres lograr una deseable coordinación entre sí con esfuerzo, comienza a imponerse la idea de que los seres humanos, son individuos autónomos que soportan la convivencia a falta de otro remedio. Rousseau es uno de los pensadores que puede servir para indagar sobre esta nueva perspectiva. La expone relatando una ficticia y sugerente historia de la humanidad[14]. El ser humano natural –entendiendo por natural lo originario– vive y satisface las necesidades para sobrevivir placenteramente. Es feliz de este modo. El individuo, en su estado natural se presenta como un ser solitario, autosuficiente y libre. El libre albedrío manifiesta su racionalidad y le erige en autónomo. Elige por sí y para sí, sin depender de los demás, y sin hacerles daño. Pero por factores externos fortuitos que impiden la subsistencia de los seres humanos aislados, los individuos entran en relación con los demás. No tienen otra alternativa que convivir con otros por razones de utilidad, y al hacerlo desarrollan en mayor grado su razón.

La nueva forma de racionalidad se acompaña del desenvolvimiento del lenguaje y de la moralidad. Las cualidades adquiridas progresivamente mediante el contacto social, transforman a los individuos en más humanos, y por tanto esta situación supone un avance agradable[15]. La relación con los otros permite subsistir y alcanzar, posteriormente, vivir con holgura. Los afectos también se modifican inevitablemente, convirtiéndose: en el fundamento de la moralidad –la compasión es el sentimiento central junto a la conciencia de las adecuadas relaciones humanas–; y en el principal obstáculo para vivir en paz –el amor propio, la envidia y el orgullo que surgen por la comparación con los demás–.

13. MILLÁN PUELLES, A. (1997) *El interés por la verdad*, pp. 223ss, (Madrid, Rialp).

14. ROUSSEAU, J. J. *(1959-1970)* Discurso sobre el origen de la desigualdad, pp. 167-169, GAGNEBIN, B., y RAYMOND, M. (ed.lit.) *Oeuvres Complètes* III (París, Gallimard).

15. *Idem*, El contrato social, p. 364, GAGNEBIN, B., y RAYMOND, M. (ed. lit.) *Oeuvres Complètes* III, *o. c.*: "ya no se guía por el instinto o el apetito, no vive sólo para sí, sino que se mueve por razón, aunque en este estado se prive de algunas ventajas que le deparaba la naturaleza, alcanza otras no menos considerables, sus facultades se ejercitan y desarrollan, amplíanse sus ideas, sus sentimientos se ennoblecen (...) se transformó en inteligente y en hombre".

La sociedad permite a los individuos superar en parte la vulnerabilidad por la que apenas pueden sobrevivir en solitario. Pero a la vez se abre paso una excesiva dependencia entre unos y otros –que es debilidad y menoscabo de la independencia individual– al crearse necesidades superfluas: las propias de un nivel creciente de bienestar, y las ligadas al reconocimiento del resto de los miembros de una comunidad. La dependencia provoca sujeción, y pervierte el equilibrio en el individuo –amenazado por la ruptura que supone tener que apoyar intereses que no son los propios– y entre individuos –entre los que es fácil la lucha por imponer lo de cada cual–. Depender de los demás es un lastre. La sociabilidad aparece para cubrir necesidades mutuas materiales y de afecto; una vez satisfechas el individuo puede ser libre y alcanzar el máximo punto de su perfectibilidad[16].

La razón, que cierra al sujeto en sí mismo, que es incierta para conocer la realidad que no sea material, provoca que el individuo se compare constantemente con los demás, es arrastrada por las pasiones para calcular su provecho[17]. Sólo apelando a los sentimientos, a la originaria pasión que es compasión, se puede lograr que el individuo respete a los demás e incluso alcance la benevolencia. Si predomina esta pasión, la razón calcula de tal forma la propia utilidad, que accede a admitir el contenido de un pacto, de un contrato social. Se trata de que cada cual consiga su bien particular sin dañar a los demás; el bien común supone crear las condiciones por las que no se perjudica a los demás y se hace asequible el bien individual[18].

El lenguaje juega un importante papel en este proceso. Las lenguas surgen cuando los seres humanos pretenden dar satisfacción, no sólo a sus necesidades físicas –para las que resultan suficientes los gestos– sino al aviso de sus pasiones morales[19]. Para comunicar los sentimientos es necesaria la voz[20]. El auge de las necesidades físicas fuerza la sociabilidad pero de suyo dispersan y dividen; son los sentimientos los que refuerzan la índole sociable. El lenguaje es su instrumento, es la primera institución social. Se implantan los signos sensibles en

16. *Discurso sobre el origen de la desigualdad, o. c.*, pp. 137-138, 153.

17. *Ibid.*, p. 156.

18. *El contrato social, o. c.*, p. 494: "cada uno, al deslindar su interés personal del interés común, ve perfectamente que no puede separarlo del todo, pero su parte del mal público le parece insignificante al lado del bien exclusivo que pretende apropiarse. Exceptuando este bien particular, quiere el bien general por su propio interés tanto como cualquier otro".

19. No hay que perder de vista que para Rousseau, como para muchos pensadores de la época moderna, el origen de las cosas es su naturaleza; da razón del modo de ser de las cosas. Rousseau escribe una breve monografía sobre el origen de las lenguas: Ensayo sobre el origen de las lenguas, pp. 371-429, GAGNEBIN, B. y RAYMOND, M. (ed. lit.) (1995) *Oeuvres Complètes* V, *o. c.*

20. *Ibid.*, p. 380.

que consisten las palabras para expresar el interés. Las lenguas emanan por convención del individuo que se compadece, que solicita la piedad de los otros[21]. El discurso conmueve el corazón de modo más penetrante. Luego el primer logro de la conversación es provocar el afecto recíproco, despertando los buenos o naturales sentimientos de tolerancia y respeto. A medida que las necesidades y la vida social que las procura, se tornan complejas, la lengua refleja el cálculo racional y se distorsiona disfrazando al individuo de apariencias[22].

El lenguaje puede conducir a ese clima emotivo de solidario afecto y a partir de ahí, se razona a la razón establecer un pacto. Mediante el diálogo se comunican los motivos del consenso social, se clarifica la ventaja del acatamiento de la voluntad general. La meta inmediata es obtener la convención y con ella afianzar el ejercicio de lo moral. La moralidad –propiedad del individuo en cuanto se relaciona con los demás, en cuanto no les infiere prejuicio– se apoya primero en cordiales sentimientos, en el marco privado de la amistad y de la familia, y en la vida pública, se sustenta en la férrea y razonable voluntad de asumir la voluntad de todos.

La tensión entre racionalidad, sociabilidad, y moralidad que el Ginebrino intenta paliar persiste durante los siglos posteriores. Incluso en autores que asumen una concepción del ser humano, próxima a la aristotélica, queda la impronta, aparentemente insoslayable, del recelo moderno sobre que el individuo es sobre todo individual y no puede actuar más allá de su interés. Este es el caso de Alexis de Tocqueville, pensador que interesa traer a colación, no sólo porque funda tradiciones antropológicas anteriores de signo diverso, sino que además sostiene la relevancia de la educación moral en una ambiciosa propuesta política[23]. Se percibe a la individualidad –teñida de racionalidad, perfectibilidad, y libertad– en distensión con la sociabilidad[24]. Lo cierto es que cons-

21. *Ibid.*, p. 375: "Tan pronto como un hombre fue reconocido por otro como un ser sintiente, pensante y semejante a él, el deseo o la necesidad de comunicarle sus sentimientos y pensamientos le hizo buscar los medios para ello". Rousseau explica cómo la primera palabra fue: ¡ayudadme! (*Ibid.*, p. 408).

22. No es del caso entretenerse con este tema, únicamente cabe apuntar algunas ideas. Rousseau, en el discurso sobre las ciencias y las artes, dedica gran parte de su disertación a denunciar el engaño que se procura en el uso del lenguaje. Puede parecer que se convierte en enemigo de la lengua así como de la ciencia y de las artes; no se trata de esto sino que advierte el peligro de utilizar mal unas armas tan importantes como las señaladas. Las precauciones ante este riesgo se aprecian al tratar el tema de la opinión pública en el Contrato social (*o. c.*, p. 514) y en las orientaciones que aporta en la educación de Emilio, por ejemplo, pp. 321 y 347, *Oeuvres Complètes* IV, *o. c.*

23. DIEZ DEL CORRAL, L. (1989) *El pensamiento político de Tocqueville* (Madrid, Alianza Universidad); TOCQUEVILLE, A. de (1990) *La democracia en América*, I y II (Madrid, Aguilar).

24. TOCQUEVILLE, A. de (1990) *La democracia en América*, *o. c.*, II, p. 212: "La sociabilidad, que es la abnegación en las cosas pequeñas con la esperanza de encontrarlas uno a su vez, se comprende fácilmente al

tata, como criterio práctico de conducta, la moral del interés bien entendido siguiendo las pautas de un moderado utilitarismo, del que no muestra certeza[25]. Los seres humanos están convencidos de que necesitan de los demás para sobrevivir, para la vida buena, para la buena vida, interesándoles no perjudicar a los demás, e incluso preocupándoles colaborar con ellos para conservar y autorrealizar su individualidad. Desde esta perspectiva antropológica, la organización más adecuada de sociedad es la democrática. Y en una democracia, entendida como marco político pero también como estado social, el lenguaje luce un papel importante. La igualdad y la libertad de la democracia crean las condiciones para aceptar el querer de todos que se expresa mediante el lenguaje. La comunicación es constante[26]. Aunque suele suceder que a quien se escucha es a la mayoría.

Sin demorarse por considerar la observación sobre las deficiencias de la democracia, sí que cabe detenerse en los factores que afectan directamente al tema que nos ocupa. Las condiciones sociales de la democracia han afianzado el individualismo en seres humanos que continúan fascinados con el progreso material y por tanto, resultan fácilmente conducidos por las seducciones de los que aseguran esa especie de paraíso a cambio de la libertad. Tocqueville, argumentando estas ideas, propone como medio de vida social, política y moral el mantenimiento y auge de las asociaciones. Las asociaciones enseñan a los individuos a aunar sus objetivos intelectuales y morales, y a trabajar con otros para conseguirlos, sometiendo su voluntad a la de los demás, y subordinando sus esfuerzos a la acción común[27]. Para aprender a vivir con otros también es necesario aceptar y estar dispuesto a respetar los derechos de todos. Se trata de hacer entender y querer que el acatamiento al derecho es la disposición mínima que mantiene un orden racional en la sociedad[28]. Todas las alusiones a hacer

ser unos independientes de otros, pero igualmente débiles, y no es del todo contraria al egoísmo que antes he descrito".

25. *Ibid.*, p. 162: "El interés bien entendido no es contrario al avance desinteresado del bien. Son dos cosas diferentes, pero no opuestas. Las grandes almas, a las que no podría bastar esa doctrina, en cierto modo pasan a través suyo y van más allá, mientras que en las almas ordinarias se quedan en ella" (citado de un manuscrito de Tocqueville); "El interés bien entendido es una doctrina poco elevada, pero clara y segura. No intenta alcanzar grandes objetivos, pero consigue todos los que pretende sin grandes esfuerzos. Como está al alcance de todas las inteligencias, todos la comprenden fácilmente y la retienen sin dificultad. Adaptándose maravillosamente a las necesidades de los hombres, obtiene fácilmente un gran imperio (...) la doctrina del interés bien entendido parece la más apropiada de todas las doctrinas filosóficas, para las necesidades de los hombres de nuestro tiempo (...)" (citado en el texto de *Democracia en América*).

26. *Ibid.*, p. 100.

27. *Ibid.*, pp. 142 y 150.

28. *Ibid.*, I, p. 235: "Si en medio de este desquiciamiento universal no conseguís unir la idea de los derechos al interés personal, que se ofrece como el único punto inmóvil en el corazón humano, ¿qué os queda-

que los individuos se interesen por los demás, salir de sí, compartir, sólo son posibles mediante el diálogo. La comunicación se torna en medio imprescindible para colaborar.

Las asociaciones se hacen oír, interesan a otros ciudadanos cuando sus opiniones aparecen en los medios de comunicación[29]. Tocqueville plasma la finalidad concedida al lenguaje como medio de comunicarse en una sociedad democrática. El primer objetivo ya no es favorecer recíprocos sentimientos que fundamenten la relación social sino que se ha convertido en un vehículo de ideas, con las que hay que convencer a los demás para trabajar juntos. En el estado social democrático, la agilidad social repercute en el lenguaje. El lenguaje es estructurado por la mayoría según las necesidades de la industria, las pasiones de los partidos y los modos de la administración pública[30]. Sin pretenderlo seguramente, este autor destapa una de las raíces de nuestra actual falta de comunicación en la vida social, a pesar de que se incrementan los instrumentos que la facilitan. Cada cual hace uso de las palabras como le conviene pero desaparecen los términos claros y aumentan los abstractos para amparar cualquier idea[31]. Hablar sobre todo para ponerse de acuerdo en qué hacer juntos, para conseguir lo de cada cual, impide comunicarse. Falta la perspectiva amplia que otorga entender con todas sus implicaciones la relación entre sociabilidad, racionalidad, moralidad y lenguaje.

2. FINALIDAD DEL DIÁLOGO EN LA EDUCACIÓN MORAL

La reflexión precedente sirve para entender el trasfondo de las propuestas de educación moral que destacan el papel del diálogo. Coinciden en acudir al diálogo como recurso formativo. Sin embargo, insinúan objetivos diversos. Según que se espere del diálogo, o qué premisas se mantengan al promocionarlo, su uso alcanzará unos resultados u otros[32]. Como se percibe en el análisis

rá para gobernar el mundo sino el miedo?".

29. Tocqueville dedica un capítulo al tema de las asociaciones y periódicos, y otro a la libertad de prensa (cfr. *Ibid.*, parte II).

30. *Ibid.*, II, pp. 97ss. Se trata de un capítulo titulado: Cómo la democracia en América ha modificado la lengua inglesa.

31. *Ibid.*, II, p. 102: "Como no saben nunca si la idea que expresan hoy convendrá a la nueva situación que tendrán mañana, conciben naturalmente el gusto por los términos abstractos. Una palabra abstracta es como una caja de doble fondo: se meten en ella las ideas que se desea y se las saca sin que nadie lo vea".

32. MARINA, J. A., *La selva del lenguaje*, *o. c.*, p. 169. Se recogen abundantes estudios que desde el plano de la psicología demuestran este hecho.

sobre la sociabilidad, es distinto comunicarse para darse y para compartir lo que más se valora, que comunicarse para no entrar en conflicto, que hacerlo para obtener un beneficio legítimo y mutuo, situación que se resuelve entre las dos anteriores que figuran como dos posiciones extremas. Reclamar el diálogo es un modo de concretar los cauces de comunicación aunque a veces se corre el riesgo de restringir la comunicación a diálogo. Todavía más reductora es la perspectiva de los que equiparan la plática a discusión. La comunicación acoge al diálogo, discutir es una forma de conversar, pero no se puede dar la vuelta al razonamiento sin sufrir pérdidas importantes. Es decir, la comunicación no se enriquece únicamente con la discusión ni con el diálogo, supone una dimensión más amplia y profunda de la personalidad humana y de la sociedad. El diálogo va más allá de la controversia, se edifica también en el acuerdo o en el descubrimiento de uno a otro de ideas nuevas.

El primer significado de comunicar es: hacer a otro partícipe de lo que uno tiene. Parece que en este caso el diccionario no traiciona la realidad que define. Los siguientes significados del término comunicar concretan el primero: descubrir, manifestar o hacer saber a alguien alguna cosa; y conversar, tratar con alguno de palabra o escrito[33]. Como se ha visto en el apartado anterior, el diálogo es esa conversación, ese modo de sostener en común: ideas y afectos. A veces se torna en discusión. Es interesante acoger las dos direcciones que puede tomar esta actividad. Por una parte, discutir es indagar sobre un tema entre varias personas; por otra, es aportar razones contra las de otros cuando, precisamente hay algo que no es común, lo discutido, aunque los que animan la disputa mantengan algún nexo. En caso contrario, no sería posible comenzar el debate.

Tomar postura en un sentido, no sólo es cuestión de insistir en unos aspectos metodológicos en detrimento de otros, sino que dicha elección alberga de un modo más o menos consciente qué se espera de la sociabilidad en cada individuo humano, y hasta qué punto las personas pueden comunicarse. Hay que dilucidar si la actitud ante los otros es de acogida y admiración, o sin embargo, manifiesta la defensa por el temor a perder autonomía o por la sospecha permanente de que cada uno se interesa tan sólo de lo suyo.

¿Qué orientaciones en el recurso al diálogo predominan en la Educación moral? Todavía se mantiene el tema en dos planos diferenciados: formación moral en el ámbito privado y en el público. La separación, por el momento ine-

33. El *Diccionario de la Real Academia de la Lengua Española* describe otros usos de la palabra comunicar: transmitir señales mediante un código común al emisor y receptor; establecer medios de acceso entre poblaciones; consultar, conferir con otros un asunto, tomando su parecer; antiguo: comulgar, coincidir en ideas y sentimientos con otra persona.

vitable, mantiene en tela de juicio la continuidad entre fin del individuo –bien particular o privado– y fin de la sociedad –bien común–[34]. En este estado, los expertos requieren la necesidad de la comunicación: en el área pública se trata de deliberar para la participación, que a su vez conduce a la cohesión social, y a la identidad; en el área particular, se insta a deliberar para saberlo hacer por uno mismo, en algunos casos, y en la mayoría, para saber hacerlo por uno mismo y con otros. El pluralismo abunda en las hipótesis de formación moral. Se observa a autores que perfilan sus modelos insistiendo en el desarrollo moral del individuo; otros, subrayan las destrezas sociales en las que conservar lo individual; también los hay que postulan que lo individual se desarrolla en relación cooperativa con los demás. Los dos últimos grupos son los más frecuentes.

Valerse del diálogo como medio de desarrollo racional y moral es una treta antigua. La ética socrática, impregnada por completo de sentido pedagógico, reta a los individuos, a sus inteligencias, para pensar sobre la realidad y descubrir el bien. Se sobreentiende que las personas pueden participar de las mismas ideas porque pueden conocer y valorar las mismas cosas. También se confía en que algunas personas razonan con singular destreza, y por tanto, están en condiciones de presentar sus argumentos. Sus enseñanzas no son un atentado contra la individualidad del que aprende, tampoco cuando se refieren a un contenido moral[35]. Sin estar asegurado de antemano el acuerdo, los individuos adquieren convicciones con razones aportadas por otros pero pasando por su individual comprensión. Para asumir racionalmente una idea hay que pensarla. El acto individual de razonar es insustituible. Sobre el vacío no se puede pensar ni tener un juicio autónomo. En ocasiones, lo que sucede, es que en el diálogo, más que adquirir nuevas ideas se enriquecen las propias o también se cambian porque es razonable sustituir los pensamientos frágiles por otros mejores aunque su origen provenga de fuera. Todas estas posibilidades se contemplan en el estilo de la pedagogía socrática volcada en mostrar la moral. No imponen las voces ajenas sino más bien la realidad, alcanzable con la razón. El desarrollo de la razón propia, uno de los fundamentos de la moralidad en la tradición griega, se pone al servicio de la comunidad, entendiendo que gran parte del éxito en la convivencia es participar, tomar parte en algo común: unos bienes o valores.

Sigue vigente acudir al diálogo como medio para capacitarse racionalmente, dando por válido que si una persona es capaz de enjuiciar correctamente, el

34. LLANO, A., *Humanismo cívico, o. c.*, p. 28. Como explica este autor, el término bien común ha perdido operatividad. Se suele equiparar bien común a interés general.

35. WILSON, J. y COWELL, B. (1999) *Diálogos sobre educación moral* (Bilbao, Desclée De Brouwer). Se muestra cómo razonar sobre moralidad con una adaptación de los diálogos socráticos contenidos en *La República* de Platón.

desarrollo moral conveniente está conseguido, además de garantizar la libertad de los individuos. El padre de esta criatura, en la filosofía es Kant, y en la pedagogía, Kohlberg. Se continúa apreciando el mismo planteamiento en publicaciones actuales, referentes a diversos niveles educativos, aunque la marca excesivamente individualista e incluso racionalista de estos autores se corrige. Así por ejemplo, se expone que hay que educar para la participación, para conseguir equilibrar el desarrollo de la propia libertad con la contribución a la sociedad, destacando como instrumento la disputa analítica. Se deben desarrollar estrategias reflexivas mediante la discusión. Además se complementa con el fomento de competencias para elegir, decidir y ser responsables. Se recurre a la interacción con otros: aprender juntos a resolver problemas, y a evaluar soluciones. El plano afectivo entra también en el diálogo, y los educadores deben velar por el control emotivo de sus participantes a través del conocimiento de los sentimientos propios[36]. Mediante la conversación, los alumnos clarifican, elaboran y extienden sus ideas, interpretan sus experiencias a la vez que obtienen datos nuevos[37]. Los vínculos con los demás se pueden favorecer en el diálogo, al descubrir las razones de las creencias y reflexionar con otros sobre el bien común[38]. Queda, en cierta medida superado el afán de neutralidad que deriva en la indiferencia.

La reorientación hacia lo social no reduce la importancia del desarrollo del individuo. Prima, como garantía de libertad, el contribuir mediante la asistencia educativa a que cada individuo construya un código moral propio. La frontera en la adquisición de lo moral entre lo originario del individuo y lo que tiene su génesis en la sociedad es terreno conflictivo. La técnica del diálogo lo muestra. Por un lado, desde la psicología se insiste en que los individuos forman su conciencia e identidad –no sólo moral– aprendiendo a deliberar, proceso en el que media el aprendizaje de las normas morales sociales mediante el diálogo[39].

Se considere o no que la conciencia moral es fruto de la relación social, se defiende siempre que esa impresión social no anule el papel del individuo en su propio hacerse. Ésta es la intención en reflexiones como la siguiente: la interacción intersubjetiva, cuya forma primordial es el diálogo, facilita al individuo reconocerse pero no se trata de un conocimiento definitivo, ni puede ser impuesto –como puede ocurrir en la enseñanza de tradiciones– sino que se cuenta

36. HOLDEN, C. y CLOUGH, N. (eds.) (1998) *Children as citizens. Education for Participation*, pp. 14, 39ss, 141ss (London, Jessica Kinsley publishers).

37. *Ibid.*, p. 248. La autora presenta un programa: "Speaking for Ourselves, Listening to Others".

38. NUSSBAUM; M. C. (1997) *Cultivating Humanity. A Classical Defense of Reform in Liberal Education*, p. 24 (Cambridge, Harvard University Press). La autora centra el tema en la educación superior.

39. PUIG, J. M., *La construcción de la personalidad moral*, p. 73 (Barcelona, Paidos).

con él, para que progresivamente se vayan formando los propios puntos de referencia para una reflexión autónoma. El diálogo permite así: alcanzar conocimientos que el sujeto por sí mismo no puede poseer –muchos de ellos versan sobre la vida de convivencia–, mantendría lazos con los demás superando el egocentrismo, culminando en la construcción de una moral autónoma[40]. Actualmente sobresale esa preocupación por aprender a dialogar para gestionar lo común, alcanzar el consenso –que determina eso común– y aplicarse a respetar y promover lo pactado. Suele introducirse una apostilla al exponer estos objetivos: es necesario configurar unas destrezas básicas en los individuos para que mantengan siempre su juicio particular, que sepan criticar, oponerse[41].

La ética dialógica se explaya en este sentido. El diálogo permite el intercambio de razones de análisis de los problemas sociales y sus posibles soluciones, respetando las ideas de todos los que intervienen. El punto central es el ejercicio de la razón y cierto dominio afectivo para que la racionalidad siga su curso sin alteraciones. ¿Qué finalidad tiene este tipo de comunicación? Ponerse de acuerdo para cooperar, buscar la acción eficaz. La propuesta resulta interesante pero insuficiente. La participación supone poseer algo en común más sólido, más unificador que la intención de ser eficaces. El lenguaje, como vehículo de conocimiento, constituye el puente sensible que aproxima con certeza a lo que haya de común. Por medio del lenguaje entendemos lo que otros piensan –captan y valoran de la realidad– aunque no sepamos lo mismo –no podamos afirmar: esto es verdad–. Luego en el diálogo, en la mayoría de los presupuestos pedagógicos divulgados, se aconseja enseñar a usar correctamente el lenguaje. La finalidad no es descubrir con otros qué es lo verdadero, qué razones me permiten enriquecer el juicio propio, qué motivos y razones apoyan una idea, aprendiendo de los demás cómo creen poseer lo verdadero –lo que se correspondería a indagar coorporativamente la verdad–. En este sentido se puede entender la explicación del procedimiento en los siguientes términos: "La

40. *Ibid.*, p. 97: "Si el sujeto se refiere a sí mismo como a un objeto que se quiere conocer, acaba por objetivarse y alienarse, someterse a dominio, perderse en un sinfín de niveles de supuesta verdad que le confunden y, al fin, no consigue sino desconocerse más si cabe. La razón comunicativa, por el contrario, no pretende tomar al sujeto en tanto que objeto a iluminar y hacer transparente, sino que entiende que el sujeto se construye y reconoce gracias a la relación intersubjetiva que mantiene con los demás. No se trata de alcanzar la verdad sobre sí mismo, sino de construir a través de la relación con los demás un espacio propio desde el que sea posible pensarse y dirigirse con cierta eficacia y autonomía". En esta línea se sitúan autores como: G. H. Mead y L. S. Vygotsky, Piaget, Habermas, K. O. Apel.

41. Por ejemplo, las siguientes obras insisten en que el individuo participe en la ciudadanía pero al mismo tiempo reiteran que disponga de suficiente capacidad para mantener su propia postura. Es difícil mantener el equilibrio entre la autonomía personal y la influencia de los demás, en los términos en que se plantea. Cfr. BÁRCENA ORBE, F. (1997) *El oficio de la ciudadanía. Introducción a la educación política*, p. 155 (Barcelona, Paidós) y CORTINA, A. (1997) *Ciudadanos del mundo*, p. 55 (Madrid, Alianza).

palabra o mejor el diálogo, ha de permitir una mejor definición de la situación y de los problemas que representa la realidad, una mejor comprensión mutua a propósito de los respectivos puntos de vista e intereses y, finalmente, el logro de una coordinación acordada de los respectivos planes de acción"[42].

Así dicho, podríamos entender tanto que el diálogo sirve para buscar la verdad práctica –el bien– como que sólo conduce a la eficacia –consecución de un valor–. Verdad práctica y eficacia no tienen por qué estar reñidas; a largo plazo, únicamente la eficacia sustentada en la verdad práctica es realmente eficaz. Pero sí puede suceder actuar por eficacia, independientemente de su relación con la verdad. Se puede plantear el diálogo como un modo de aproximarse a la verdad porque la realidad es compleja, y abarcarla excede la fuerza cognoscitiva de los individuos aislados. Buena prueba de ello es el éxito en el mundo científico de los equipos de trabajo. Si de esta forma sucede en las ciencias que versan sobre objetos materiales, para abordar las cuestiones éticas, privadas o públicas, en las que la complicación se agrava, la necesidad de pensar junto a otros se impone. Lo moral no se puede medir ni tocar pero sí conocer, y precisamente porque se trata de un objeto difícil requiere dilucidar en común, para lo que hay que hablar. La función comunicativa del lenguaje se cumple si se mantienen dos 'prejuicios': lo que se dice es algo que se entiende, y lo que se dice es verdad. Pero la mayoría de las teorías gnoseológicas que repercuten en los postulados de la educación moral, estrechamente ligadas a las ideas acerca del lenguaje, mantienen unos principios diversos, prácticamente opuestos[43].

Si se procura mediante la conversación la acción coordinada eficaz, sin más aspiraciones y con también 'prejuicios': no hay verdad, no podemos pensar ni decir lo mismo, y prima siempre el interés particular, se trata de aprender a hablar de forma que se llegue a un acuerdo, y el afecto mutuo para determinarse a ser leal al consenso[44]. En esta situación, se emplea un lenguaje de palabras que significan lo mínimo, lo general. Aplicado a la realidad moral, las palabras de este lenguaje de mínimos representan conceptos abstractos cuyo contenido –que debe orientar y dirigir la actividad humana desde su racionalidad práctica– está esperando ser más mediante el acuerdo social. Con estas expectativas, el diálogo promueve, junto a la reflexión individual y colectiva, la habilidad para las relaciones interpersonales. Sus promotores, conscientes de la limitación cognoscitiva, subrayan que lo que hay que estimar es el proceso y no

42. PUIG, J. M., *o. c.*, p. 232.

43. KELLY, A. V. (1995) *Education and democracy: principles and practices*, pp. 53-100 (London, Paul Chapman Publishing).

44. PÉREZ SERRANO, G. (1997) *Cómo educar para la democracia. Estrategias educativas*, p. 76 (Madrid, Popular).

los resultados, lo que vale es el consenso dinámico[45]. Por algo se empieza, pero es tan sólo comenzar. Si se renuncia a compartir la verdad práctica, su pactada ausencia pervierte el procedimiento del diálogo, en el que acaba predominando hacer valer el interés particular, aunque sea el de muchos. Desde esta perspectiva se entiende que las relaciones sociales se fundamentan en la utilidad y en los lazos afectivos. La sociabilidad vuelve a establecerse mediante vínculos frágiles.

3. CONDICIONES PREVIAS PARA SOSTENER EL DIÁLOGO

Sirvan a modo de conclusión estas ideas confiando en acudir al diálogo como un medio imprescindible de comunicación y educación en su sentido pleno. La desconfianza hacia las tentativas de conocer la verdad y comunicarla, escondida en una aparente postura de condescendencia, convierte al diálogo en un procedimiento útil pero débil. Si el criterio que sirve de referencia es la eficacia, ésta permite prescindir del proceso del diálogo, la mayoría de las veces lento, en la primera oportunidad. Se desecha conservándolo sólo en apariencia –triunfan los que usan correctamente el lenguaje– o eliminándolo al usar la fuerza y la coerción.

Se trata de recuperar un sentido positivo de la naturaleza humana: falible pero también perfectible, individual pero también personal y social. Es decir, el ser humano puede reconocer en los otros el apoyo para desarrollarse como individuo. Asimismo puede comprender que la interdependencia social no se restringe a ser un intercambio calculado de favores, sino que hace posible ser personas. El darse a los otros se puede ofrecer en la práctica cuando además de la cooperación social mediante obras determinadas, se comparten ideas acerca del bien y de la verdad, cuando de la realidad se vislumbran y valoran esencialmente las mismas cosas o al menos se tiende a este estado de comunidad. Hay que confiar en que se pueden atisbar razonablemente las experiencias y vivencias irrepetibles de cada persona cuando ésta las comparte mediante el lenguaje. Esos conocimientos permiten el dominio de los sentimientos y si es el caso, apoyarse en su refuerzo al actuar y conocer más profundamente.

La dignidad humana exige el diálogo pero también un tratamiento más grave que el que se propicia con buenos sentimientos y relaciones útiles. Esta

45. SÁNCHEZ TORRADO, L. (1998) *Ciudadanía sin fronteras, cómo pensar y aplicar una educación en valores*, pp. 61-63 (Bilbao, Descleé de Brouwer).

afirmación permite establecer un marco amplio de objetivos en la educación moral mediante el diálogo, entrelazando las destrezas racionales, afectivas y volitivas que constituyen la garantía del adecuado desarrollo de la sociabilidad de cada individuo, y por tanto, de la sociedad en su conjunto.

ABSTRACT

DIALOGUE IN MORAL EDUCATION: PRESUMPTIONS, FINALITY AND CONDITIONS

Dialogue is one of the most common strategies in moral education. The goals adopted by educators when they resort to dialogue depend on their anthropological paradigm, that is to say, on how they understand and relate the following human dimensions: sociability, rationality, morality and language. The ideas of Aristotle, Rousseau and Tocqueville, the most representative thinkers of certain periods of history and culture are analysed to show how differences in anthropological assumptionsand result in differences in expectations and objectives that educators consider important when they use dialogue.

KEY WORDS

Moral education, dialogue, sociability, morality

DIRECCIÓN DE LA AUTORA

Aurora BERNAL MARTÍNEZ DE SORIA
Departamento de Educación
Universidad de Navarra
31080 Pamplona (España)
Tel. 00 34 (9) 48 42 56 00
E-mail: abernal@unav.es

CHARACTER EDUCATION AND MORAL EDUCATION IN ARISTOTLE AND ROUSSEAU[1]

Aurora BERNAL MARTÍNEZ DE SORIA
Concepción NAVAL DURÁN
Universidad de Navarra

Social and political concern about the individual's behavior in society is the focus of growing interest in the field of education on an international scale. The issue, however, is not new in a society that is constantly diagnosing itself as suffering from one form of crisis or another. Education programs that attempt to address this problem have been called by different names: 'character education', 'moral education', 'civic education', 'values education', and 'social education' among others. Experts, who are inclined to espouse an integral model of education, make us recall –whether deliberately or not– ideas from the past. This paper will discuss the concept of *paideia* in relation to the moral and civic dimensions of education as it is developed in the works of Aristotle and Rousseau. The reason for this is twofold: first, while representing different epochs, both have had great repercussions in the history of western culture, as well as, on the history of education; and second, both offer us models of education that continue to be relevant in our time.

1. Este documento fue presentado como comunicación en The 28th World Congress of Philosophy "*Paideia: Philosophy Educating Humanity*", Boston, August 1998.

1. DIFFERENT NOMENCLATURE: CHARACTER EDUCATION OR MORAL EDUCATION[2]

Aristotle and Rousseau differ in terminology when referring to this particular aspect of education: character education and moral education, respectively. This difference, however, cannot be merely attributed to the linguistic peculiarities of their respective epochs. Rather, each term *moral* or *character* actually represents a different way of understanding what the education process consists in. Aristotle in using the term *character* is referring to an individual's personality, which influences how the individual would act in different circumstances. This tendency to behave in a particular way is a combined product of nature and of *ethos* that has been directed, fostered and reinforced by others through a process called character education. In contrast, for Rousseau, the term *moral* has to do with the individual relating with others in order to act and to live. To form the individual, the intervention of other people is necessary and this activity is what is considered educational.

These two perspectives do have some things in common; but they also have significant differences. A point of agreement is that Aristotle, like Rousseau, does not think that an individual can develop completely without the help of other human beings. Similarly, for Aristotle, character education is always moral, in the same sense that Rousseau gives it, because he cannot conceive of any individual without any social relation. It cannot be said, however, that Rousseau's concept of what is moral, which he limited to the social sphere, completely coincides with the idea of Aristotle. In the Aristotelian conception, to be a man in the full sense of the word is to be good both as an individual and as a citizen and this is what constitutes a good life. On the other hand, for Rousseau, to be a man is to be an individual human being that is meant to live and to be on his or her own. However, given the stage at which man has evolved in time, he or she is now required fortuitously to live and to be with others. Hence, by the force of circumstances, the individual has undergone a transformation from a being for himself or herself to a being for himself or herself that is compatible with the being for himself or herself of other human beings. It, therefore, seems that Rousseau admits a stage in which it is possible for the individual to develop outside of human society. Other human beings are necessary only for the material things and only while the individual lacks the required maturity. Besides, education is considered in the negative sense, that is, its role is to remove the obstacles that may impede the development of char-

2. BERNAL, A. (1998) *Educación del carácter-educación moral. Propuestas educativas de Aristóteles y Rousseau* (Pamplona, Eunsa).

acter, which when left unhampered is supposed to develop spontaneously in man. This kind of education is what Rousseau calls character education that is qualified as distinct from moral education. Thus, in *Emile,* his principal work on education, he divides the process of education in two stages: pre-moral and moral.

In summary, from the Aristotelian point of view, character education is always moral because to form the individual to be a complete human being is to make him or her good. In contrast, for Rousseau, moral education is directed at enabling the individual conserve his 'natural' character in spite of having to live in society. Hence, it seems that Rousseau would divide the character education of Aristotle into two stages: first, an education oriented towards forming the individual's character –negative education– and second, an education that is more properly called moral education.

2. THE RELATIONSHIP BETWEEN THE NOTIONS OF EDUCATION, INDIVIDUALITY AND SOCIABILITY

The diverse anthropological foundation that defines the relationship between sociability and individuality and that sustains the respective postures of Aristotle and Rousseau is the basis for the distinction between character education and moral education. This anthropological foundation directly concerns education because the relative priority given to educational purposes related to what is social or what is individual depends on it. Besides, it is related to the essence of educational activity in general. Education is always a relation among persons: the educator and the learner. Sometimes, however, more emphasis is placed on the importance of the learner's self-education, that is, what the individual assimilates, what he or she makes his own and how he matures and grows. This is the case with Aristotle and Rousseau. Consequently, both may appear to give little or no importance to the activity of the educator; but this is far from the truth. Even in Rousseau's concept of negative education that espouses the non-direct intervention in the individual's process of maturation, the activity of the educator is not considered peripheral. In Rousseau's conception of the process of education, the educator intervenes, except that it is done indirectly. Thus, in a certain sense, it may also be considered as positive education. It may be rightly claimed, therefore, that all education –including the stereotyped situation created by Rousseau that includes a mentor with his only pupil– is a process that always involves a social relation. This is the reason why the anthropological perspective about human sociability influences the way education is conceived.

For Aristotle, the education of character is something natural to human beings because man is naturally sociable. Moreover, he thinks that it is only possible to be truly human if the individual relates with other persons. Besides, given the right conditions, this relationship would lead the individual to become a good man or woman. In this context, it is natural or it is to be expected that some persons have the task of telling the others how they should act. Correspondingly, given that the norms of conduct respect the nature of things, the others have to acknowledge the authority of those who can instruct them about how to become better. In the context of the *polis*, this implies that everyone has the responsibility to participate in the education for life. Thus, it can be seen why character education and civic or political education are so tightly interwoven.

In the theory of Rousseau, the tension between the individual and the society leads to a conception of education that is viewed from two conflicting prisms. On one hand, education is seen as an indispensable means to seek the equilibrium between man's individuality and sociability. On the other hand, it is considered a threat to the moral autonomy of the individual because authority involves an imposition of arguments and value judgments of one person over another. Rousseau did not doubt that education is an aspect or a consequence of the sociability that man has to acquire, given the historical evolution of humanity. But he speaks of education as a process of denaturalization: first, the individual will have to learn to live for himself –the pre-moral stage– and then, to learn to live for himself with others –properly called the moral stage. This culminates in civic education. Rousseau affirms the continuity between the two stages; at least, he attempts to show that it is so. In fact, this effort could be gleaned in his description of the initial phases of the education process. But his idea that the individual should be left to mature by himself or herself in the first years of life led him to advocate that the child be allowed to treat the other people as things. His insistence on this requires that he exclude any consideration of what is moral during this first stage.

In the first stage, the child's psychological development takes place at the margins of what is considered moral. Then, there is a division and a progress from what is psychological to what is moral, from the natural to the civic or social, from the maturation of the individual to the moral and social function of this maturation. This idea raises a problem: if both processes do not harmonize from the outset, they may be irreconcilable later on or at most they may obtain an artificial equilibrium that would be in constant danger of being ruptured anytime. Nevertheless, it has to be kept in mind that although Rousseau calls this first stage as pre-moral, it is still education, that is, the mentor intervenes; the preceptor is not passive like an inert object. Rousseau tries to be consistent with this posture. For example, his recommendations on the kind of language that the mentor could use and the situations that must be simulated or provoked reflect the kind of active involvement required of the educator. Consider also the importance that Rousseau gives to the educational function of language. According to him, without language, it would be very difficult for the child to develop his or her reasoning powers. However, to develop the language abilities of the individual, the child must be able to communicate with other individuals, although, at that early stage, the child may fail to recognize those individuals as other 'I'.

3. THE DEFINITION OF EDUCATION IN ARISTOTLE AND IN ROUSSEAU

Let us now consider the definition of education in each of them. It has to be kept in mind that whenever Rousseau talks about education, he is referring to moral education. Education for him is the education of nature, of men and of things[3]. In contrast, for Aristotle, it is the education of nature, habit and instruction or reason[4]. Both affirm that education interrelates or coordinates the aforementioned elements in order that it may effectively fulfill the intended ends. Both also understand nature as referring to the innate endowments of an individual. Likewise, they agree that this initial endowment includes what is common to the human specie as such, as well as, characteristics peculiar to every individual, which has to be given special attention. Given their shared understanding of nature, both also coincide in their insistence in favor of individualized education, referring to attention given to each individual. It must be pointed out, however, that their ideas do not always coincide. Rousseau, given his conception of what is natural, leads him to insist that nature should be allowed to develop spontaneously by the removal of obstacles, assigning only an indirect role to the educators. In contrast, Aristotle gives high premium to the direct and positive intervention of the educator that gives impulse to the development of nature.

3. *Emilio*, I, pp. 9-12 (*O C*, IV, 247-250).
4. EN, X, 9, 1179 b; *Pol.* III, 13, 1332a.

The other elements in the definition of education mentioned above highlight different factors in the educational process. The education of things, one of the permanent criteria in Rousseau's pedagogy, refers to the experience that the individual acquires as he relates with the world, whose essential facet is cognitive. In reality, this is a continuation of or is parallel to the education of nature. Education at this level is primarily concerned with preparing the environment so that the individual could draw out the maximum cognitive benefits from his surroundings. However, neither the education of nature nor that of things is moral. In contrast, the education of men, which involves their instruction on how they could use the developed organs, is concerned with morality. Some authors have critiqued this proposition as tantamount to learning through conditioning combined with a little instruction. Besides, they have pointed out that in this situation the learner is being manipulated completely[5].

When Aristotle talks of habits, he alludes to the action of the subject practicing those habits. When he talks of instruction, he is referring to the education of the practical reason. It is possible then that Rousseau would regard the education of habit in Aristotle as equivalent to his education of nature and of things and, partly, as education of men, that is, if Aristotle's habits involve relationship with other men. Instruction, which is very limited in Rousseau's thinking, may also be education of men. Note, however, that from the Aristotelian point of view, the education of men is not separate from the education of nature or of things. This is because he does think that human maturation would be possible outside of a social context. In contrast, Rousseau perceives a danger in an imbalance between the education of nature and of things, on the one hand, and the education of men, on the other hand; and this is precisely what he wanted to address. On the contrary, Aristotle believes that these three elements of education have unity. Besides, he considers habit and instruction as natural, though not in the sense of being spontaneous. However, since Rousseau thinks differently, he wanted to draw out a plan that tries to harmonize natural education with civic or moral education, which he sometimes calls national education. In contrast, Aristotle thinks that all education is natural and encompasses everything that is by nature good for man, consequently including civic education.

5. ROSENOW, E. (1980) Rousseau's Emile, an Anti-Utopia, *British Journal of Educational Studies* 28, 212-223; WINCH, C. (1996) Rousseau on Learning: A Re-Evaluation, *Educational Theory* 46(1996/4)415-428.

4. THE DIFFERENT STAGES OF EDUCATION

Both Aristotle and Rousseau speak of five stages that correspond to what might be regarded as distinct periods. Each period is distinguished by the attainment of a new quality in human action. Nevertheless, while Aristotle thinks that education is a continuing process that lasts throughout one's lifetime, Rousseau maintains that it should end once the individual has reached maturity. The classical *paideia* is a process in which the individual learns to be human in the best way possible, attaining complete goodness and happiness; hence, Aristotle's *paideia* never ends. For although he speaks of education as taking place in the period between infancy and adulthood, his ethical and political description of the human being leads us to conclude that education, understood as a process of acquiring perfection, never ends. This conception of a lifetime education is better appreciated when he insists on the formative value of friendship and of the political relations among the citizenry. Aristotle sees the end of educational activity in the good man and the good citizen, the wise man, the individual who has attained happiness. The teleological conception of human nature is the basis for looking at education as a continuous process.

Rousseau, on the other hand, strictly limits education to the period between infancy and adulthood. Once moral autonomy has been attained or the individual is self-sufficient, education would no longer be possible without infringing upon the freedom of the individual. In the final analysis, no matter how much it is concealed, education always involves a dependence on the will of another. Rousseau tends to focus on what he calls the original natural condition of man with the intention of preserving its spontaneous growth. Hence, he emphasized the importance of the infancy period, which the Greeks ignored. But once the subject is already endowed with the capacity to conserve his or her own natural condition, then the need for education ends. Perhaps an exception to this is the educational role he concedes to law and customs, which seem to serve the same function in the ideal society based on a social contract and in the Greek *polis*. In both cases, law and customs provide some form of moral and civic education for adults, which implies that education lasts during one's lifetime. Besides, for both, the law is the embodiment of the way the citizens ought to conduct themselves to keep society a suitable place to live in for everyone. The law, then, strengthens the foundations of a stable society and even complements what some citizens cannot themselves fulfill due to a lack of education. Nevertheless, the two perspectives differ fundamentally. In the case of Rousseau, the law is an instrument for keeping the integrity of society such that if the citizens were perfectly educated, the law would no longer be necessary.

In contrast, for Aristotle, the law determines the way in which the common good can be incorporated in the lives of the citizens. This process always has room for improvement since the interior growth of each individual that enable one to live well can be perfected interminably.

5. THE PRACTICAL DIMENSION OF EDUCATION

Aristotle stresses the practical dimension of character and civic education. He affirms that one learns to be good by doing good deeds; one learns to be virtuous by practicing good habits; one learns to be a friend by having friends; and one learns to seek the common good by doing what the common good demands. The educator can facilitate this process by disposing, by guiding and by accompanying the learner. Disposing means strengthening or reinforcing the positive human tendencies and suppressing the inappropriate ones. Guiding means suggesting or proposing worthwhile objectives and giving reasons not only as to why certain objectives are worth pursuing, but also why other objectives are not suitable. Accompanying means watching over, caring, loving and sharing. This is how parents teach, but it is also how teachers, friends, legislators and statesmen teach. Hence, everyone in the *polis* should participate in the task of educating. For what is essential in the social relationships in the city is not economic subsistence but the activities that promote the interior growth that enable every citizen to work towards his or her proper end: being a good person and having a good life.

Rousseau shares this practical approach, insisting that one can only learn by doing and with the educator accompanying the learner. The process takes place naturally or spontaneously from within the individual, who has to learn by overcoming obstacles. He, however, does not talk of giving guidance, in the sense of predetermining goals and objectives. Nevertheless, the fact that he recommends that the educator keeps watch over the learner's internal process of growth means that imposed objectives do exist, except that they are hidden. He further insists that to let the individual be and grow as he or she is, with freedom, one could not have any pre-conceived models. There is, however, a contradiction between what he says and what he describes as his conception of education. This is because one could not be neutral in education and Rousseau's project demonstrates this fact. Although his intention is 'to leave alone' everything that arises from the nature of the learner, what he describes to be the praxis of his model of education fails to follow this criterion. There is, in fact, only one situation in which the educator should abstain from giving any guidance, that of specifying standards of behavior. Thus, Emile's tutor avoids teaching desirable forms of conduct; whereas, educators inspired by the Aristotelian *paideia* do show their pupils the desirable behavior.

6. CONCLUSION

Both Aristotle and Rousseau present models of how moral and civic education could be approached. Their works contain sufficient indications in order to draw out the more fundamental issues that ought to be taken into consideration when studying this subject. In this paper, we have discussed the meaning that each author gives to character education and moral education. This is a reasonable starting point for any further analysis.

ABSTRACT

LA NOCIÓN DE EDUCACIÓN DEL CARÁCTER O MORAL SEGÚN ARISTÓTELES Y ROUSSEAU

La preocupación social y política por el comportamiento de los individuos en sus relaciones sociales ha suscitado en el ámbito educativo internacional un interés creciente. Se han desarrollado programas de formación que reciben denominaciones diferentes: educación del carácter, educación moral, educación cívica, educación en valores, educación social, etc. Resulta necesario para reflexionar sobre esta temática conocer qué han expuesto algunos autores del pasado que han influido más notablemente en el desarrollo del pensamiento pedagógico. Aristóteles y Rousseau son autores excelentes para este propósito comparando de paso etapas diversas como son la clásica y la moderna. Las nociones y denominaciones que utilizan para referirse a la dimensión moral de la educación son: educación del carácter en Aristóteles, y educación moral en Rousseau.

Desde el punto de vista aristotélico, la educación del carácter es siempre moral porque hacer del individuo un ser humano pleno es hacerle bueno. Viendo el tema desde la perspectiva de Rousseau, la educación moral busca que el individuo conserve su carácter 'natural' aun viviendo en sociedad. Rousseau dividiría la educación del carácter que promueve Aristóteles en dos etapas, la educación del individuo, que es formación de su carácter –educación negativa– para después pasar a una educación propiamente moral. En la raíz de la distinción entre educación moral y del carácter encontramos las diversas bases antropológicas que sustentan Aristóteles y Rousseau por las que establecen cuál es la relación entre sociabilidad e individualidad. El Estagirita destaca la posible armonía entre estas dimensiones humanas planteando la educación cívica como una continuación de la del carácter, en cambio, a Rousseau le resulta difícil coordinar ambos aspectos aunque lo pretende añorando el estilo de vida de las *polis* griegas.

Tanto Aristóteles como Rousseau insisten en que uno de los procedimientos básicos de la educación moral y cívica es el ejercicio y la habituación en los comportamientos que se quieren suscitar.

KEY WORDS

Character education, moral education, Aristotle, Rousseau, philosophy of education

DIRECCIÓN DE LAS AUTORAS

Aurora BERNAL MARTÍNEZ DE SORIA
Departamento de Educación
Universidad de Navarra
31080 Pamplona (España)
Tel. 00 34 (9) 48 42 56 00
E-mail: abernal@unav.es

Concepción NAVAL DURÁN
Departamento de Educación
Universidad de Navarra
31080 Pamplona (España)
Tel. 00 34 (9) 48 42 56 00
E-mail: cnaval@unav.es

LAS CONCEPCIONES PSICOLÓGICAS DEL YO EN LA POSTMODERNIDAD: IMPLICACIONES PARA LA EDUCACIÓN MORAL Y CÍVICA

Carmen GONZÁLEZ TORRES
Universidad de Navarra

1. INTRODUCCIÓN: LAS CONSECUENCIAS DE LA MODERNIDAD EN LA VISIÓN DEL YO

Uno de los centros de mayor interés científico de la Psicología ha sido el estudio de diferentes aspectos ligados al yo o sí mismo (*self*) –autoconcepto, autoestima, autoconsciencia, autonomía, autorrealización, autocomprensión, autorregulación, identidad, autocontrol, autopresentación, autodefensas, etc.–. Este interés deriva del supuesto de que nuestro funcionamiento psicológico –la forma en que percibimos y sentimos, nos motivamos y actuamos– depende en gran medida de cómo nos definimos. El autoconcepto, término al uso para designar la teoría que cada uno va construyendo de su identidad personal, es decisivo en la comprensión de la conducta de un individuo. Se puede decir que se convierte en una especie de profecía autocumplida (*self-fulfilling prophecy*). La preocupación por el autoconcepto se ha popularizado tanto, que hoy estamos inundados de libros, artículos, que constantemente nos recomiendan 'encuéntrate a ti mismo', 'sé tú mismo', 'realízate', 'defínete a ti mismo' y nos ofrecen numerosas sugerencias y consejos para elevar nuestra autoestima, desarrollar nuestro potencial personal, aliviar nuestras crisis de identidad o guiarnos en la exploración de nosotros mismos.

De hecho se ha afirmado que la preocupación por el yo se halla especialmente hipertrofiada en la época actual. Buena muestra de ello ha sido el fuerte movimiento en favor de la autoestima que se inició en América hace algunos años, alentado por la idea de que, como índice de buen ajuste y adaptación, potenciarla sería lo mejor para el individuo y la sociedad. Una especie de vacuna social contra todos los males, como, por ejemplo, la violencia. Sin embargo, muchos de los esfuerzos por reforzarla, por estar inadecuadamente orientados, han caído en el exceso y en el ridículo (Purkey, 2000; Starker, 1989). Un duro golpe para el movimiento de la autoestima lo asestaron Baumeister, Smart y Boden (1996) con una documentada investigación en la que mostraron cómo la alta autoestima inflada, no realista, es una de las fuentes principales de violencia y conducta antisocial, en lugar de la supuesta baja autoestima. Estos autores han alertado del peligro de la exaltación cultural del alto autoconcepto que vuelve al yo vulnerable y presa fácil de la arrogancia, el egoísmo y el narcisismo. Seligman y Csikszentmihalyi (2000), reconocidos psicólogos editores del número especial de enero de la prestigiosa revista *American Psychologist,* señalan también que la excesiva preocupación por el *self* ha alentado la autoabsorción personal y cultural, y ha minimizado la importancia y el interés por el bienestar colectivo.

Baumeister (1987), en un interesante artículo titulado *Cómo el self ha llegado a ser un problema,* ha analizado los antecedentes históricos de esta especie de obsesión actual por el yo privado y la identidad personal. Al igual que otros autores (Avia, 1995; Cusham, 1990; Elías, 1987; Guiddens, 1995; Guisinguer y Blatt, 1994; Llano, 1999; Sampson, 1985, 1988, 1989) considera que se trata de un fenómeno esencialmente moderno, que parece tener sus orígenes en el individualismo occidental y en el proyecto político que la modernidad nos ha traído. Al hablar de modernidad nos referimos al período de la cultura occidental que se inicia en torno al año 1500, con el descubrimiento del nuevo mundo, la Reforma y la revolución científica, se enriquece con la Ilustración, el movimiento romántico, el capitalismo y la revolución industrial, y concluye en el s. XX, con la crisis de la ciencia clásica, las dos guerras mundiales, la descolonización, el desarrollo de las nuevas tecnologías, la amenaza ecológica y la aparición de la sociedad de masas (Pinillos, 1998). La modernidad ha traído consigo muchos cambios sociales, políticos, económicos y, también, como fruto del énfasis en el individualismo, una redefinición y reestructuración del concepto de la identidad humana. Digamos que la modernidad ha permitido a los seres humanos el acceso a un nuevo nivel de autoconciencia diferente del que se tenía en las sociedades premodernas.

En la Edad Media faltaba esa preocupación nuestra por la búsqueda de la propia definición y el concepto de autorrealización no tenía las connotaciones actuales. Al vivir en una sociedad completamente jerarquizada y estratificada, los atributos decisivos de la identidad de los individuos, su status, su valor moral y destino venían dados por el linaje y el rango social que les correspondía en esa sociedad. La unidad básica de la sociedad del medievo era la comunidad, no el individuo, la identidad como 'nosotros' era muy fuerte y en cambio la identidad como 'yo privado', separado de la sociedad y con un carácter único y posibilidades especiales apenas se había desarrollado. Desde el fin de la Edad Media el individuo ha ido tomando mayor conciencia de su yo privado, de sus límites, de su poder y de su existencia como ser personal. Al percibir que la definición de su identidad no viene dada por su pertenencia a un determinado linaje familiar, reivindica la libertad de forjar su propio destino. Emerge la idea del individuo como unidad básica de la sociedad y al mismo tiempo la idea de ciudadano como portador de derechos universales. Se descubre el ideal de la autenticidad y la consideración de que la posición en la vida y la categoría ética de cada cual tienen que ver con su irrepetible identidad. Como señala Guiddens (1995) las ideas básicas en torno a las que se centra la identidad del yo en el mundo contemporáneo son: construir un sentido de identidad coherente, explicitar la propia autobiografía, la realización del yo, la autenticidad y la fidelidad a uno mismo.

Sin embargo, con el paso del tiempo se ha producido lo que algunos han llamado "el malestar de la modernidad" (Hargreaves, 1996; Llano, 1999; Pinillos, 1998; Taylor, 1994). Por una parte, el proyecto moderno, con sus pretensiones de ilustración general, paz perpetua e igualdad económica no se ha cumplido. El predominio de la razón instrumental, la racionalidad técnica y la ciencia moderna no ha garantizado el progreso social ininterrumpido que se había prometido, e incluso se han cometido las mayores atrocidades. Por otra parte, la pérdida del sentido de comunidad ha sido una de las peores consecuencias de tal proceso. Con la nueva concepción del yo, que supuso el cambio de una concepción comunal a una concepción individual, la dimensión social de la persona ha ido perdiendo valor como fuente de sentido para la vida. La búsqueda constante de la identidad del yo nos ha abocado, como señala Sampson (1988, 1989), a un *individualismo autocontenido* (*self-contained individualism*).

La sociedad occidental está inmersa en una cultura que exalta el valor de la autonomía entendida como autosuficiencia y la individualización entendida como separación yo-otros. Se ha ido perdiendo la convicción de que el bien común constituye un requisito para la realización personal. El buen ideal moderno de autenticidad personal, como ha denunciado Taylor (1994), se ha trivializado, pues el interés propio es lo decisivo. Los lazos y los compromisos sociales (la identidad del yo como nosotros) son despreciados en nombre de una preocupación obsesiva y sin fin por la identidad personal. Sociólogos como Bellah (1985), Sennett (1978) y Lash (1978), tal vez con un exceso de pesimismo, nos hablan de la presencia de la *cultura del narcisismo,* y consideran que la muerte del espacio público es una señal de la omnipresencia de éste.

Cushman (1990) afirma que cada era produce su particular configuración del *self* y sus correspondientes patologías. En su opinión, y en particular refiriéndose a la cultura norteamericana, tras la Segunda Guerra Mundial ha surgido el "yo vacío" (*empty self*), en gran parte debido a la pérdida de la familia, la comunidad y la tradición. El yo se ha ido haciendo cada vez más individualista y subjetivo y, como consecuencia de ello, más aislado de los demás. El individuo está autocentrado, volcado en la búsqueda constante de su autorrealización, que se cifra en el éxito, el consumo, el disfrute, la autosatisfacción y la autocomplacencia. En este contexto, la preparación de la persona para asumir responsabilidades en la vida social, que ha sido una de las preocupaciones esenciales de la educación desde antiguo, se ha vuelto muy problemática, pues, como se ha apuntado desde perspectivas comunitaristas, la comunidad ha perdido su antiguo sentido, quedando reducida a un mero instrumento para que los individuos puedan perseguir sus metas particulares.

La cultura influye en cómo nos concebimos a nosotros mismos y al mundo, y la psicología, que se ha desarrollado en el marco de la cultura occidental, dentro de la tradición liberal individualista, ha sido influida por el *zeitgeist* de la época. Así, los valores de la actual cultura occidental (la autosuficiencia, la separación y el autointerés) se han manifestado en su manera de conceptualizar y definir al *self.* Como apuntan Sampson y Cushman, la psicología lo ha contemplado desde el marco del 'individualismo autocontenido', considerando que un adecuado sentido de sí mismo se alcanza con el logro de la propia individuación e independencia de los otros. La madurez se ha equiparado con la autosuficiencia. Además, se ha considerado que tal concepción es una realidad universal, transhistórica y transcultural.

Sin embargo, están empezando a tener eco las voces que cuestionan la universalidad de las premisas que la psicología ha manejado acerca del yo saludable. De hecho, ha sido muy recientemente cuando se han puesto de relieve estos sesgos culturales (Hattie y Marsh, 1996; Miller, 1997; Sampson, 1989). Se ha señalado que los psicólogos no han acertado a ver la relevancia de la cultura y que, por lo tanto, no han captado lo que de cultural hay en las teorías formuladas dentro de la psicología, que de hecho reflejan las creencias del contexto sociohistórico en que han sido formuladas. En este sentido, el antropólogo cultural Geertz (1976) y, posteriormente diversos psicólogos, han señalado que la concepción del yo que la psicología occidental maneja (firmemente limitado y altamente individualizado y diferenciado de los otros) es más la excepción que la regla en el mundo. Geertz manifiesta críticamente que *la psicología indígena occidental* ha acentuado la importancia del desarrollo de la individualidad, la autonomía, la independencia, la motivación de rendimiento y la identidad como componentes esenciales de la madurez psicológica, en detrimento del papel de las relaciones con los otros y algunas formas de dependencia como elementos fundamentales para el desarrollo de la personalidad.

Sin duda la versión moderna del hombre como individuo autónomo y autocontenido ha llegado a ser un problema de primer orden en el final de este siglo. El problema parece haber alcanzado tales proporciones, con un aumento progresivo de los desórdenes mentales y sociales, que ya se empieza a hablar del coste humano de contemplar el desarrollo psicológico como encerrado dentro del círculo del propio yo (preparado para valerse por sí solo, cuidarse por sí mismo, no depender de nadie y orientado hacia el propio disfrute). Muchas voces desde ámbitos tan diversos como la Filosofía (Llano, 1999; McIntyre,1981; Taylor, 1994); la Sociología (Bellah, 1985; Lash, 1978), la Psicología (Cushman,1990; Goleman, 1996; Gillinguer y Blatt, 1994; Jordan, 1991;Sampson, 1989) o la Educación (Gilligan, 1982; Noddings, 1984, 1992), advierten de la necesidad de rescatar al hombre del peligro de la autoabsorción, a la que nos ha arrastrado la cultura narcisista. Como afirma Cushman, el modelo de sociedad occidental ha dejado al sujeto solo, dependiendo únicamente de sus recursos y privado del "entramado de significados" que le hace sentirse perteneciente a algo. Para él, el insólito fenómeno actual de demanda de servicios psicológicos es un claro síntoma de la búsqueda de ese sentido de pertenencia. Sin embargo, piensa que el discurso psicológico sobre el *self*, al que hemos hecho referencia, no sólo describe sino que prescribe activamente el yo vacío, de modo que muchas formas de psicoterapia, supuestamente responsables de curar ese yo vacío, en realidad animan al desarrollo de las cualidades del *self* que inicialmente han causado los problemas.

Con todo, dentro del ámbito de la psicoterapia, por ejemplo, Adler, que en las primeras décadas del s. XX se independizó de Freud para crear su propia escuela, ya creyó que la causa de las neurosis era la falta de interés social. Según él, los problemas psicológicos no se resuelven hasta que el paciente desarrolla un vínculo adecuado con la sociedad, una aceptación de su responsabilidad hacia la comunidad. Adler hizo del interés social (el compromiso con la vida de la comunidad) el criterio de salud mental (May, 1991). También Seligman (1988), al constatar que la epidemia depresiva que padecemos en los últimos 50 años ha ido unida a una pérdida de las fuentes de ayuda psicológica y espiritual, propone como solución un equilibrio entre el individualismo, con sus peligrosas libertades, y la entrega al bien común, que debería aliviar las depresiones y hacer más significativa la vida. V. Frankl (1983) ya indicó que cada época tiene su neurosis, y que la nuestra lo que ha perdido ha sido el sentido de la vida, e insistió en que el sujeto se centrara en algo que fuera más allá de sí mismo.

Por otra parte, la visión de un *yo autocentrado* no parece que sea la más adecuada para adentrarnos en una nueva era histórica. A este respecto, Sampson (1989) se pregunta qué pasaría con la concepción de la persona si el mundo social sufriera una transformación del mismo orden que el cambio histórico de la premodernidad a la modernidad. Sin duda afectaría claramente a nuestra comprensión de la persona. Pues bien, parece que nos encontramos ya en una época que algunos llaman postmodernidad, otros modernidad tardía, otros segunda modernidad y otros ultramodernidad, con características culturales, económicas y condiciones sociales muy diferentes a las de la modernidad. Entre ellas la mundialización de la economía, la globalización, la multiculturalidad, los megaestados. Si como parece la intercomunicación, la conexión y la interdependencia en todos los terrenos es la nota predominante de la nueva era, resulta coherente pensar en la necesidad de que las personas se conciban a sí mismas en términos de un modelo de *yo relacional* o de un *ensembled individualism* como apunta Sampson (1988). Es decir, perciban la vinculación con los otros y con la comunidad, no como autolimitante, sino al contrario, como una realidad constitutiva del individuo, como vía de expansión del propio yo.

En este marco de globalización la concepción liberal del individuo no sirve. Por ello, Cushman (1985, 1989); Guissinger y Blatt (1994); Jordan (1991); Josselson (1988); Markus y Kitiyama (1991); Ryan (1991); Sampson (1989) y otros psicólogos reclaman un cambio de paradigma respecto a la concepción del yo dentro de la psicología. Sampson (1989) opina que la mayor parte de las teorías psicológicas acerca de la persona desarrolladas en la era moderna eran adecuadas para el marco de comprensión de esa era. Sin embargo, la nueva era postmoderna y postindustrial exige una importante revisión de las concepciones psicológicas de la persona. En su opinión, el reto de la psicología es renovar sus formulaciones y distanciarse del discurso intelectual dominante respecto al *self*, el individualismo y la *good life*. Confía en que la psicología puede llegar a ser una fuerza poderosa a la hora de desarrollar otras perspectivas opuestas a las dominantes, pero para producir el cambio que necesitamos cree que ésta debe reconocer la naturaleza histórica y culturalmente situada de su discurso.

No cabe duda de que lo que se percibe en este final de siglo es una creciente corriente de pensamiento que reclama un cambio. Por ejemplo, Llano (1999), desde el campo de la filosofía, en su reciente libro *Humanismo cívico,* recoge el sentir de muchos respecto a que la primera modernidad con la separación del individuo de las comunidades tradicionales ha llevado al individualismo, y que la segunda modernidad o postmodernidad trata de evitar este atolladero. Según él, el nuevo trance histórico (la segunda modernidad) ofrece la oportunidad de recuperar la concepción del hombre como ser social, que a la vez que irrepetible y único está sediento de comunidad. También Elías (1987), reconocido sociólogo que ha dedicado gran parte de sus investigaciones a estudiar el problema de las relaciones individuo-sociedad, en su libro *La sociedad de los individuos* considera una falacia nuestra separación individuo-sociedad y señala que lo que necesitamos son otros modelos mentales con cuya ayuda podamos conseguir armonizar nuestra concepción de los seres humanos como individuos con nuestra concepción de los seres humanos como sociedad.

Parece que es tiempo ya de pasar de las voces que resaltan los límites y la separación yo-otros a las voces que reclaman la unión y la conexión. Como afirman Guisinger y Blatt (1994), una visión madura de *self* requiere la coordinación de individualidad y relación en el proceso de la identidad, sin poner énfasis en una dimensión a expensas de la otra.

En relación con lo que venimos diciendo, creemos que la educación para la ciudadanía que tanto se invoca ahora (Naval, 1995; González y Naval, 2000) responde a esa necesidad de recuperar el sentido de la comunidad y el protagonismo cívico de los ciudadanos como elemento necesario de la propia realización personal. Esta educación puede encontrar un sólido fundamento psicológico en la concepción de la persona como un *yo relacional o vinculado* a la que ahora se está prestando más atención y que según se apunta es más adaptativa, favorece la salud mental y anima a los sujetos a asumir una mayor responsabilidad social y cívica. Por otra parte, la educación cívica puede contribuir a que las personas se conceptualicen a sí mismas en términos de un yo conectado, que tanto necesitamos en los albores de una nueva era.

Desde este marco que hemos ido dibujando, el de las consecuencias de la modernidad en la conceptualización del yo, vamos a hacernos eco de las principales voces que, dentro de la psicología, están contribuyendo a perfilar una visión del yo relacional. En la última parte de este trabajo destacaremos algunas implicaciones educativas.

2. EL YO Y LOS OTROS. HACIA UN CONCEPTO DE YO Y DE AUTONOMÍA RELACIONAL

Hasta qué punto el yo y los otros están implicados ha sido una cuestión ampliamente debatida en la psicología y particularmente en la psicología social (Strauss y Goethals, 1991). Desde los inicios de la psicología, numerosos estudios, avalados por un importante cuerpo empírico, han puesto de relieve la construcción social del yo y el papel de los otros como fuente de evaluación y de autoestima. Más allá de esta cuestión, las nuevas conceptualizaciones del sí mismo que se están perfilando, en lo que ahondan es en la importancia de que los sujetos perciban como un importante componente de su autodefinición o identidad el ocuparse, atender y cuidar a los otros y velar por el bien común. Estas se basan en los recientes estudios antropológicos y psicológicos sobre la conceptualización del yo en diferentes culturas, los estudios sobre la psicología femenina, los hallazgos de la biología de la evolución y las revisiones de la teoría sobre el desarrollo de la individualidad. En este apartado vamos a tratar de la profunda interrelación yo-otros.

2.1. LA INFLUENCIA DE LOS OTROS EN LA FORMACIÓN Y EVALUACIÓN DEL YO

Con el término *self* (sí mismo o yo) nos referimos al aspecto más íntimo y único de la personalidad que, sin embargo, paradójicamente, como reconocen los psicólogos y sociólogos, es una construcción social, un logro interpersonal. Esta idea recogida prácticamente por todos los principales teóricos del *self* como James, Mead, Cooley, Baldwin, Sullivan, Bowlby, es ampliamente aceptada y se halla corroborada empíricamente hoy día. Los otros son una fuente importante de autoconocimiento, autoevaluación y autoestima, además del punto de partida para el desarrollo de la autoconsciencia personal (González Torres, 1994; Harter, 1988; Markus y Cross,1990; Walsh, Banaji, 1997).

La sociedad en general, los grupos y las personas con las que convivimos influyen en el proceso de autoconocimiento y autoevaluación. Los otros nos proporcionan categorías que usamos para organizar la experiencia y para definirnos. Influyen en la formación de los diferentes componentes del autoconcepto –en la definición de *nuestro yo privado*, en cómo nos presentamos (*self público*), en la configuración de nuestro *yo colectivo* (en cómo nos definimos como miembros de una comunidad), en nuestros *sí mismos ideales o sí mismos posibles o de deber*. También la valoración que hacemos de nosotros mismos (nuestros sentimientos de autovalía o autoeficacia) se ve profundamente afectada por la información verbal y no verbal que recibimos de los demás. Los grupos a los que pertenecemos nos proporcionan valores, expectativas, estereotipos, modelos e información que nos indican el modo adecuado de presentarse al mundo y la forma de juzgarnos a nosotros mismos. Ya Cooley, con su metáfora del *looking-glass self* afirmaba que nos vemos como otros nos ven. Las investigaciones de Harter (1988) sobre las fuentes de la autoestima confirman las tesis de Cooley: nuestra autoestima depende en gran medida de la heteroestimación. Las numerosas investigaciones sobre la valoración refleja (*reflected appraisal*), las profecías autocumplidas (*self-fulfilling prophecies*), el *feedback directo*, la comparación social o los procesos de autoverificación (*self-verification*) muestran que la información recibida de los otros es empleada para incrementar, confirmar, reafirmar o cambiar nuestras autodefiniciones. Sin embargo, no hay que olvidar que el papel de los otros en la autoconstrucción y autovaloración es variable. La magnitud de la influencia de las opiniones de los otros varía con la edad, y también varía en función de quienes son importantes o significativos para el sujeto. No se puede pensar en un *yo* absolutamente pasivo. El desarrollo de la teoría del yo es siempre un proceso activo, que resulta de la continua intersección entre la experiencia personal y la forma en que se percibe el contexto social inmediato. En el curso del desarrollo, los sujetos construyen y negocian sus identidades con el contexto.

Como señalan Markus y Cross (1990), el porqué del enorme impacto de los otros en el desarrollo de la identidad personal es una cuestión muy debatida. Algunos autores como Deci y Ryan, Bowly, Epstein, Sullivan, Fairbairn o Harré hablan de la existencia de una importante motivación de búsqueda de relación, apego y seguridad que tiene tanta fuerza como otras motivaciones, tales como la competencia, el dominio, la autodeterminación o la búsqueda de significado (Andersen, Reznik, Chen, 1997; Baumeister y Leary, 1995). Hay evidencia de la innata necesidad de relación interpersonal. El sujeto nace predispuesto a la relación, tiene hambre de relación como han mostrado las investigaciones de Spitz (1945) con niños internados y las de Bowly (1969) sobre las relaciones de apego entre los cuidadores y los niños, las cuales influyen en el modelo del *self* que el individuo desarrolla. La necesidad de apego hace que los sujetos estén preparados para atender y responder a las expectativas de los otros y para asimilar toda la información que les permite integrarse en los grupos sociales, y explica también la necesidad que sienten de ser juzgados favorablemente por los otros.

Por otro lado, y desde una perspectiva diferente a la del desarrollo del autoconcepto y la autoestima, Baldwin, Mead y Sullivan ya destacaron el papel de los otros como 'árbitros de la existencia', señalando que los individuos son conscientes de sí mismos porque otros son conscientes de ellos. No hay un yo sin un tú. Sin los otros, el yo no existiría en absoluto. Investigaciones con primates y niños y los estudios de casos de niños salvajes apoyan la idea de que el *self* es un producto social. Como afirmaron Mead y Cooley, llegar a ser consciente de sí implica la habilidad de verse a uno mismo desde la perspectiva del otro.

2.2. EL YO EN OTRAS CULTURAS. AUTOCONCEPTO INTERDEPENDIENTE VERSUS INDEPENDIENTE

En este siglo la meta de la Psicología ha sido formular generalizaciones respecto de los procesos psicológicos aplicables a todos de los grupos culturales y a todos los contextos históricos. Sin embargo, la idea de que tales generalizaciones están 'libres de cultura' está siendo desafiada por la reciente psicología cultural, que ha recibido un notable impulso en la década de los 80. Como afirma Miller (1997), una meta de la psicología cultural es hacer explícita la implícita dependencia cultural de las teorías psicológicas. La cultura produce, como hemos señalado anteriormente, un modo particular de ver la realidad y de concebir la naturaleza humana. Así, recientes investigaciones muestran que conceptos como el *self*, la inteligencia o las emociones dependen en parte de definiciones culturales (Ruzgis y Grigorenko, 1994).

Algunos antropólogos y psicólogos se han sentido particularmente interesados por las diferencias entre la cultura occidental por un lado, y las culturas asiáticas por otro, a la hora de definir al individuo. Una importante diferencia entre estas culturas es el modo en que el *self* se define como separado de los otros o conectado con ellos, lo que tiene enormes repercusiones sobre los procesos psicológicos intrapersonales –la percepción, la cognición, las emociones y la motivación– y sobre la conducta social. El análisis de estas diferencias, sus causas y consecuencias ha sido abordado principalmente en los estudios empíricos realizados por Markus y cols. (Markus y Cross, 1990; Markus y Kitiyama, 1991a, 1991b; Markus, Mullaly y Kitiyama, 1997 y Triandis 1989, 1995).

Triandis ha señalado que la dimensión más importante de diferencia cultural, con importantes consecuencias para la vida de las personas, es el énfasis en el individualismo o en la comunidad (*colectivism*). Considera que el individualismo y el colectivismo son *síndromes culturales* que diferencian las culturas. Los países individualistas son una minoría: EEUU, los países de la Europa occidental, Canadá y Australia; mientras que la mayoría de las culturas del mundo son más bien colectivistas: Asia, Africa, Latinoamérica, algunas partes de Europa del Este, de Italia y de Grecia. Esos síndromes culturales –definidos por las actitudes, creencias, normas, roles, valores y otros elementos de la cultura subjetiva compartidos por aquellos que comparten una lengua, un período histórico y una localización geográfica– se organizan alrededor de un eje. En el caso del individualismo el eje es el *self* entendido como entidad autónoma, y en el caso del colectivismo el eje es el *self* concebido como parte integrante de uno o más grupos o colectivos. La mayor o menor orientación de las culturas hacia el individualismo o el colectivismo tiende a traducirse a nivel personal en el desarrollo de *un autoconcepto independiente* o *interdependiente* y en una *personalidad idiocéntrica* o *alocéntrica*. Lo más significativo es el diferente rol que se adjudica a los otros en la propia autodefinición.

Las investigaciones empíricas de Triandis y Markus muestran que las culturas más colectivas refuerzan la identidad colectiva. Una tarea normativa en estas culturas es mantener la relación (*relatedness*) entre los individuos, es decir, mantener el bienestar y la armonía del grupo. Algunos valores cardinales de estas culturas son la obligación, el deber, la seguridad, la dependencia emocional, la armonía, la cooperación, la tradición, la reciprocidad y la obediencia a la autoridad. En las sociedades colectivas los sujetos tienden a desarrollar *autoconceptos interdependientes* (un autoconcepto sociocéntrico o conectado). La experiencia de *self* incluye un sentido de interdependencia. Los individuos en estas sociedades no se ven a sí mismos como individuos separados y únicos, sino que tienen una notable 'conciencia del nosotros'. Se definen característicamente, no por sus atributos únicos, sino por sus relaciones sociales. Sus percepciones acerca de sí mismos están muy centradas en sus obligaciones y deberes en relación con el grupo. Pero esto no implica que les falte el sentido de la individualidad, sino que lo que se subraya es el ser en relación. En un estudio comparativo realizado por Mullay, Markus y Kitiyama en 1996, los estudiantes japoneses, al describirse a sí mismos, hicieron más referencia a los otros que los estudiantes americanos. Más del 50% de sus respuestas incluyeron referencias a los otros, mientras que sólo el 24% de los americanos incluyeron tales referencias. También se ha constatado que la autoestima o autovalía en el contexto japonés está menos ligada a la realización de las propias metas, y más unida a la realización de lo que la sociedad exige en cada situación. El tener en cuenta las expectativas de los otros se practica como hábito mental. En general, los sujetos con un autoconcepto interdependiente muestran una motivación socialmente orientada, luchan por lograr las metas del grupo y supeditan sus deseos personales a las necesidades del grupo.

Las culturas individualistas en cambio, conciben al individuo como unidad básica de la sociedad. Tomando como exponente la cultura norteamericana, Markus y Kitiyama (1991) señalan que no se valora tanto la interconexión entre los individuos, y que una tarea normativa de esta cultura es animar a los individuos a ser independientes de los otros y a descubrir y expresar sus rasgos personales peculiares porque, como dice Triandis (1989), la mayor calamidad para una personalidad idiocéntrica es la dependencia. Lógicamente el *self* privado en estas culturas está más articulado. Hay muchas más posibilidades de que las personas tengan un *autoconcepto independiente* y se definan a sí mismos en términos de rasgos de personalidad, actitudes y habilidades propias, preferencias, necesidades o derechos. La cultura está regulada más por valores personales que de grupo y, en este sentido, se valoran las necesidades, los derechos y las capacidades del individuo, la competición, el éxito personal, la libertad, la autonomía, la lucha por la autorrealización, la iniciativa individual. La atención a las metas personales tiene prioridad sobre las del grupo, de forma que la motivación está auto-orientada, dirigida hacia el éxito individual. El éxito individual es muy importante a la hora de autovalorarse.

En resumen, las variables que explican la contraposición individualismo/colectivismo son: a) la naturaleza del *self* (autónomo o interdependiente); b) la estructura de las metas (prioridad de las metas personales o de grupo); c) el énfasis puesto en las actitudes y las necesidades del yo o en las normas y los deberes; d) el deseo de mantener las relaciones dentro de la comunidad, o el mantenimiento sólo de aquellas que son justificables por un cálculo racional (Triandis, 1995).

Hay muchas razones que explican estas diferencias. Entre las más profundas se encuentran una amalgama de factores económicos, ecológicos e históricos. Según Triandis, fuerzas que empujan hacia el individualismo son la complejidad cultural, el aumento de la riqueza, la movilidad geográfica y social, el reemplazo de la familia extensa por la familia nuclear, la apertura cultural, la multiculturalidad y la influencia de los medios de comunicación de masas. Además de estos factores y, en gran medida determinados por ellos, hay que destacar otros, como las prácticas de socialización en la familia y en la escuela, que facilitan o dificultan el desarrollo de un autoconcepto interdependiente o independiente. En el contexto norteamericano, por ejemplo, una tarea cultural asumida por cuidadores, padres, profesores, amigos y por los medios es identificar los rasgos propios de la individualidad de cada cual y potenciar su expresión. Asimismo, se alimentan los sí mismos ideales conectados con valores como la inteligencia, el éxito, la autonomía, la eficacia, el control, la capacidad de elección. Estudios sobre profesores de preescolar de China y Japón indican que, en contraste con los profesores de EEUU, que subrayan la creatividad individual y la autorrealización, aquellos destacan el disfrute de la vida en grupo (Markus y cols., 1997). En las culturas colectivas las pautas de educación refuerzan la obediencia y la conformidad con las reglas del grupo, por lo cual el *self* colectivo es más complejo, y en las individualistas se refuerza la independencia y la propia autorrealización, y en consecuencia el *self* privado está más definido.

Observamos, pues, que aunque el autoconcepto es igualmente importante en todas las culturas, sin embargo, es de diferente tipo. Sin duda la identidad como yo y la identidad como nosotros están presentes en todas las culturas, pero lo cierto es que cada cultura favorece un tipo determinado de yo individual, puesto que las prácticas culturales determinan en parte la forma y la función de los procesos psicológicos que comprende el *self:* lo que la gente observa y piensa, lo que se siente inclinada a hacer, cómo se siente y cómo organiza y da sentido a su experiencia.

Las investigaciones aludidas nos muestran el diferente papel que se otorga a los otros en la definición del autoconcepto, ponen de relieve el importante papel de la cultura en la conformación del yo y confirman la idea de que en las sociedades occidentales, a raíz de los valores culturales traídos por la modernidad se ha producido una pérdida de la comunidad que ahora intentamos recuperar. Sin embargo, la solución a ese problema no está ni en la vuelta a formas de comunidad de la sociedad preindustrial –por otra parte añoranza imposible de cumplir– ni en seguir el modelo de las culturas no occidentales. Para nosotros, inmersos en una cultura individualista, resultarían opresivas. La disolución del individuo en el grupo no es la solución. Los teóricos sociales abogan por mantener lo positivo del individualismo y del colectivismo. Por ejemplo, un sentido no opresivo de la comunidad se percibe en los teóricos que abogan por una moralidad del cuidado (Noddings, 1984) a cuyo desarrollo han contribuido enormemente los estudios sobre la psicología femenina (Miller, 1997).

2.3. GÉNERO E INTERDEPENDENCIA YO-OTROS

En la década de los 80 un fuerte impulso hacia un diferente paradigma del *self* ha provenido de los estudios sobre las diferencias de género en el autoconcepto y en la empatía. Estos estudios han puesto de relieve la importante significación que los otros tienen en la constitución del *self* de la mujer (Jordan, 1991; Josselson, 1988; Markus y Cross, 1990; Miller, 1997).

Autores como Chorodow (1978), Gilligan (1982), Lykes (1985), Miller (1976) o Jordan (1991) han analizado el papel central de las relaciones en la vida de la mujer y han cuestionado las conceptualizaciones existentes acerca del desarrollo del yo. Sostienen que las mujeres tienen lo que se ha dado en llamar esquemas del yo comunitarios, sociocéntricos, vinculados o conectados. En esta visión del yo, las relaciones con los otros son un elemento básico. Estas teorías sugieren que la relación, la conexión y el cuidado de los otros tiene tanta importancia para la mujer que gran parte de su autovalía o autoestima está basada en el sentimiento de que "uno es parte de la relación y cuida la relación". Los hombres, por el contrario, en general tienen una visión del yo más individualista, egocéntrica y desligada. Tales diferencias se atribuyen en gran medida a las diferencias en el proceso de socialización de los hombres y mujeres. La socialización de los hombres, en mayor grado que la de las mujeres, se ha orientado según los valores de la cultura occidental, a los que hemos hecho referencia.

Jordan (1991) opina que la importancia que para la mujer tiene la relación como parte sustancial de su propia definición no ha sido reconocida durante mucho tiempo o ha sido considerada como una desviación o deficiencia. La razón sería que la psicología ha manejado un modelo de *self* que se ajusta más a la vida de los hombres que a la de las mujeres. De hecho, las teorías clínicas del desarrollo –influidas por los valores culturales occidentales de exaltación de la libertad del individuo y de la independencia– han considerado como más maduro el desarrollo de un *self* separado, independiente, autónomo y orientado hacia la autosuficiencia. Sin embargo, este modelo, que olvida la naturaleza interdependiente de los seres humanos, tiene una limitada aplicación a la mujer. Por este motivo sugiere la necesidad de una reconceptualización del *self* como yo relacional (*interacting self*, *relational self* o *being in relation*).

Jordan está desarrollando, en el *Stone Center* del *Wellesly College,* junto con Miller, Kaplan, Surrey y Stiver (1991), una teoría del yo relacional. Su modelo acentúa la naturaleza intersubjetiva y relacional de la experiencia humana. Desde esta perspectiva intersubjetiva, estos autores sugieren que la mujer no sólo valora la relación, sino que el más profundo sentido de sí misma está continuamente formado en conexión con otros e indisolublemente unido al proceso de relación. Consideran que, en general, las mujeres tiene mejor representados a los otros dentro de su *self* y al tenerlos presentes cuando piensan en sí mismas, habitualmente se muestran más sensibles y atentas a los otros. Apoyándose en investigaciones como las de Hoffman (1977) y Eisenberg (1987), que muestran que las mujeres tienen más capacidad de empatía y manifiestan más resonancia emocional-fisica ante los estados afectivos de los otros, Jordan y su equipo señalan que en el corazón del yo relacional (*relational self*) está el proceso de empatía. En la resonancia empática es donde se percibe el sentido de conexión. Para ellos, la discontinuidad entre el yo y los otros, que se encuentra más en los hombres, disminuye esa resonancia empática tan necesaria para la conexión. Estos autores creen que el estudio del desarrollo de la empatía es el camino para comprender el desarrollo relacional y los procesos de intersubjetividad, poco tenidos en cuenta por la psicología.

Gilligan (1982) con su conocida obra *In a different voice,* ha revolucionado y ha ampliado las concepciones acerca de la moralidad, ha estimulado el interés por las teorías femeninas y ha realizado una crítica cultural de la psicología del *self* imperante. Como Jordan, afirma que la mujer, a diferencia del hombre, se define a sí misma en el contexto de la relación humana y se siente más segura, más ella misma y más viva en conexión. Su idea más revolucionaria es que, debido a que las mujeres dan un significado distinto a la relación, tienen por lo general un enfoque moral distinto al de los hombres. Frente a la moralidad masculina centrada en la justicia y los derechos individuales, el enfoque moral femenino se centra en el apego (*attachment*) y en el cuidado. La moralidad del cuidado (*caring*) se basa en el desarrollo de una visión conectada del yo y por ello los individuos sienten la responsabilidad de atender las necesidades de los otros. De acuerdo con Miller (1997), esta visión de la moralidad puede ser una respuesta para el individuo actual, pues representa una orientación que promueve el desarrollo de la individualidad y la elección –en cuanto que se basa en un compromiso dado libremente y no en la mera conformidad con unos roles o presiones externas– y al mismo tiempo facilita la interdependencia.

Sin duda, las teorías sobre la psique femenina están poniendo de relieve la necesidad de que la psicología ahonde en el importante papel de las relaciones intersubjetivas con vistas a una mejor compresión de la persona. En este sentido, Jordan (1991) afirma que el estudio del *self* relacional no se debe circunscribir a la mujer. En su opinión, debe darse un cambio de paradigma en la manera de concebir al *self*, pasando de la primacía del *self* separado a la del *self* conectado o relacional, lo que nos llevará a redefinir el concepto que tenemos de la identidad y de la madurez. Se trataría de pasar de un concepto de la madurez como autonomía-separación a la madurez entendida como progresión hacia el establecimiento de lazos de relación con los demás más profundos.

En síntesis, en el pensamiento de todos los investigadores de la psicología femenina está la idea de que un modelo de yo relacional o interdependiente, como el de la mujer, es más adecuado para la vida, una alternativa más apta para vivir en sociedad y que, además, responde a la verdadera naturaleza humana. Las capacidades relacionales existen desde el nacimiento, se desarrollan a lo largo de la vida y en lugar de adormecerlas hay que nutrirlas comprendiendo que, más que limitar al yo, el desarrollo de la relación, de la interdependencia, conduce a una realización personal más grande.

2.4. Datos de la biología de la evolución y de la psicología social

Los científicos sociales han sentido la necesidad de acudir a los estudios de la conducta animal con el fin de comprender ciertos aspectos de la naturaleza humana, basándose en la tesis darwiniana de la continuidad entre seres humanos y animales, aunque en realidad hay una clara discontinuidad (Kagan, 1998). Dejando al margen esta importante cuestión, la realidad es que la biología, tan influida por el paradigma darwiniano, ha propiciado la idea de que las personas somos naturalmente egoístas y que, al igual que los animales, estamos exclusivamente motivadas por el autointerés, lo cual se ha considerado bueno desde el punto de vista evolutivo. Sin embargo, en contra de esta premisa, se ha observado que incluso en las especies animales las conductas prosociales, de cooperación y de ayuda son más la regla que la excepción. La teoría de la selección natural no parece adecuada para explicar estas conductas, lo que ha representado un problema para los teóricos de la evolución, que desde los años 60 están estudiando con interés estas conductas. De hecho, nuevos modelos de la evolución sostienen que las conductas de relación son beneficiosas para la supervivencia (Guisinger y Blatt, 1994). Estos datos tienen un cierto interés para argumentar en favor de la importancia de un yo en relación, pero coincidimos con Kagan en la idea de que no podemos olvidar que en realidad existe una clara discontinuidad entre hombres y animales. Podemos apelar a la conducta cooperativa de los animales para reafirmar la naturaleza cooperativa de los hombres, pero sin perder de vista que la conducta cooperativa de los hombres tiene rasgos propios. Por otra parte, y siguiendo de nuevo a Kagan, puestos a buscar en el mundo animal, podemos encontrar ejemplos que nos sirvan para apoyar cualquier tesis sobre la naturaleza humana. Sin embargo, qué duda cabe de que los datos aportados por la biología han influido en las teorías psicológicas. Así, por ejemplo, el principio del placer, el egoísmo humano y la búsqueda del autointerés se han justificado como lo que cabe esperar, dada nuestra historia evolutiva.

De hecho, la influencia de la teoría de la evolución ha sido una de las razones del relativo desinterés de las ciencias biológicas y sociales por la motivación y las emociones morales. La psicología social ha asumido durante muchos años que somos seres sociales pero egoístas y que nos preocupamos ante todo de nosotros mismos. Tanto es así que, como reconoce Batson (1990), aún hoy son válidas las palabras que Donald Campbell pronunció en 1975 como presidente de la APA: "La psicología y la psiquiatría [...] no sólo describen al hombre como egoístamente motivado, sino que implícitamente o explícitamente enseñan que se debería ser así".

Batson, en un interesante artículo titulado *How social and animal? The human capacity for caring,* cuestiona la validez de esta hipótesis egoísta tan arraigada y aporta datos empíricos que ponen de relieve la naturaleza altruista del ser humano. Según él, tanto la psicología contemporánea como la mayoría de las teorías del *self* que se han desarrollado en los últimos tiempos sostienen, implícita o explícitamente, que aunque podemos ser sociales en pensamiento y acción, nuestras motivaciones nos llevan de modo natural a cuidar tan sólo de nosotros mismos. Desde este punto de vista, la motivación tiene como meta última el mantener o fortalecer la propia autoimagen de modo que las relaciones sociales y la conducta social tienen un carácter instrumental. No es extraño entonces pensar, como dice Batson, que las teorías del *self* han alimentado la visión del yo autocentrado, y han proporcionado un suelo fértil para el incremento del autointerés, pues se ha creído que esto responde a la naturaleza humana.

Batson reconoce también que la hipótesis egoísta ha sido asumida tan rápidamente por los psicólogos que apenas se han dedicado esfuerzos a profundizar en esta importante cuestión de la naturaleza humana. Precisamente esto es lo que él y algunos otros investigadores están haciendo desde los años 80. Sus investigaciones se han centrado en examinar los motivos que subyacen en las relaciones de empatía-ayuda (*empathy-helping relationship*). Dilucidar esta cuestión no es fácil, pues cuando múltiples metas se logran con la misma conducta no es fácil saber cual es la principal. Desde la perspectiva del egoísmo social se ha señalado que cuando sentimos empatía por alguien necesitado actuamos por tres posibles motivos autodefensivos: a) para aliviar o reducir la angustia que nos produce la observación del malestar o la necesidad del otro (*reducción del "arousal" aversivo*); b) por miedo al dolor, ya que anticipamos los sentimientos de vergüenza y de culpabilidad que experimentaríamos de no hacerlo (*evitación del castigo*) y c) por placer, al anticipar que nos sentiremos buenos si lo hacemos (*búsqueda de recompensa*).

Batson cuestiona que esto sea correcto y plantea la hipótesis altruista, señalando que el simple hecho de que se consigan beneficios con la conducta de ayuda no prueba que la meta última de esa ayuda sea precisamente la búsqueda del propio beneficio. Con el objeto de responder a la difícil pregunta acerca de la última intención de los sujetos cuando muestran conductas prosociales ha realizado más de 20 sofisticados experimentos. En ellos ha examinado si la conducta de ayuda se realiza por metas *altruistas* –la búsqueda del bienestar de los otros como valor terminal– o por *metas egoístas* –búsqueda del bienestar de otros en la medida en que contribuye a nuestro propio bienestar–. Sus conclusiones apuntan que tenemos una gran capacidad de altruismo, más de lo que la psicología nos ha hecho pensar. Las investigaciones de Batson, como las de otros autores (Eisenberg, Hoffman), sugieren que la fuente principal de la conducta motivada por altruismo y no por motivación egoísta es la capacidad de empatía. Por ello, parece que potenciar esta capacidad, que todos tenemos de modo natural, es una vía importante para el desarrollo de la motivación altruista y de una teoría del yo más interdependiente. Batson llega a afirmar metafóricamente que "el interés por los otros es una frágil flor fácilmente aplastada por el autointerés", por lo que es preciso preocuparnos por protegerla y alimentarla. El énfasis que pone en la empatía coincide con el de autores como Goleman (1996), Salovey y Sluyter (1997) interesados en el desarrollo de la inteligencia emocional, o con el de Jordan (1991) que, como hemos visto, sitúa la empatía en el corazón del desarrollo de un yo relacional.

2.5. Hacia un concepto de autonomía relacional –autonomía personal e interdependencia– en el proceso de formación de la identidad

¿Crecer es separar? ¿La autodeterminación, la autonomía, el proceso de individualización suponen la independencia y la separación de los otros? ¿La relación interpersonal es irrelevante o incluso contraproducente para la madurez y el desarrollo pleno del yo? Dependiendo del concepto de *self* que manejemos, la verdad es que los procesos de autoafirmación, de autonomía y de autorrealización se percibirán de modo diferente.

Tanto los estudios a los que nos hemos referido, como otros centrados en el proceso de desarrollo de la individualización en la adolescencia y de la personalidad madura, están forjando una nueva visión de la interdependencia y la dependencia, de la autonomía y de la relación. Algunos autores consideran el concepto de autonomía (tal como es entendido en nuestra cultura), como un concepto bajo sospecha, y sostienen que la reconceptualización del *self en relación* supone darse cuenta de que la autonomía y la relación no están necesariamente en oposición, aunque la dinámica de nuestra cultura así lo imponga. Es decir, que las acciones de dar y recibir cuidado, de apoyo y empatía son compatibles y necesarias en el proceso de autodeterminación.

Ryan y Deci, conocidos por su *Teoría de la Autodeterminación*, insisten en que la conceptualización del *self* en relación, por la que abogan, precisa que, conceptual y empíricamente, se distinga la autonomía de la individualidad y la independencia, y el compromiso y el consentimiento de la restricción de libertad (Ryan, 1991; Deci y Ryan, 2000). Como otros autores que han reexaminado esta cuestión, entre los que cabe destacar a Josselson (1988) y Blatt (Blatt y Blass, 1996; Guisinguer y Blatt, 1994), se muestran críticos con muchas teorías del desarrollo que al referirse en particular al proceso de individualización del adolescente, suponen que las necesidades de relación y autonomía son incompatibles, cuando en realidad son dos dimensiones de la misma realidad, que están unidas de manera sinérgica.

Desde las teorías de la separación-individualización (que ha llegado a ser el paradigma dominante en la psicología del desarrollo) se ha sostenido que cortar los lazos y separarse de los cuidadores era el camino necesario hacia la individualización. Sin embargo, como ha comprobado Ryan (1991), más que la separación es el apego familiar y la seguridad emocional las que facilitan el autodesarrollo. Este no ocurre al margen de los otros, sino con los otros. Sus investigaciones con adolescentes indican que aquellos que están emocionalmente unidos con otros muestran más cohesión personal, una conducta más madura, una mayor autoestima y más conductas prosociales. Parece que hay poca evidencia de que la separación contribuya a aumentar el sentido de autonomía personal. Josselson afirma que tras veinte años de investigación, los psicólogos no han conseguido apoyar esa hipótesis. Es una relación de apego seguro la que facilita el despliegue de la autonomía, y los adolescentes que no mantienen o no han mantenido buena conexión con sus padres son más vulnerables y tienden a mostrar lo que Erickson (1968) llama difusión de la identidad y Kout (1977) denomina la fragmentación narcisista del yo. La evidencia clínica sugiere, además, que una separación extrema contribuye al desarrollo de patologías del yo.

El problema es que se ha tendido a identificar autonomía e independencia. Esta última se ha entendido como no dependencia de fuentes externas, cuando en realidad la dependencia no necesariamente implica una pérdida o un déficit de autonomía, entendida como autodirección de la conducta. No siempre ser dependiente significa estar desvalido o no poseer control. Como afirma Jossesson, con frecuencia significa ser interdependiente. Autonomía y relación van de la mano, de modo que la autonomía crece en contextos de relación segura, y la conexión crece en el contexto de la autonomía. La verdadera autonomía se abre a la interdependencia. Así, conforme la individualización o la autonomía crece, se profundiza en la relación y se negocian nuevas formas de relación con los otros (Andersen, Reznik, Chen, 1997). La diferenciación personal sirve probablemente para promover interrelaciones más ricas y complejas con los otros.

Los trabajos de Fromm, Maslow, Winnicott, Fairbairn, Kout, Stern, Bowlby o Kegan ya apuntaban la idea de que para 'llegar a ser' hay que descubrir determinadas formas de ser con los otros (Josselson, 1988). Por su parte, Blatt y Blass (1994), que han reformulado el conocido modelo del desarrollo humano de Erickson, mantienen que éste requiere la integración dialógica de la individuación y la relación en un proceso interactivo. La madurez implica la interconexión de ambas. Csikszentmihalyi (1993), en su obra *The Evolving Self. A Psychology for the Third Millenium,* sostiene la misma idea. El desarrollo humano es un movimiento dialógico que hace compatible el incremento de la individualización con el incremento de la participación social. Las personas se mueven por metas diversas, cuya prioridad va cambiando a lo largo del ciclo vital, pero la lógica del desarrollo pleno, según este autor, implica que a medida que se van diferenciando van ligando su desarrollo personal con metas más amplias y perciben la satisfacción de contribuir a proyectos supraindividuales. El propio autodesarrollo se vincula con el interés por la comunidad, interés que no nace de la coerción, ni consiste en la conformidad con las expectativas sociales, sino que se fundamenta en la convicción racional de que el propio crecimiento no es posible sin interesarse por los otros. Csikszentmihalyi, tan conocido por sus estudios sobre la felicidad y lo que denomina la *Flow experience,* señala que, cuando la persona invierte su energía psíquica en metas universales, en lugar de luchar sólo por sus objetivos personales, alcanza la armonía y su sí mismo se expande.

Esta lógica que podríamos llamar de *autonomía relacional,* en la cual se encuentran nítidamente unidos los procesos de autodefinición (la distinción de los otros como unidad de acción y decisión junto con la capacidad de gobernar la propia vida) y la relación o vinculación con los otros, se percibe claramente en las personas que son vistas como ejemplo de moralidad y en los adolescentes con alta responsabilidad social, como nos muestran las investigaciones de algunos autores.

Colby y Damon (1993, 1995), se han interesado por el estudio de personas extraordinarias desde un punto de vista moral, destacables por su lucha contra la pobreza o en favor de los derechos y libertades civiles, la libertad religiosa o la paz. Estos autores examinaron 23 casos de personas ejemplares provenientes de diferentes grupos étnicos, educativos, sociales, raciales, socioeconómicos y con diferentes orientaciones políticas y religiosas. Entre las características comunes que presentaban estas personas la más llamativa era el lugar central que ocupaban las metas morales (la preocupación por el bienestar de los otros y el compromiso con el bien común) en su concepto de identidad personal. De hecho la clave para entender su vida comprometida era esa integración de sus metas morales y personales. Tales personas no percibían sus elecciones morales como autosacrificio, sino que más bien definían su propio bienestar y su autointerés en términos morales. Es decir, sentían que su propio desarrollo personal estaba vinculado a la atención al bienestar de los otros y de la comunidad. Sus vidas son un claro testimonio de que no es necesario ver las metas personales y la responsabilidad hacia los otros como necesariamente en oposición, lo que choca con la cultura predominante que suele subrayar la oposición entre autointerés y moralidad.

Damon y Gregory (1997), en sus estudios sobre la conducta social ejemplar o, por el contrario, antisocial de los adolescentes, han mostrado también que ambas se pueden predecir en función de la manera en que integran los intereses morales en sus teorías y descripciones acerca de sí mismos. Los adolescentes altruistas poseen una fuerte identidad moral, que les proporciona una poderosa motivación y responsabilidad de actuar en consonancia con sus convicciones acerca de sí mismos. Los jóvenes delincuentes estudiados, además de mostrar preferencia por metas materiales, no poseen un claro concepto de sí mismos y muestran falta de control y dirección de sus vidas.

Por otra parte, Ford (1996) que ha estudiado los procesos de motivación asociados con la conducta de cuidado (*caring behavior*) de los adolescentes, ha mostrado que los estudiantes caracterizados por una alta conducta de responsabilidad por los otros (*high caring*), frente a los que se podrían considerar más autocentrados y hedonistas, no sólo se distinguían por poseer metas y emociones que demuestran alto interés por los otros, sino por su orientación hacia metas relacionadas con el deseo de sentirse único, especial o diferente de los otros. Este patrón de metas, según este autor, parece guardar relación con el deseo de implicarse en experiencias que tienen un significado y valor profundo para la persona.

Los resultados de investigaciones como las de Colby, Damon o Ford nos muestran que un mayor desarrollo de la propia individualidad y de la autonomía va de la mano con un alto compromiso social. Por ello habría que entender la autonomía en términos de interdependencia más que de independencia, que muchas veces conduce a liberarse, autoafirmarse y romper cadenas de compromisos con los otros. Así, el concepto de autonomía relacional explicaría mejor el pleno desarrollo humano que el concepto de autonomía entendida como autosuficiencia, al que nos aboca una sociedad excesivamente individualista. Es hora de plantearse, como apunta Marina (1997), qué tipo de autonomía deseamos, si la autonomía autosuficiente o la autonomía relacional.

A lo que parecemos abocados en el nuevo trance histórico en el que nos encontramos, no es a abandonar el ideal de autonomía individual que alienta la iniciativa, la implicación y la responsabilidad personal, sino a la recomposición de la cultura individualista, como sugiere Lipovestky (1992) en su análisis sobre la sociedad actual. Para este autor, el ideal de autonomía es más legítimo que nunca, pero al mismo tiempo se impone la necesidad de contrarrestar la tendencia individualista a emanciparse de cualquier obligación colectiva.

3. IMPLICACIONES EDUCATIVAS PARA EL DESARROLLO DE UNA CONCEPCIÓN DEL YO RELACIONAL

Hasta ahora hemos señalado como, en los últimos años, son muchas las voces que cuestionan la universalidad de ciertas premisas que nos hemos acostumbrado a manejar con respecto al yo, la madurez, la autonomía y las relaciones individuo-sociedad. En el curso de la historia, los términos individual y social se han considerado como una pareja de opuestos; sin embargo, hoy parece clara la necesidad de superar esa contradicción. El yo no se define sólo mediante la separación, la madurez es algo más que autosuficiencia, las relaciones entre individuo y sociedad no son meramente contractuales. Los ejes de la vida son la búsqueda de la autodirección (*agency*) y la comunión con los otros, ambas unidas en una relación dialógica. Cómo equilibremos el binomio individualidad-relación en nuestro autoconcepto va a tener importantes consecuencias en nuestra motivación y en nuestra conducta individual y prosocial. Si el yo se concibe a sí mismo como separado y orientado sólo al dominio, al control y a la 'independencia de', entonces los otros pueden percibirse como competidores, limitadores de la libertad o como meros instrumentos para el propio autoengrandecimiento. Por el contrario, si lo que soy se define a través de mi relación con los otros, entonces lo que se percibe es que yo me completo a través de esas relaciones y no existo al margen de ellas. Así, mi trabajo en favor de los otros es también trabajo en mi favor, que no implica el autointerés o la reciprocidad contractual a la que estamos acostumbrados (Noddings, 1984; Sampson, 1988).

Debe tenerse en cuenta, además, que nos encontramos en la fase inicial de un proceso masivo de integración global de la humanidad y que la orientación hacia este nuevo tipo de organización más amplio y complejo exigirá otra forma de individualización, como apunta Elías (1987). En esta tesitura es más acuciante que nunca una interpretación del yo en relación que pone el acento en la interdependencia y en la consideración de que la identidad del 'yo' no puede existir sin la identidad como 'nosotros'.

Desde luego, dentro de nuestra cultura hay numerosas personas implicadas en la defensa de los Derechos Humanos que dan ejemplo de una preocupación por el destino de sus semejantes. Estas personas, como indica una investigación llevada a cabo por Jennings (1994), tienen un alto autoconcepto relacional. En su estudio, un 82 % de los sujetos citaron razones de afiliación para ocuparse en el trabajo en pro de los derechos humanos, y todos, independientemente del género y la edad, se definían a sí mismos en términos de un concepto de *self* conectado (*self in-connection*). En las entrevistas que se les hicieron se identificaron con frases como "no siento la comunidad de los hombres como una abstracción", "siento a las otras personas parte de mí", "siento que estoy ligado a más gente que la de mi propia sociedad", "si tienes sensibilidad para con los sentimientos de los otros y llegas a ser consciente de tu conexión con ellos, entonces el deseo de ayudar brota y te sientes infeliz si te encierras en tus cuatro paredes". Jennings señala que, aunque es difícil determinar si el autoconcepto definido como 'self en relación' es lo que determina la conducta, o primero viene la acción y luego la comprensión del yo en esos términos, la mayoría de los sujetos entrevistados sugirieron que ese sentido de conexión existía antes y animaba su implicación en tareas sociales.

Puesto que el autoconcepto actúa como una profecía autocumplida, pensamos, como Jennings, que para promover la conducta prosocial y la ciudadanía responsable, una de las metas que la educación en los derechos humanos y la educación moral y cívica deben plantearse es fomentar en las personas una concepción de yo en relación. Los procesos educativos tienen sin duda un papel decisivo en el autoconcepto que los niños y adolescentes van a desarrollar.

Las investigaciones que hemos analizado sugieren que para que la influencia educativa resulte efectiva en este sentido, debe incidir en tres procesos psicológicos claves y esenciales en todo proceso motivacional y, concretamente en la motivación de responsabilidad social: las metas, las creencias de competencia y las emociones (Ford, 1996, González Torres, 1997). Las metas son un importante componente de la propia identidad, puesto que, cuando una persona ve un valor como esencial para su identidad, siente que debe actuar de acuerdo con él. Las metas actúan como 'sí mismos posibles o futuros' que dirigen la motivación y sirven de marco de referencia desde el cual uno se juzga a sí mismo (Markus y Nurius, 1987). Tienen un rol de liderazgo en el proceso de motivación, en cuanto que definen su contenido y su dirección. Colby y Damon, a partir de sus estudios sobre personas ejemplares, sugieren que se debe prestar especial atención al 'proceso de transformación de metas' por la influencia social, para que las metas de cuidado de los otros formen parte de la concepción del yo. Sostienen, además, que para comprometerse con metas de esta índole, los sujetos necesitan sentirse competentes en un sentido moral y consideran necesario que los programas educativos ayuden a los jóvenes a tener conciencia de la efectividad de sus esfuerzos por contribuir al bienestar de los otros. Las percepciones de competencia social, como indica Ford, influyen decisivamente en la activación o inhibición de las conductas prosociales. Así, por ejemplo, puede ocurrir que una persona no actúe, a pesar de que se siente profundamente interesado por el bienestar de otro, porque duda de su capacidad para actuar eficazmente. Por otra parte, como han señalado Batson y Jordan, ciertas emociones, en particular la empatía, están en el corazón de la conducta altruista y de la concepción del yo relacional. Las emociones, como indica Ford, son un poderoso mecanismo de regulación de la conducta y dan vida a la motivación. Las emociones están estrechamente unidas con las creencias de competencia, y también con las metas, pues muchas veces las emociones surgen como respuesta a hechos que son importantes y están relacionados con las metas, motivos e intereses de los individuos. Así, si los sujetos se identifican con metas orientadas hacia la atención al bienestar de los otros, estarán abiertos a la empatía y se sentirán mal si no prestan ayuda y, por otra parte, las emociones que activan la conducta de responsabilidad se incrementarán con más probabilidad si creen en sus posibilidades de ofrecer ayuda.

A continuación, y teniendo en cuenta lo señalado, vamos a hacer algunas consideraciones sobre cómo desde la familia, la escuela y la comunidad se puede contribuir al desarrollo de un concepto de yo relacional y de una alta motivación de responsabilidad social.

A) Es necesario que un autoconcepto relacional y una orientación al cuidado de los otros se desarrollen muy pronto en la vida. Los primeros mensajes que una persona recibe acerca de lo que significa ser persona, pertenecer a una comunidad o sobre la responsabilidad personal o social se dan en la familia. Los estilos y pautas de educación o crianza que adopten los padres influyen en que los hijos desarrollen un yo replegado en sí mismo o abierto a los demás. En relación a esta cuestión, Damon (1995), un prestigioso psicólogo de la educación americano, en su interesante libro *Greater Expectations: Overcoming the Culture of Indulgence and America's Homes y Schools* desvela cómo algunas pautas inadecuadas que se han seguido en la educación familiar y escolar, derivadas en parte de algunos efectos desafortunados traídos por la modernidad y producto también de una excesiva simplificación o errónea aplicación de teorías psicológicas, han favorecido en muchos niños y jóvenes una excesiva autoabsorción o autocentrismo.

   Damon reconoce que hoy día las familias reciben muchos mensajes equívocos sobre las pautas educativas a seguir, lo que ha propiciado un clima educativo social con notas como la permisividad e indulgencia excesiva, el escaso fomento del esfuerzo, de la responsabilidad y de las virtudes sociales, la prioridad dada a los derechos, a la autoestima, al placer y a la diversión, el tímido uso de una sana disciplina y autoridad, la neutralidad de valores, la sobreprotección. Este autor señala en su análisis, que con la mejor intención, los padres se han ocupado obsesivamente de la autoestima de sus hijos, porque se les ha dicho que su falta es la causa de todos los males. Pero, lamentablemente, ello ha favorecido el uso de pautas educativas (como las mencionadas), que en muchos casos han acrecentado su fragilidad y falta de aspiraciones. Afirma que se deberían haber dedicado más esfuerzos a procurar inculcar en los niños propósitos que vayan más allá de sí mismos, a orientarlos hacia el servicio de los demás y hacia el desarrollo de las capacidades y la formación del carácter, que es lo que realmente alimenta la confianza en uno mismo y la apertura hacia los demás, pues la autoestima como la felicidad se alcanzan indirectamente. Damon alienta a los padres a que encaucen, guíen y "tiren hacia arriba" de la disposición natural que tienen todos los niños hacia la conducta responsable y prosocial.

En este sentido y tomando como referencia investigaciones sobre estilos parentales, Damon señala la conveniencia de que los padres, en orden a favorecer un óptimo desarrollo en los niños, equilibren la orientación hacia tres tipos de metas que suelen guiar su conducta familiar: a) *las metas empáticas* (los padres están muy atentos a los sentimientos de los niños para que se sientan felices; les escuchan, observan y tienen en cuenta la expresión de sus sentimientos y reacciones y están pendientes de responder activamente a sus demandas); b) las *metas de socialización* (los padres ayudan a los niños a adquirir conocimientos y a desarrollar sus habilidades, les animan a luchar contra las inclinaciones antisociales y fomentan sus tendencias prosociales y c) las *metas personales* (*self-metas*) (los padres están orientados hacia la satisfacción de sus propias necesidades y deseos –por ej. su trabajo y su ocio–). La socialización de los niños y, también podríamos añadir la formación de un autoconcepto relacional, se ven afectados negativamente cuando los padres persiguen sobre todo metas empáticas o metas centradas en ellos mismos. Una orientación exclusiva hacia metas empáticas conduce a la indulgencia, lo que favorece en los niños la autoabsorción a la par que dificulta el autocontrol y el respeto hacia los otros. Una orientación excesiva hacia los deseos de los padres crea una atmósfera familiar de indiferencia y negligencia. En cambio, si éstas se combinan bien con las de socialización sus efectos son positivos. Las metas empáticas facilitan la apertura de canales de comunicación entre padres e hijos, lo que ayuda a la interiorización de valores. Por su parte, las metas personales de los padres pueden ayudar a los niños a tomar conciencia de las necesidades de los otros y de lo que ellos pueden hacer para contribuir a su bienestar. El prestar atención a lo que otros miembros de la comunidad familiar necesitan facilita el desarrollo de actitudes de cooperación, ayuda y servicio. Si los niños, desde pequeños, se acostumbran a colaborar en la vida familiar, a tener presentes a los otros en su mente, será más fácil que más tarde perciban su responsabilidad social y ciudadana.

B) Los estudiantes deberían participar en clases y formarse en un entorno escolar donde la conexión y la interdependencia se vivan de verdad. Como afirma Nisan (1996), el tipo de orientación general de la escuela influye en las experiencias de los niños, en el desarrollo de su identidad y en su orientación motivacional. Por eso, frente a una escuela de orientación instrumentalista y utilitarista (ayudar a los jóvenes a tener éxito), la escuela debería presentar una orientación hacia los valores que ayudan a los jóvenes a desarrollarse como buenas personas y buenos ciudadanos (*value orientation*). De esta forma podrán percibir y sentir esos valores e integrarlos en la esfera de su identidad. Como hemos comentado anteriormente, cuando ciertos valores o metas forman parte del autoconcepto (a modo de sí mismos posibles o ideales), se desarrolla una poderosa motivación de realizar esa identidad. Se desarrolla, como dice Nisan, una motivación de segundo orden, a la que llama *identity based motivation*, que crea un sentido de responsabilidad y un sentimiento de obligación, no percibido como impuesto, el cual lleva a actuar de acuerdo con esa identidad de buena persona o ciudadano. Buen ejemplo de ello son los seres humanos tenidos como modelos de moralidad de los que hablan Colby y Damon.

La orientación de la escuela, que moldea la identidad de los estudiantes, se manifiesta en todos los aspectos de la vida escolar: en los métodos de estudio, en el clima escolar o en las relaciones entre profesores y alumnos. Un claro ejemplo de escuelas altamente implicadas y comprometidas en la educación en valores morales y democráticos son las estudiadas por Solomon y su equipo (Battistich, Solomon, Watson y Schaps, 1997), que llevan 15 años trabajando en la puesta en marcha de un modelo de enseñanza y de escuela que denominan *caring school communities*. Merece la pena describir con qué propósito nacieron, cómo funcionan y qué beneficios aportan a los estudiantes.

El equipo de Solomon ha trabajado con profesores de diversas escuelas de enseñanza elemental de los EEUU en la puesta en marcha de un programa de cambio del contexto social de la clase y de la escuela orientado a la mejora del desarrollo prosocial (desarrollo social y ético) de los estudiantes. La meta general del programa ha sido la creación de una *caring community* en la clase: una comunidad atenta a satisfacer tres necesidades fundamentales de los seres humanos: autonomía, competencia y pertenencia (Deci y Ryan, 1985) y en la que los estudiantes llegan a comprender por experiencia directa la importancia de valores como la justicia, el interés por los demás y la responsabilidad personal y social en una sociedad democrática. El sistema pedagógico aplicado (*The Child Development Program*) intenta promover el desarrollo prosocial proporcionando a los estudiantes numerosas oportunidades para: a) colaborar con otros en la consecución de metas sociales y académicas comunes; b) proporcionar ayuda significativa a otros y recibir ayuda cuando sea necesario; c) discutir y reflexionar sobre las experiencias de los demás, para aprender a apreciar sus necesidades, sentimientos y perspectivas; d) discutir y reflexionar sobre la propia conducta y la conducta de los demás y valorar su consonancia con valores prosociales fundamentales, como la justicia, el interés y el respeto hacia los demás y la responsabilidad social; e) desarrollar y poner en práctica las competencias sociales más importantes; f) ejercitar la autonomía y la responsabilidad en diferentes esferas de su vida y la participación en la toma de decisiones en clase respecto a sus normas, sus reglas y sus actividades.

Hemos dicho que la orientación de una escuela influye en todos los aspectos de la enseñanza. Pues bien, los profesores siguen en estas escuelas pautas de actuación coherentes con lo que se ha llamado "enseñanza democrática" (Angell, 1991) y "enseñanza constructivista" (DeVries y Zan 1994), que promueven el sentido de comunidad entre los estudiantes. Así, crean un clima de seguridad y apoyo afectivo, ponen énfasis en valores prosociales, programan actividades que favorecen la comprensión interpersonal y la cooperación, alientan la expresión de las ideas de los estudiantes y no abusan del control extrínseco de la conducta.

La evaluación empírica de esta experiencia educativa, puesta en marcha a lo largo de varios años, se ha realizado con un gran soporte y rigor metodológico. Los hallazgos han avalado la eficacia de esta intervención orientada a incrementar "el sentido de comunidad" en las clases donde se aplicó. Además, se ha comprobado que el desarrollo de ese sentido de comunidad estaba significativamente relacionado con mejoras en las *cualidades personales y sociales* de los alumnos, como la competencia social, las habilidades de resolución de conflictos, el compromiso con valores democráticos, la empatía, la autoestima, el interés por los otros, la motivación intrínseca por la conducta prosocial, el sentido de autonomía y autoeficacia; en la *actitud hacia la escuela* (interés en la escuela y motivación intrínseca por el aprendizaje, respeto hacia los profesores y confianza en ellos) y en el *rendimiento académico*. Además, la participación en estas *caring communities* promueve la adhesión a las normas y los valores de la comunidad. Parecidos resultados se han encontrado en otros estudios realizados en escuelas secundarias.

Los trabajos de Solomon y sus colaboradores nos ofrecen un modelo de cómo promover en las escuelas las habilidades, las inclinaciones, las actitudes y los hábitos que necesitan los ciudadanos en una democracia. Vivimos en sociedades cada vez más heterogéneas, complejas y expuestas a una cacofonía de valores donde existe un alto riesgo de conflicto social; por ello es necesario el desarrollo de comunidades donde se vivan valores que promuevan la comprensión y el respeto por los otros y el interés por el bien común. La escuela es quizás la única institución social que llega a los miembros de todos los grupos sociales y por ello es un ámbito privilegiado para crear un *ethos* que fomente la identidad relacional y la motivación y las conductas de carácter moral y social.

C) Un autoconcepto relacional se fomentaría si como un principio organizador del *curriculum* se tuviera en cuenta el hacerlo emocionalmente evocativo. De modo que algunos temas se traten de una manera objetiva y desapasionada, pero también se valore la experiencia subjetiva y la resonancia emocional de los estudiantes. Como indica Jennings (1994), cuando las personas reciben un puro y frío conocimiento acerca de cuestiones relativas a la sociedad, los demás, a las injusticias etc., se corre el peligro de que aprendan a objetivar y a distanciarse de los problemas humanos y permanezcan fríos y paralizados frente a los mismos.

Un mecanismo para evitar una excesiva objetivación del *curriculum* es el uso de la literatura, que suscita respuestas emotivas, las cuales, como hemos comentado, dan vida a la motivación. A través de la literatura y de las humanidades en general, hoy en declive por desgracia, se promueve el análisis subjetivo, la capacidad de adoptar la perspectiva de otros y la empatía. Ford (1996) anima a los educadores a no tener miedo de implicar a los estudiantes en experiencias que susciten profundos y genuinos sentimientos de interés por los demás y considera que probablemente ayudarán a fomentar la conducta prosocial (*caring behavior*) en mayor medida que aquellas cuyo enfoque es sólo académico (dar información) o que se limitan a actividades superficiales, incapaces de producir una implicación emocional significativa. Rollo May (1991), en su libro *La necesidad del mito. La influencia de los modelos culturales en el mundo contemporáneo,* insiste en la necesidad de poner en contacto a los estudiantes con mitos, modelos, héroes, que no celebridades, con los que puedan identificarse.

La mayoría de las personas se sienten más atraídas por vidas concretas que por ideales abstractos y, por ello, conviene encarnar en seres humanos los ideales morales. Los modelos proporcionan normas de acción y constituyen, como dice May, una ética de carne y hueso. Las vidas ejemplares, como también señalan Colby y Damon, iluminan porque ayudan a clarificar valores morales no percibidos con anterioridad; influyen gracias al ejemplo, que es uno de los principales mecanismos de aprendizaje, y pueden ayudar a las personas a vivir los ideales que han asumido, pero que les cuesta poner en práctica. Estos autores sostienen que muchos programas de educación del carácter o de educación moral fracasan, entre otras cosas, porque se centran casi exclusivamente en las conductas inadecuadas y en cómo evitarlas, olvidando que es mejor un enfoque optimista. Las personas necesitan del estímulo a la autosuperación, buscan horizontes amplios, ideales morales (caridad, justicia, paz), que les inspiren actos positivos y que les proporcionen la motivación necesaria para realizar metas éticas y construir su identidad moral.

D) Otra importante manera de promover un sentido de yo conectado y la capacidad de percibir las necesidades reales de los otros es involucrar a los jóvenes, especialmente a partir de la adolescencia, en actividades de servicio a la sociedad. Como indican los investigadores sociales, cuando los problemas, como por ejemplo la pobreza, se despersonalizan, uno se desentiende de los demás y no se siente responsable de ayudarles. Como dice el refrán, "ojos que no ven corazón que no siente". Es en el cara a cara con los necesitados donde los jóvenes pueden desarrollar el sentido de conexión con los demás, valorar la realización de tareas de ayuda, sentir la satisfacción de ayudar a otros y constatar que sus esfuerzos por contribuir al bienestar social son eficaces. La sociedad, en colaboración con la escuela, puede ofrecer muchas oportunidades de servicio que refuercen el compromiso con los otros y el desarrollo de la identidad cívica (Youness, McLellan y Yates, 1997).

El gran problema que tenemos es cómo avanzar hacia una sociedad educadora e implicada en el desarrollo de una identidad relacional. En nuestras sociedades, lo han denunciado autores como Etzioni (1993), al haberse diluido el sentido de comunidad, no parece haber unos valores claros y compartidos respecto hacia dónde orientar a los jóvenes. Esto genera un clima de confusión y una ausencia de expectativas claras. En suma, no se da una estructura social coherente dentro de la que pueda crecer una identidad positiva.

Damon (Damon, 1997; Damon y Gregory, 1997), que es consciente de este problema, está trabajando con distintas comunidades en EEUU en el desarrollo de lo que llama el *Youth Charter.* Éste es un término acuñado por el sociólogo Francis Ianni para referirse a un consenso de valores y expectativas morales compartidos por las personas significativas en la vida de niños y jóvenes y que le son comunicados a éstos de múltiples formas. En 1989, Ianni concluyó, después de un estudio de 12 años sobre la juventud americana, que el mejor predictor de la conducta social de los adolescentes era el grado en que las personas e instituciones significativas en su vida (familia, escuela, grupos de iguales, instituciones locales, los medios de comunicación, el mercado de trabajo) compartían unos valores comunes respecto a la conducta de estos jóvenes. Por ello, Damon y sus colaboradores están ayudando a que en diversas comunidades se trabaje en: a) la definición de lo que creen que es necesario para que niños y adolescentes lleguen a ser ciudadanos responsables, b) la especificación de áreas de común acuerdo desde las que orientar el desarrollo de las virtudes morales y sociales de los jóvenes, y c) el desarrollo de iniciativas y planes de acción comunitarios que les sirvan como ámbito de educación cívica (deportes en comunidad, lugares donde los jóvenes tengan oportunidades de participar en actividades constructivas y de servicio a la comunidad). Todo ello se recoge en un documento escrito no formalizado, *el youth charter*. Lo que se busca con esta iniciativa es inspirar a los jóvenes altas expectativas, que les induzcan a contribuir al bien común y a velar por él.

4. CONCLUSIÓN

Vivir en un momento histórico en el que parece estar surgiendo una nueva sociedad tiene sus riesgos, pero plantea, también, retos positivos. A lo largo de estas páginas hemos hecho notar que el hombre ha ganado en autoconciencia y que lo que está en juego es que su sed de autenticidad, de expansión, de autorrealización y de autonomía, como ideales valiosos traídos por la modernidad, se oriente hacia el desarrollo de nuevas formas de compromiso social, que nazcan de su propia toma de consciencia de que es un yo abierto. La sociedad a la que vamos, en la cual la interconexión entre los seres humanos y las sociedades va a ser cada vez más estrecha, lo demanda y en esta dirección deben trabajar la familia, la escuela y la sociedad.

La Psicología tiene también un enorme compromiso en este terreno, precisamente por su poder. Sus teorías acerca de la persona, de las motivaciones, de la salud, de la adaptación, de la sociedad, de la educación influyen poderosamente en cómo percibimos y explicamos la realidad y a nosotros mismos. Giddens (1995) señala que cuando las sociedades son más complejas y avanzadas las personas acuden a los sistemas expertos. Las ciencias sociales se encuentran entre ellos y no sólo describen la realidad, sino que la crean (influyen en la interpretación que de ella se hace). Por eso, de la misma manera que muchas prácticas basadas en supuestos psicológicos y en erróneas generalizaciones de hallazgos científicos han alimentado la autoabsorción de los individuos, a partir de nuevos enfoques, como los que hemos expuesto aquí, se puede contribuir a que las personas asuman modelos más humanos de cómo ser y vivir en sociedad.

En esta dirección parece que ya camina la Psicología. No deja de ser llamativo que el monográfico de la revista *American Psychologist* de enero del 2000 trate sobre el desarrollo de la llamada 'Psicología Positiva'. Los editores del número, Seligman y Csikszentmihalyi, señalan cosas como las siguientes: la Psicología se ha centrado tanto en la patología, en los problemas, en lo que va mal en los individuos, que ha fomentado ideas pesimistas sobre el ser humano. Se ha tendido a ver que las fuerzas que gobiernan la conducta son el autointerés, la agresividad y el placer. Muchos aspectos positivos que hacen valiosa la vida (la esperanza, la sabiduría, el coraje, la espiritualidad, la responsabilidad, etc.) se han ignorado o se han explicado como transformaciones de impulsos negativos. La meta de la Psicología positiva es cambiar esa visión. La Psicología, además de eliminar las debilidades y corregir lo que va mal, ha de centrarse en comprender y desarrollar las competencias y las cualidades positivas que hacen a las personas y a las sociedades mejores.

Seligman y Csikszentmihalyi animan a los psicólogos a investigar con mayor interés las cualidades y las virtudes de las personas, pues la mayoría de las personas necesitan ejemplos y consejo sobre cómo enriquecer sus vidas. Consideran que las ciencias de la conducta deben mostrar qué acciones conducen al bienestar y prosperidad de las comunidades, deben estudiar qué clase de familias contribuyen a que los niños maduren y qué políticas favorecen la implicación cívica. Por ello, el campo de la Psicología Positiva, debe ser el estudio de cuestiones como el bienestar, la esperanza, el optimismo, la felicidad, la capacidad para el amor, el coraje, la sensibilidad estética, la espiritualidad, la sabiduría, la perseverancia, la capacidad de relación interpersonal, las virtudes cívicas, el altruismo, la responsabilidad, la ética en el trabajo y cómo fomentar una mejor ciudadanía.

Parece pues que las llamadas actuales a un cambio de paradigma respecto a la concepción de la naturaleza humana y a una educación moral y cívica están calando en la Psicología del nuevo milenio.

BIBLIOGRAFÍA

AVIA, M. D. (1995) El yo privado y el individualismo: consideraciones históricas y culturales, en AVIA, M. D.; SANCHEZ BERNARDOS, M. L. (Eds.) *Personalidad: Aspectos Cognitivos y Sociales* (Madrid, Pirámide).

ANDERSEN, S. M.; REZNIK, I.; CHEN, S. (1997) The Self in Relation to Others: Cognitive and Motivational Underpinnings, en SNODGRASS, J. G.; THOMPSON, R. L. (Eds.) *The Self Across Psychology. Self-Recognition, Self-Awareness and the Self-Concept. Annals of the New York Academy of Sciences,* V. 818, pp. 233-275 (New York, The New York Academy of Sciences).

ANGELL, A. V. (1991) Democratic Climates In Elementary Classrooms: A Review of Theory and Reseach, *Theory and Reseach in Social Education*, 19, 241-266.

BATSON, C. D. (1990) How Social an Animal? The Human Capacity for Caring, *American Psychologist*, 45 (3), 336-346.

BATTISTICH, V.; SOLOMON, D.; WATSON, M.; SCHAPS, E. (1997) Caring School Communities, *Educational Psychologist*, 32 (3) 137-151.

BAUMEISTER, R. F. (1987) How the Self Became a Problem: A Psychological Review of Historical Research, *Journal of Personality and Social Psychology*, 52 (1), 163-176.

BAUMEISTER, R. F.; SMART, L.; BODEN. J. M. (1996) Relation of Threatened Egotism to Violence and Aggression: The Dark Side of High Self-Esteem, *Psychological Review*, 103 (1), 5-33.

BAUMEISTER, R. F.; LEARY, M. R. (1995) The Need to Belong: Desire for Interpersonal Attachments as a Fundamental Human Motivation, *Psychological Bulletin*, 117, 497-529.

BELLAH, R. N.; MADSEN, R., SULLIVAN, W. M.; SWIDLER, A.; TIPTON, S. M. (1985) *Habits of the Heart: Individualism and Commitment in American Life* (Berkeley, University of California Press).

BLATT, S. J.; BLASS, R. (1996) Relatedness and Self-Definition: A Dialectic Model of Personality Development, en NOAM, G. G.; FISCHER, K. W. (Eds.) *Development and Vulnerability in Close Relationships*, pp. 309-338 (New Jersey, LEA).

BOWLBY, J. (1969) *Attachment and Loss: V. I. Attachment* (New York, Basic Books).

CSIKSZENTMIHALYI, M. (1993) *The Evolving Self. A Psychology for the Third Milenium* (New York, Harper Collins).

COLBY, A.; DAMON, W. (1995) The Development of Extraordinary Moral Committment, en KILLEN, M.; HART, D. (Eds.) *Morality in Every Life, Development Perspectives,* pp.343-370 (New York, Cambridge University Press).

COLBY, A.; DAMON, W. (1993) The Uniting of Self and Morality in the Development of Extraordinary Moral Commitment, en NOAM, G. G..; WREN, T. E. (Eds.) *The Moral Self*, pp. 149-174 (New York, Cambridge University Press).

CONNELL, J. P. (1990) Context, Self and Action: A Motivational Analysis of Self-System Processes Across the Life-Span, en CICCHETTI, D.; BEEGHLY, M. (Eds.) *The Self in Transition*, pp. 61-97 (Chicago, University of Chicago Press).

COVEY, St. R. (1989) *The Seven Habits of Higly Effective People. Restoring the Character Ethics* (New York, Simon and Schuster). [*Los siete hábitos de la gente altamente efectiva* (1997) Barcelona, Paidós].

CUSHMAN, Ph. (1990) Why the Self is Empty. Toward a Historically Situated Psychology, *American Psychologist*, 45 (5), 599-61.

CHODOROW, N. (1978) *The Reproduction of Mothering* (Berkeley, University of California Press).

DAMON, W. (1995) *Greater Expectations. Overcoming the Culture of Indulgence in America's Homes and Schools*, (New York, The Free Press).

– (1997) *The Youth Charter: How Communities Can Work Together to Raise Standards for All Our Children* (New York, Free Press).

DAMON, W.; GREGORY, A. (1997) The Youth Charter: Toward the Formation of Adolescent moral identity, *Journal of Moral Education*, 26 (2) 117-129.

DECI, E. L.; RYAN, R. M. (1985) *Intrinsic Motivation and Self-Determination in Human Behavior* (New York, Plenum).

DEVRIES, R.; ZAN, B. (1994) *Moral Classroom, Moral Children: Creating a Constructivist Atmosphere in Early Education* (New York, Teachers College Press).

EISENBERG, N; MUSSEN, P. (1989) *The Roots of Prosocial Behavior in Children* (Cambridge, England, Cambridge University Press).

EISENBERG, N.; STRAYER, J. (1987) *Empathy and Its Development* (Cambridge, England, Cambridge University Press).

ELIAS, N. (1987) *Die Gesellschaft der Individuen* [*La sociedad de los individuos* (2000) Barcelona, Península].

ERICKSON, E. (1968) *Identity, Youth and Crisis* (New York, Norton).

ETZIONI, A. (1993) *The spirit of Community. Rights, Responsabilities and the Communitarian Agenda* (London, Fontana Press).

FRANKL, V. E. (1983) *La psicoterapia al alcance de todos* (Barcelona, Herder).

FORD, M. E. (1996) Motivational Oportunities and Obstacles Associated with Social Responsability and Caring Behavior in School Contexts, en JUVONEN, J.; WENTZEL, K. R. (Eds) *Social Motivation: Understanding children's school Adjustment*, pp. 127-153 (New York, Cambridge University Press).

GEERTZ, C. (1976) From the Native's Point of View. On the Nature of Anthropological Understanding, en RABINOW, P. y SULLIVAN, W. M. (Eds.) *Interpretative Social Science*, pp. 225-241 (Berkeley, University of California Press).

GILLIGAN, C. (1982) *In a Different Voice: Psychological Theory and Women's Development* (Cambridge, Harvard University Press).

GONZÁLEZ TORRES, M. C.; TOURÓN, J. (1994) *Autoconcepto y rendimiento académico: sus implicaciones en la motivación y la autorregulación del aprendizaje* (Pamplona, Eunsa, 2ª ed.).

GONZÁLEZ TORRES, M. C. (1997) *La motivación académica: sus determinantes y pautas de intervención* (Pamplona, Eunsa).

GONZÁLEZ TORRES, M. C.; NAVAL, C. (2000) Una aproximación a la Educación para la Ciudadanía en Europa en la última década, en NAVAL, C.; LASPALAS, J. (Eds.). *Educación Cívica hoy: Perspectivas y propuestas* (Pamplona, Eunsa).

GOLEMAN, D. (1996) *La inteligencia emocional* (Barcelona, Kairós).

GROLNICK, W. S.; RYAN, R. M. (1989) Parent Styles Associated with Children's Self-Regulation and Competence in School, *Journal of Educational Psychology*, 81, 143-154.

GUIDDENS, A. (1995) *Modernidad e identidad del yo. El yo y la sociedad en la época contemporánea* (Barcelona, Península).

GUISINGER, Sh.; BLATT, S. (1994) Individuality and Relatedness. Evolution of a Fundamental Dialectic, *American Psychologist,* 49 (2), 104-111.

HARGREAVES, A. (1996) *Profesorado, cultura y postmodernidad* (Madrid, Morata).

HARTER, S. (1988) Causes, Correlates and the Functional Role of Global Self-Worth: A Life-Span Perspective, en KOLLIGIAN, J.; STENBERG, R. (Eds.) *Perceptions of Competence and Incompetence Across the Llife-Span* (New Haven, Ct., Yale University Press)..

HARRÉ, R. (1984) *Personal Being* (Cambridge, MA, Harvard University Press).

HATTIE, J.; MARSH, H. (1996) Future Directions in Self-Concept Reseach, en BRACKEN, B.A. (Eds.) *Handbook of Self-Concept: Developmental, Social and Clinical Considerations*, pp. 421-462 (New York, John Wiley and Sons).

HOFFMAN, M. (1977) Sex Differences in Empathy and Related Behaviors, *Psychological Bulletin,* 84 (4), 712-722.

– (1982) The Development of Prosocial Motivation: Empathy and guilt, en EISENBERG, N. (Ed.) *The Development of Prosocial Behavior*, pp. 281-313 (New York, Academic Press).

JENNINGS, T. E. (1994) Self-in-Connection as a Component of Human Rights Advocacy and education, *Journal of Moral Education*, 23 (3) 285-295.

JORDAN, J. V. (1991) The Relational Self: A New Perspective for Understanding Women's Development, pp. 136-149, en STRAUSS, J.; GOETHALS, G. (Eds.) *The Self: Interdisciplinary Approach*, pp. 137-149 (New York, Springer-Verlag).

JOSSELSON, R. (1988) The Embedded Self: I and Thou Revisited, en LAPSLEY, D. K.; POWER, F. C. (Eds.) *Self, Ego and Identity. Integrative Approach*, pp. 91-106 (New York, Springer-Verlag).

KAGAN, J. (1998) *Three Seductive Ideas* (Cambridge, Mass., Harvard University Press) [*Tres ideas seductoras* (2000) Barcelona: Paidós].

KOUT, H. (1977) *The Restoration of the Self* (New York, International Universities Press).

LASH, Ch. (1978) *The Culture of Narcissism. American Life in an Diminishing Expectations* (New York, Norton).

LIPOVETSKY, G. (1992) *Le Crépuscule du devoir* (París, Editions Gallimard) [*El crepúsculo del deber* (1994) Barcelona, Anagrama]

LYKES, M. B. (1985) Gender and Individualistic vs. Collectivist Bases for Notions About the Self, *Journal of Personality*, 53, 356-383.

LLANO, A. (1999) *Humanismo cívico* (Barcelona, Ariel).

MARINA, J.A. (1997) *El misterio de la voluntad desaparecida* (Barcelona, Anagrama).

MARKUS, H.; CROSS, S. (1990) The Interpersonal Self, en PERVIN, L.A. (Ed.) *Handbook of Personality. Theory and Reseach,* pp. 576-608 (New York, The Guilford Press).

MARKUS, H.; KITIYAMA, Sh. (1991a) Cultural Variation in the Self-Concept, en STRAUSS, J.; GOETHALS, G. (Eds.) *The Self. Interdisciplinary Approach,* pp. 19-48 (New York, Springer-Verlag).

MARKUS, H.; KITIYAMA, Sh. (1991b) Culture and the Self: Implications for Cognition, Emotion and Motivation, *Psychological Review*, 98, 224-253.

MARKUS, H.; NURIUS, P. (1987) Posible Selves: The Interface Between Motivation and the Self Concept, en YARDLEY, K.; HONESS, Y. (Eds.) *Self and Identity,* pp. 157-172 (New York, Wiley).

MARKUS, H.; MULLALLY, P.; KITIYAMA, Sh. (1997) Selfways: Diversity in Modes of Cultural Participation, en NEISSER, U.; JOPLING, D. A. (Eds.) *The Conceptual self in context*, pp. 13-61 (New York, Cambridge University Press).

MAY, R. (1991) *The Cry for Myth* (New York, W.W. Norton and Co.) [*La necesidad del mito. La influencia de los modelos culturales en el mundo contemporáneo* (1998) Barcelona, Paidós].

MCINTYRE, A. (1981) *After Virtue* (Notre Dame, University of Notre Dame Press) [*Tras la virtud* (1987) Barcelona, Crítica].

MILLER, J. B. (1976) *Toward a New Psychology of Women* (Boston, Beacon Press).

MILLER, J. G. (1997) Culture and the Self: Uncovering the Cultural Grounding of Psychological Theory, en SNODGRASS, J. G.; THOMPSON, R. L. (Eds.) *The Self Across Psychology. Self-Recognition, Self-Awareness and the Self-Concept. Annals of the New York Academy of Sciences,* V. 818, pp. 217-231 (New York, The New York Academy of Sciences).

NAVAL, C. (1995) *Educar ciudadanos. La polémica liberal-comunitarista en educación* (Pamplona, Eunsa).

NISAN, M. (1996a) Personal Identity and Education for Desirable, *Journal of Moral Education,* 25 (1), 75-83.

– (1996b) Instilling a Value Orientation in Schools, en NAI-KWAI, L.; SI-WAI, M. (Eds.) *Research and Endeavours in Moral and Civic Education*, pp. 99-119 (Hong-Kong, Hong-Kong Institute of Educational Research).

NODDINGS, N. (1984) *Caring. A Feminine Approach to Ethics and Moral Education* (London, University of California Press).

– (1992) *The Challenge to Care in Schools. An Alternative Approah to Education* (New York, Teachers College Press).

PINILLOS, J.L. (1998) *El corazón del laberinto. Crónica del fin de una época* (Madrid, Espasa Calpe).

PURKEY, W.W. (2000) *What Students Say to Themselves: Internal Dialogue and School Success* (Thousand Oaks, CA, Corwin Press).

RUZGIS, P.; GRIGORENKO, E. L. (1994) Cultural Meaning System, Intelligence, and personality, en STERNBERG, R.; RUZGIS, P. (Eds.) *Personality and Intelligence*, pp. 249-270 (New York, Cambridge University Press).

RYAN, R. M. (1991) The nature of the self in autonomy and relatedness (208-237). En STRAUSS, J.; GOETHALS, G. R. (Eds.) *The Self: Interdisciplinary Approaches*, pp. 208-237 (New York, Springer Verlag).

RYAN, R. M.; DECI, E. L. (2000) Self-Determination Theory and the Facilitation of Intrinsic Motivation, Social Development, and Well-Being, *American Psychologist*, 55 (1), 68-78.

SALOVEY, P.; SLUYTER, D. J. (1997) *Emotional Development and Emotional Intelligence* (New York, NY, Basic Books.

SAMPSON, E. E. (1985) The Descentralization of Identity. Toward a Revised Concept of Personal and Social Order, *American Psychologist*, 40 (11) 1203-1211.

– (1988) The Debate on Individualism. Indigenous Pschychologies of the Individual and Their Role in Personal and Societal Functioning. *American Psychologist*, 43 (1), 15-22.

– (1989) The Challenge of Social Change for Psychology. Globalization and Psychology's Theory of the Person, *American Psychologist*, 44 (6) 914-921.

SELIGMAN, M. E. (1988) *Why Is There So Much Depression Today? The Waxing of the Individual and the Waning of the Commons* (Invited Lecture at the 96th Annual Convention of the American Psychological Association, Atlanta, Georgia).

SELIGMAN, M. E.; CSIKSZENTMIHALYI, M. (2000) Positive Psychology. An Introduction, *American Psychology*, 55 (1), 5-14.

SENNETT, R. (1978) *La crisis del hombre público* (Barcelona, Península).

SPITZ, R.A. (1945) Hospitalism: An inquiry in the genesis of psychiatric conditions in early childhood, *Psychoanalytic Study of Child*, 1, 53-73.

STARKER, S. (1985) *Oracle at the Supermarket: The Self-Help Books* (New Brunswick, NJ, Transaction).

STRAUSS, J.; GOETHALS, G. R. (1991) *The Self: Interdisciplinary Approaches* (New York, Springer-Verlag).

TAYLOR, Ch. (1994) *La ética de la autenticidad* (Madrid, Paidós).

TRIANDIS, H. C. (1989) The self and social behavior in differing cultural context. *Psychological Review*, 96 (3) 506-520.

– (1995) Motivation and achievement in collectivist and individualist cultures, en MAEHR, M. L.; PINTRICH, P. R. (Eds.) *Advances in Motivation and Achievement*, V. 9, pp. 1-30 (London, JAI Pres Inc).

WALSH, W.; BANAJI, M. (1997) The Collective Self, en SNODGRASS, J. G.; THOMPSON, R. L. (Eds.) *The Self Across Psychology. Self-Recognition, Self-Awareness and the Self-Concept. Annals of the New York Academy of Sciences*, V. 818, pp. 193-213 (New York, The New York Academy of Sciences).

YOUNISS, J.; YATES, M.; SU, Y. (1997) *Community Service and Social Responsability in Youth* (Chicago, University of Chicago Press).

YOUNISS, J.; MCLELLAN, J. A.; YATES, M. (1997) What We Know About Engendering Civic Identity, *American Behavioral Scientist*, 40, 620-631.

ABSTRACT

THE PSYCHOLOGICAL CONCEPTIONS OF SELF IN POSTMODERNITY. IMPLICATIONS FOR CIVIC AND MORAL EDUCATION

This paper discusses the consequences of Modernity, particularly the overemphasis on individualism in its conceptions of self in Psychology. Such a conception has favoured the individual´s self-absorption. New alternative conceptions of self indicate that the traditional models of self are not adequate in a world that requires increasing interdependence. Studies focussing on gender and cultural differences in self-concept and on the development of individuation and autonomy offer a new relational theory of self that emphasises relationship. From these perspectives, a redefinition of the concepts of self, autonomy and self realisation is required in order to stress the central importance of interpersonal relationships in human development. This has an implication in education: civic education should enable students to see themselves as related and interdependent with others. A sense of "self-in-connection" promotes a caring behavior and an interest for the welfare of others and the community.

KEY WORDS

Modernity, postmodernity, self concept, self-contained, self-in-connection, relational autonomy, individualism, interdependence, caring behavior, civic education.

DIRECCIÓN DE LA AUTORA

Carmen GONZÁLEZ TORRES
Departamento de Educación
Universidad de Navarra
31080 Pamplona (España)
Tel. 00 34 (9) 48 42 56 00
E-mail: mgonzalez@unav.es

SOLIDARIDAD *VERSUS* INDIVIDUALISMO EN LA EDUCACIÓN ACTUAL[1]

María Victoria GORDILLO
Universidad Complutense de Madrid

INTRODUCCIÓN

La mención de la solidaridad junto a la libertad y la tolerancia como metas de la educación actual es un hecho ya usual (cf. LOGSE, 1990, Preámbulo). Igualmente, nos hemos acostumbrado a considerar entre los objetivos de los distintos niveles educativos: "la formación para la paz, la cooperación y la solidaridad entre los pueblos" (art. 1, g), "comportarse con espíritu de cooperación, responsabilidad moral, solidaridad y tolerancia..." (art. 19, d) o "participar de forma solidaria en el desarrollo y mejora de su entorno social" (art. 25, f). Se puede decir, por tanto, que se es consciente –al menos, a nivel teórico– de la necesidad de adoptar un nuevo modo de convivir y de relacionarse con los demás. La insistencia en este aspecto se comprende cuando se observa la creciente insolidaridad entre los pueblos y entre las personas que los componen. La independencia de esta meta respecto a las distintas ideologías políticas es también un hecho evidente. No es sólo problema del liberalismo sino algo que también afecta a los regímenes socialistas por mucho que se acentúe en su pensamiento político la solidaridad.

En general, lo que parece echarse en falta cada vez más es el concepto de cuidado, el *care* del mundo anglosajón, que ha sido el punto de partida del

1. El presente documento fue presentado con anterioridad como ponencia en el I Seminario Internacional sobre Educación y Democracia, Murcia 1993.

movimiento neofeminista actual y que tiene repercusiones que afectan tanto al ámbito del conocimiento científico como al modo de ayudar a los demás.

En las denominadas profesiones de ayuda –dentro de las cuales se puede situar la educación y, desde luego, la orientación– este influjo se ha dejado sentir, por ejemplo, en el auge de la intervención comunitaria. Actualmente, la satisfacción de las necesidades sociales requiere modos de actuación más activos y participativos. En una sociedad democrática –señala Blocher (1986)– el cambio social debe regirse por el principio de colaboración, que implica hasta cierto punto la desprofesionalización de los expertos y la cooperación de los distintos miembros de la comunidad para hallar soluciones auténticas, que respondan a los intereses y valores de los participantes.

Mi propósito en estas páginas es sacar a la luz algunos aspectos que obstaculizan, si no llegan a impedir, el logro de los objetivos antes mencionados. Expondré, también, cómo esta aspiración a unas relaciones interpersonales más significativas se ha intentado llevar a cabo en los movimientos surgidos en las revueltas de los 60 y, posteriormente, en el movimiento feminista radical. Me centraré para ello en un aspecto concreto: el del cuidado, donde claramente se contraponen las perspectivas colectivistas o comunales frente a las que llamaré 'comunitarias'. La solución que propongo se refiere a una reconceptualización de la comunidad democrática que para ser viable requiere necesariamente un cambio en las actitudes y en el hacer diario del profesor.

1. LA CRÍTICA DEL INDIVIDUALISMO LIBERAL

Posiblemente el logro que más satisface, y por el que más se lucha, en la actualidad es el reconocimiento de la existencia de una esfera reservada al individuo en la que no se admite ningún tipo de interferencia por parte del poder público sin el consentimiento personal. Según la tradicional definición de B. Constant ésta sería la "libertad de los modernos" en oposición a la "libertad de los antiguos", que consistía esencialmente en la participación política. La fundamentación de esta forma de concebir la libertad se encuentra en Kant cuando afirma que "es lícito a cada uno buscar su felicidad por el camino que mejor le parezca, siempre y cuando no cause perjuicio a la libertad de los demás para pretender un fin semejante" (Kant, 1986, 26), no hay un bienestar que se pueda definir como común para todos los hombres, como luego afirmarán teóricos liberales, ya que los bienes que se pretenden son –o pueden ser– tan diferentes el único modo de solucionar los posibles conflictos es mantener la justicia como criterio, el derecho se prioriza sobre el bien ya que éste es imposible de definir sino es de un modo individual.

La consecuencia de esta libertad será también la exaltación de la propiedad privada como capacidad de disposición exclusiva e ilimitada. La economía pasa a ocupar cada vez más el puesto prioritario desbancando a la política y convirtiendo la acumulación de capital y la eficiencia en los principales valores. La independencia de mercado y ética lleva a no considerar ninguna jerarquía entre necesidades humanas y tampoco entre éstas y simples deseos.

"El individualismo es una conquista de la modernidad, afirma Victoria Camps, paralela a la conquista de la libertad y a la proclamación de unos derechos humanos que son, en definitiva, derechos individuales" (1990, 26). La libertad entendida como autonomía insolidaria, la felicidad individual en un plano absolutamente diferente del propio de la felicidad colectiva –en el que gobierna la justicia–, lo público en contraposición a lo privado, donde se dan "comportamientos o modos de vivir sobre los que la sociedad como conjunto no debería ni tan sólo opinar" (1990, 25). ¿No supone todo esto dejar campo abierto a una lucha en el que vence el más fuerte, el que tiene más medios? La desigualdad se amplía en función de una libertad sin límites y que tiene como único objetivo el enriquecimiento individual.

La política moderna ha oscilado sobre dos ejes: el de la libertad sin igualdad o el de la igualdad sin libertad. En nuestros días, con el fracaso del comunismo, es el primero el que permanece de un modo indiscutible. Sin embargo, el tercer término de la famosa trilogía revolucionaria, la solidaridad, sigue ausente. La aportación más valiosa de este enfoque político ha sido la división de poderes, los frenos puestos a la actitud dictatorial, la libre expresión. Lo menos valioso ha sido, por el contrario, el triunfo de la economía y la despolitización, como consecuencia del recurso a la representación y la imposibilidad de la democracia directa.

Tradicionalmente, la política era algo positivo que daba a los hombres un sentido de identidad y les permitía desarrollar valores. No participar en política suponía la privación de ese ser comunitario básico para comprender la humanidad; era caer en la 'idiocia' que en su etimología griega significa algo peculiar, distinto y privado, y que se considera una forma de vida inferior a la política (Berry, 1989). Hoy, en cambio, la apatía política es una actitud ampliamente generalizada.

El individualismo que el capitalismo liberal ha generado, considera al individuo como un agente que actúa cooperativamente sólo si con ello logra algún beneficio personal. Así, uno entra a formar parte de un grupo exclusivamente con el objetivo de alcanzar los propios intereses, y permanece en él sólo en tanto le resulta provechoso. La sociedad moderna es más una agregación de individuos que una comunidad.

Ya que la economía y la política liberales fomentan que el individuo se preocupe sólo de sí mismo, en los últimos años han surgido movimientos como el ecologista, el feminista o el pacifista que han intentado reaccionar frente a esta tendencia disgregadora buscando lo que une, lo común a la humanidad. Empeñándose en resistir contra la injusticia, la deshumanización y falta de sentido que de un modo progresivo aparece en nuestro mundo, y oponiendo la solidaridad a la indiferencia individualista.

Se trataría de trascender este liberalismo sin perder los logros conseguidos entre los que destaca, como ya hemos afirmado, el respeto a la persona y su intimidad. Es, sin embargo, contra su individualismo y su estrecho concepto de democracia contra los que se han alzado ciertas voces que buscan una nueva concepción de las relaciones interpersonales más humana e igualitaria. Citaré a continuación tres ejemplos que demuestran cómo el modelo liberal no satisface la necesidad de vivir en una democracia que sea algo más que una simple forma de gobierno. Los dos primeros tratan de solucionar el problema acudiendo a formas de ayuda colectiva, mientras que el tercero plantea el intento de lograr una comunidad democrática, lo cual lleva consigo la necesidad de un nuevo enfoque educativo que lo posibilite.

En primer lugar, me referiré a las 'contrainstituciones' surgidas en los 60 que, si bien no tan tenido el poder de perdurar más que de un modo muy efímero, tienen el mérito de ofrecer nuevas formas de comprender las relaciones humanas y el trabajo. Analizaré después la crítica feminista que ha sacado de nuevo a la luz un elemento básico en la vida social pero olvidado y desprestigiado por el énfasis economicista del trabajo en la modernidad: el cuidado.

2. LOS MOVIMIENTOS COMUNALES DE LOS AÑOS 68

Al buscar motivos que expliquen los acontecimientos de mayo de 1968 se acude a opiniones muy diversas. Para unos fue la revuelta de los niños mimados de una nueva y próspera clase económica; para otros, supuso el levantamiento de los ciudadanos contra unos gobiernos que les seguían considerando súbditos; otros consideran que fue la primera afirmación del cambio de valores que iba a producirse en la sociedad occidental. Y hay, por último, quienes lo juzgan como una exigencia de reforma de las instituciones de la sociedad moderna.

Aunque los movimientos comunitarios, cooperativos y reformistas no resultan nuevos en, sí que en los años 60 se producen una serie de hechos culturales y políticos que permiten definirlos como un producto de su tiempo que aún pervive a través de ciertos grupos, especialmente de jóvenes.

Su carácter distintivo era –y sigue siendo donde existe– el deseo de vivir en una organización que fuese una verdadera comunidad, con un tipo de relaciones sociales directas y personales, abiertas y espontáneas, claramente opuestas a las propias de las organizaciones burocráticas. Ser, además, participativa e igualitaria suponía que las decisiones se habían de tomar colectiva y democráticamente y que las diferencias entre 'expertos' –sean profesionales u otras figuras de autoridad– y no expertos se minimizan.

El ideal romántico se manifiesta en el énfasis dado a los sentimientos, la desconfianza en la ciencia y la tecnología, junto al rechazo de la burocracia y el profesionalismo, es decir, de todo lo que pueden ser roles convencionales. Se promete, a la vez, la ansiada liberación emocional que llevaría consigo una mayor intimidad en las relaciones y una mejor salud psíquica permitiendo a cada uno hacer lo que realmente le guste. El deseo de recuperar una tradición ya superada se asocia con una postura radical crítica, la expresión más clara es el ideal de comunidad que se hace prioritario y se concibe a escala local, de grupo. Se encuentra así un modo de afrontar la soledad personal y la 'falta de hogar' que muchos jóvenes experimentan.

Estas organizaciones ofrecieron diferentes formas: comunas, cooperativas, un nuevo tipo de negocio comercial y una serie de instituciones alternativas para ofrecer servicios como centros de orientación o escuelas experimentales. La preocupación principal en todas fue la calidad de las relaciones humanas. A diferencia de las primeras comunidades utópicas que se asentaban en fundamentaciones religiosas –o las del siglo XIX cuyo carácter era político-económico– Kanter (1972) destaca el enfoque psicosocial de las que surgen en estos años. La crítica social se dirige contra la alienación y soledad, pero al buscar más el Eden que la Utopía carecen de una estabilidad económica que dificultará su supervivencia. Las comunas vienen a ser formas de vivir en común, más parecidas a un *affaire* que a un matrimonio. Proporcionan un ambiente familiar sin tener las responsabilidades propias de una familia. Estas casas comunales vienen a ser –afirma Starr (1979)– no algo más que una familia sino algo menos que un hogar, ya que se pueden abandonar sin ningún sentimiento de culpa o dolor.

Tanto las comunas como las cooperativas son intentos de trascender el capitalismo: mientras unas se refieren a cambios en la vida doméstica, las otras al cambio de relaciones en el mercado económico. Pero, a pesar de su inicial planteamiento acorde con su filosofía (productos 'naturales' y baratos) tuvieron que hacer concesiones que les llevaron a ser tiendas especializadas más que una fuente de recursos para la comunidad. También la falta de perspectivas de desarrollo profesional y los bajos sueldos que se podían proporcionar en este tipo de organizaciones supuso un obstáculo para la continuidad de los trabajadores.

Por otra parte, tampoco se cumplió el objetivo de representar a todos los estratos sociales. Gran parte de los que se pensaba recibirían gozosamente esta idea no parecían tener una conciencia comunal ni deseaban este tipo de organización. Tanto entonces como ahora sigue siendo el reducto de grupos de jóvenes de clase media que aún no han formado una familia o entrado en una profesión fija.

La enseñanza que se desprende de estas instituciones alternativas es que difícilmente pueden mantenerse cuando no se da una transformación social general. Sin embargo, es cierto que, como dice Starr, aunque hayan estado al margen del mundo del poder y del dinero, ocupan un lugar histórico de cierta importancia por el intento que hicieron de cambiar las relaciones humanas y su esfuerzo por restaurar la solidaridad.

3. LA AYUDA COLECTIVA EN EL MOVIMIENTO FEMINISTA

Otro intento de cambiar las relaciones humanas se ha debido al movimiento feminista más radical. En su opinión, el modo de afrontar ciertos problemas sociales ha de ser colectivo. Concretamente, el cuidado y educación de los niños debe ser hecho de una forma 'colectiva' ya que la familia nuclear –afirman– además de oprimir a la mujer produce tipos agresivos, autoritarios y dominantes. Para confirmar estas hipótesis acuden a los estudios realizados en *kibbutzs* donde los datos parecen confirmar que los niños allí criados desarrollan un mayor sentido de solidaridad y compromiso con el grupo y son menos individualistas y competitivos que los educados en familias occidentales tradicionales.

Fundamentalmente, el feminismo –señala Dalley (1990)– se opone a una concepción de ayuda 'comunitaria' que recae, sin posibilidad de elección, en la mujer y que suele ser mal remunerada tanto económica como socialmente. Las feministas no creen que esto sea producto de una ideología de derechas o de izquierdas, pues ambas ideologías invocan el espíritu comunitario para validar sus posiciones. Así, unos defienden la privatización de la ayuda en analogía con la responsabilidad y cuidado familiar. Mientras que otros, desde una perspectiva opuesta, consideran la comunidad como la colectividad que se siente responsable de todos sus miembros, especialmente de los más necesitados.

Se pide, incluso, que la función que la mujer tiene dentro de la familia de cuidar de los enfermos, los discapacitados y los ancianos, sea socializada junto con el trabajo en el hogar y la educación de los niños. El cuidar de los demás es un trabajo que debería ser pagado como tal, a no ser que se adopte la solución de las residencias que es, a juicio de algunos autores, la forma de colectivización de la ayuda que mejor encaja en una política socialista (Finch, 1984). La experiencia de grupos que por su cuenta han intentado implantar formas de vida colectiva al margen de la sociedad ha resultado, igual que en el movimiento comunal, un fracaso. La explicación se cree encontrar en el hecho de que este tipo de acciones deben desarrollarse dentro de la sociedad para ser fecundas, exigen luchar continuamente contra la ideología dominante más que aislarse para sobrevivir.

Los principios sobre los que se apoya este tipo de ayuda colectiva se sintetizan en el reconocimiento de que la dependencia y la independencia son aspectos que se dan en la vida de cualquier persona. La proximidad social o biológica no obliga a ejercitar especiales roles de ayuda, así como tampoco impone la dependencia de una persona concreta por parte del que es ayudado. Se trata de ayudar a los miembros más débiles sin estigmatizarlos. Y, sobre todo, se hace sin poner en juego el componente de abnegación que la ayuda altruista siempre lleva consigo, con los respectivos sentimientos de obligación y culpa. Tanto el que da la ayuda como el que la recibe deben continuar siendo responsables de sus elecciones; es más, las mujeres no deben ser forzadas a ser las que 'cuidan' a costa de otras posibles elecciones. Además, la recompensa por realizar este trabajo debe ser semejante a la que se recibe en otras actividades. En esta forma de ayuda cada uno contribuye según sus capacidades, con independencia de su edad o sexo.

La flexibilidad de formas de cuidado, la posibilidad de relacionarse con el mayor número posible de personas y de desarrollar los talentos y habilidades que desee, son otros principios que sustentan esta ayuda colectiva, en la que el énfasis se sitúa en la participación dentro del grupo. Para Dalley, "'humano' no tiene por qué significar 'altruista' y 'afectivo', no tiene por qué significar 'familiar'" (p. 136); datos que confirmen esta tesis se hallan en el ámbito predominantemente masculino de la práctica médica.

La denominación de ayuda colectiva en oposición a ayuda comunitaria, no resulta demasiado clara. Se entiende mejor cuando se autodefine por exclusión de ciertos rasgos que juzga indeseables. La crítica a la ayuda comunitaria se centra en lo que el feminismo y otros movimientos llaman la ideología del 'familismo' y la filosofía del individualismo posesivo que domina la sociedad occidental actual. Lo colectivo es, en cambio, la respuesta responsable de la sociedad ante sus miembros más débiles.

Si bien en otros tiempos el espíritu comunitario surgía con facilidad por las circunstancias sociales de mayor vecindad y la necesidad de ayuda mutua para muchas tareas. Hoy, por el contrario, el individualismo y la burocracia tecnológica hacen que el hombre se aísle. Precisamente por ello, parece conveniente activar la sensibilidad hacia los problemas de los demás por medio de organizaciones voluntarias o servicios establecidos con este fin. El peligro, no obstante, es que estos ámbitos de ayuda colectiva acaben institucionalizándose. La diferencia que separa unos y otros radica en la filosofía subyacente: en un caso se trata de una comunidad de individuos participando libre y completamente en la vida social del grupo; en otro, de sujetos aislados, cuyas necesidades son cubiertas conjuntamente, siendo servidos por unos profesionales que trabajan en pésimas condiciones y que están más preocupados de cumplir su rol que de aquellos que tienen a su cargo.

Afortunadamente se da en la actualidad cada vez más la tendencia hacia el pluralismo en los modos de dispensar ayuda, con la convicción de que el Estado no puede ni debe tomar sobre sí todos los tipos de ayuda y de tratamiento de problemas sociales; el sector privado y el voluntariado pueden ocupar aquí un lugar importante. Pero para la izquierda, sin embargo, este desentendimiento por parte del Estado es un escapismo en relación a los fundamentos del *Welfare State*. Para los defensores de la ayuda colectiva, el voluntariado ofrece grandes esperanzas ya que al no tener las características de la burocracia estatal y al estar constituido por profesionales y no profesionales trabajando juntos, es más fácil aproximarse y captar las necesidades de ayuda. El único obstáculo aparece por parte del movimiento feminista que lamenta el hecho de que esta ayuda siga siendo esencialmente femenina.

Aunque con razón el feminismo, como los movimientos comunales de los 60, reclamen una 'nueva conciencia' que rechaza el individualismo, la separación, el pensamiento exclusivamente lógico y el razonamiento lineal, es preciso considerar más atentamente algunos aspectos a fin de evitar una toma de postura precipitada y falta de objetividad.

4. LA DESMITIFICACIÓN DE LA AYUDA COLECTIVA

Restituir valores perdidos no puede hacerse sobre la base casi exclusiva de una crítica a la razón instrumental que acaba aplicándose a cualquier actividad intencional como el feminismo pretende. Para Lasch (1984), esta nueva conciencia debería basarse en el respeto a la naturaleza más que en la adoración mística de ésta; y en una sólida concepción del yo que sustituya a la creencia de que "el yo separado es una ilusión".

Pero no es sólo el feminismo o los románticos movimientos comunales los que yerran al buscar soluciones. En la devaluación del cuidado –afirma Ballesteros (1989)– interviene también la concepción actual del hombre como *homo labilis*, es decir, la tendencia a no ver en la vida otra cosa que una ocasión de placer inmediato, huyendo, por tanto, de cuanto signifique abnegación, entrega o sacrificio por el otro. Así se explica, añade, la burocratización en el cuidado, que lleva a encerrar a los necesitados en guetos más o menos confortables, de modo que la sociedad no presencie ni participe en el dolor ajeno.

El diagnóstico que se hace de la situación es acertado, pero no lo es el tratamiento. Al ponerse el acento en la 'autonomía de la voluntad', en la libertad de elección, por importante que ésta sea, se sigue dejando sin protección jurídica a los 'no autónomos', a los incapaces de elección, quedando así la puerta abierta al aborto, la eutanasia o el infanticidio. "La dimensión relacional de la persona –incompatible con el individualismo metodológico, ideología hegemónica hoy– lleva precisamente a la superación del homunculismo. El hombre deja de sentirse 'poca cosa', puro deseo insatisfecho, desde que se abre a la otredad, desde que experimenta que no es soberano, sino guardián y custodio de la realidad para sus coetáneos y para los miembros de las generaciones futuras" (Ballesteros, 1989, 147). Es precisamente esa mirada a la realidad propia y ajena –la consideración de mis circunstancias como parte de mi yo, según el decir de Ortega–, llena de respeto y embargada de un profundo sentido de responsabilidad, lo que permite trascender el voluntarismo y afirmar la inalienabilidad de los derechos humanos posibilitando un nuevo modo de abordar el problema.

Un acierto de la nueva sensibilidad es el intento de superación de las paradojas y disyuntivas a través de una síntesis integradora. Es necesario –se dice– romper las barreras que separan lo público y lo privado, el trabajo y el ocio, la sociedad y el individuo, el cuerpo y el alma, el hombre y la naturaleza, lo objetivo y lo subjetivo, en definitiva: los valores masculinos y los femeninos. Como Llano y Ballesteros señalan, la postmodernidad propugna principios como el del pluralismo que lleva a soluciones diferentes dependiendo de las circunstancias personales de cada uno y en oposición a una única lógica unívoca aplicable a todas las dimensiones de la vida. Semejante es el principio de la complementariedad, que al no confundir lo distinto con lo contrario, considera las diferencias más que elementos excluyentes, complementarios.

Lo complementario hace referencia claramente a la ayuda. Se complementa a aquel que no es totalmente autónomo e independiente sino que necesita de los demás. De aquí el papel capital que este elemento adquiere en la filosofía del cuidado. "Cuidado es atención, respeto, ayuda. El que adopta esta actitud de *epimeleia* no pretende irrumpir agresivamente en la realidad, sino 'dejarla ser', cultivarla para que crezca (...) cuidar a otro no es sustituirle: es ayudarle" (Llano, 1988, 182). Este cuidado supone un respeto que para ser auténtico requiere comprensión de lo que el otro es y puede ser.

Si el ser absolutamente independiente no es propio del hombre, tampoco es humano la ausencia de abnegación. Siempre habrá momentos y situaciones en las que se requiera esta actitud por una de las dos partes en conflicto. Que el altruismo sea rechazable porque implica abnegación no tiene, por tanto, sentido; además, servir a alguien no es dar algo sino, en cierto modo, darse uno mismo; lo que exige, de nuevo, ser abnegado. Es cierto que "la única posibilidad no-dialéctica de buscar la unidad sin destruir la diferencia, y de afirmar la diferencia sin quebrar la unidad, es el amor" (Llano, 1988, 226), por eso quien mejor puede cuidar a otro es quien le quiere. Y querer requiere esfuerzo y abnegación, aunque también hay que reconocer que la proximidad biológica y la cercanía social lo facilitan.

La propuesta feminista-socialista de ayuda colectiva se resquebraja por tanto, cuando se considera el problema no desde una perspectiva social o grupal –las mujeres como grupo oprimido– sino personal. Aunque haya aspectos válidos, su fundamentación resulta incoherente si se acude a la propia experiencia y a una consideración antropológica del hombre y del cuidado. La empatía para captar incluso las más ocultas necesidades del otro no es algo que se produzca en una interacción grupal sino en una relación personal. No se trata con ello de recalar en posiciones individualistas sino de fomentar una verdadera actitud comunitaria de solidaridad que aunque, lógicamente, comenzará por los más próximos, se ha de extender a través de organizaciones voluntarias a otros círculos.

También aquí es la filosofía subyacente lo que impedirá que esta ayude acabe estatalizándose o burocratizándose. Sin caer en lo que se ha denominado ideología familista, resulta bastante evidente que el primer núcleo natural de ayuda es la familia. Lo cual no puede llevar a aplicar este modelo indiscriminada y artificialmente, del mismo modo que hay diversos tipos de relación –o, incluso, de amor– respecto a los demás.

La mujer no tiene, en principio, que ser la responsable de cuidar, pues, en cuanto actitud, ésta ha de ser compartida por ambos sexos. A una visión realista no se le oculta, sin embargo, la feminización de gran parte de las profesiones de ayuda. Quizá un motivo sea la escasa remuneración de estas profesiones, pero también habría que considerar la facilidad antropológica de la mujer para el cuidado. Cunnison ha descrito con claridad los tres posibles modos de afrontar un trabajo en el que se exige una elevada dosis de altruismo, a la vez que supone una carga con escaso aliciente económico: o bien, se puede aceptar la expectativa dominante de ese esperado altruismo y hacer lo que se puede dentro de un trabajo mal hecho; o caer en la resignación o la enfermedad; o, por último, solucionarlo a través de un compromiso que lleva a cumplir a la letra las exigencias del trabajo a costa de la relación afectiva con los sujetos (Dalley, 1990, 136). La conveniencia de evitar estas situaciones es evidente. Pero aún reconociendo que la retribución económica no debe ser menor que en otro trabajo similar, el altruismo sigue siendo indispensable –y, a mi juicio sí que es característica propia de lo humano– en cuanto exige salir de uno e ir al encuentro del otro como persona superando un rol de simple profesional o, en el peor de los casos, de víctima.

En cierta ocasión, Chesterton respondía a la sugerencia de un lector a favor de las cocinas comunales como más económicas, diciendo que la cuestión al comprar estriba no tanto en si algo es o no barato, sino en qué es lo que realmente compramos. Es barato –añadía– tener un esclavo, pero más barato todavía ser un esclavo. El elemento personal, poder conservar la propia intimidad, es en algunas cosas esencial. Y de un modo sumamente expresivo afirmaba: "La cosa más sagrada es ser capaz de cerrar nuestra propia puerta". Quizá se cocine peor y se empleen menos medios, pero la diferencia consiste en que es mi cocina y es mi comida. Los defensores de lo comunal no parecen prestar atención al importante dato de que hay ciertas cosas que un hombre o una mujer desean hacer por sí mismos; aunque lo hagan mal. Si elegir con quién casarse es una de estas cosas, ¿es elegir la cena del marido también una de ellas? Para Chesterton ésta es la cuestión nunca contestada.

Da la impresión de que la ayuda colectiva o comunal no repara en la posibilidad que todo trato social tiene de convertirse en relación personal, de pasar de ser público a privado. García Morente llama anónima a la relación pública porque en ella se enfrentan no dos personas, sino dos conceptos abstractos, el cliente y el profesional en nuestro caso. Es verdad que esto no lo pretende el enfoque de ayuda colectiva, pero tampoco parece tener en cuenta que la relación privada tiene su base en un mutuo 'conocerse', es decir, en una manifestación de lo íntimo y peculiar de cada uno. Implica reciprocidad e intuición. Una intuición que se ejercita por medio de la compenetración, la convivencia, la simpatía, la compasión. Dentro de la vida pública tiene que haber una selección para iniciar la vida privada con aquellos con los cuales nos hallamos más dispuestos a emprender una relación de convivencia, de recíproco conocimiento. En la ayuda colectiva esto suena a excesivo individualismo, y, a la vez, predispone al peligro de no distinguir entre vida pública y privada, no porque se hayan fusionado armónicamente, como apunta García Morente, sino porque las dos se entremezclan, irrumpiendo inadecuadamente la una en la otra. Es el caso del localismo que históricamente ha tenido como manifestación la época feudal. No es, por tanto, un avance la vida comunal con su no distinción entre lo público y lo privado. Más bien, la experiencia indica que "el trato y comercio privado entre personas contiene la fuente única de donde brota todo cambio creador en la historia humana" (García Morente, 1972, 36).

5. LA COMUNIDAD DEMOCRÁTICA

Las incoherencias el liberalismo son las que han provocado las críticas antes mencionadas. A la vez que han dejado entrever algunas posibles soluciones: búsqueda de una síntesis integradora, complementariedad de los opuestos, paso de lo público a lo privado, sin caer en la negativa 'privatización' que se hace sinónimo de una vida sin repercusión externa. Así como la necesidad de una libertad que tenga una intencionalidad y no consista únicamente en la no inmiscusión, lo cual hace referencia a la existencia de bienes objetivos que se pueden lograr para todos.

Para algunos esto se dará en la 'comunidad democrática' en la medida en que en ella se procure llevar a la práctica de un modo coherente y eficaz los principios e ideales que las sociedades liberales reconocen pero no realizan (Berry, 1989, 94). El objetivo que se persigue no es, por tanto, la negación de aquellos valores que se juzgan auténticos en el liberalismo sino más bien preservarlos y trascenderlos.

Lograr la propia identidad depende –tanto para Sandel como para MacIntyre– del saberse miembros de una comunidad. Lo cual supone por una parte, superar la visión instrumentalista de la comunidad propia del liberalismo, y por otra, no caer en el hecho opuesto: que nuestra identidad sea inseparable de la comunidad a la que pertenecemos. La autonomía y autodeterminación como valores liberales a conservar desaparecerían en este último extremo. Esto es precisamente lo que se echa en falta en el movimiento feminista que al tomar el sexo como una variable de identificación la convierte en algo tan rígido y unívoco que no da lugar a ejercer la autonomía personal en la redefinición de la propia identidad.

Esta ausencia de necesidad no significa que el yo sea libre de escoger sus propios fines. En la tradición aristotélica –recuerda MacIntyre– "mi bien como hombre es el mismo que el bien de aquellos otros que constituyen conmigo la humanidad entera" (1987, 281), no es algo privado ni en este tipo de bien cabe la competición. Lograr este nivel de excelencia reclama, por el contrario, la cooperación entre los miembros de una comunidad.

Según Berry, la comunidad democrática se apoya en una teoría "fuerte" (en oposición a la "débil" de Rawls) acerca del bien. Hay un bien objetivo que se manifiesta en los asuntos humanos y que no es cuestión de opinión, o de preferencia subjetiva, sino que es un hecho comprobable. La cooperación permite disfrutar de una vida buena de un modo no competitivo. Los miembros de la comunidad se realizan personalmente y se constituyen como iguales cuando persiguen conjuntamente un bien común.

La democracia se entiende de un modo más amplio, no sólo como método sino como un valor. Si para Dewey, la democracia presupone obviamente la idea de vida comunitaria, la consecuencia lógica será que la responsabilidad ética a la que la democracia está obligada lleva consigo el logro de la comunidad (Rayn, 1990). La democracia, por tanto, hace referencia a la suma de condiciones que debe tener una sociedad para que el espíritu de comunidad se desarrolle en ella. La organización política es sólo una manifestación de algo más amplio. La palabra democracia implica, entonces, que es necesario el compromiso de todos por lograr la meta de la comunidad, no ya como medio para el desarrollo de una serie de valores sino como su misma realización.

La falsa concepción de que la política debe quedar en manos de una élite interesada ha llevado a no desarrollar las capacidades del individuo medio para participar más activamente y ha engendrado una apatía poco natural en el hombre dada su condición de 'animal político'. Ciertamente, la educación cívica tiene varios cauces pero el de la participación política es uno de los más eficaces. No es cuestión de gustos, o de preferencias personales, pues "no tener un interés activo en decisiones que determinan como uno vive (que incluso pueden determinar si se vive) significa, de una forma muy clara, la alienación del propio *status* de agente racional autónomo" (Graham, 1986, 166).

La crítica fundamental que se dirige al liberalismo es su incapacidad de trascender una concepción exclusivamente individualista de la sociedad y del bienestar personal. De este modo, –señala Berry– lo que en el liberalismo se justificaría como necesario pluralismo aquí se identifica como una inhibidora separación en compartimentos estancos –hombres y mujeres, gobernantes y gobernados, público y privado, etc.–. Lo que para el liberalismo sería una adecuada regulación en términos abstractos e inespecíficos, se considera una indiferencia formal respecto a las realidades prácticas de explotación y opresión. En suma, lo que en el liberalismo se consideraría como la legítima expresión de una sociedad libre, se condena en nombre de las desigualdades materiales que anulan esta libertad. No obstante, el bien que la comunidad democrática incorpora es el mismo bien respecto al cual el liberalismo tiene un compromiso.

6. EL FOMENTO DE LA COOPERACIÓN A TRAVÉS DE LA EDUCACIÓN

La meta a la que aspira la comunidad democrática no se puede lograr sin un cambio bastante profundo de nuestras actividades educativas. En nuestras aulas no se educa para vivir solidariamente sino más bien para luchar de un modo civilizado en una guerra sin cuartel. La justicia resulta ser, por este motivo, la virtud más importante al proporcionar las reglas que hacen posible la coexistencia. Pero la preocupación por los demás está ausente. E igualmente desaparecen los vínculos que les unen a los demás como efecto del énfasis puesto en la autonomía y la libertad individual. La identidad se desprende de sus raíces y el yo no reconoce compromisos ni finalidades.

La tesis que Bricker (1989) sostiene desde la perspectiva de la educación es paralela a la mantenida por Berry, que los bienes de la comunidad y las prácticas que la fomentan pueden ser importantes para desarrollar capacidades y valores muy apreciados por los pensadores liberales. Y que la escuela proporciona una educación cívica aunque no lo pretenda.

Los alumnos aprenden que ser un buen ciudadano es no violar los derechos de los demás, es decir, respetar sus 'posesiones' (sean ideas, cosas o su propia persona). Pero se ignoran todas aquellas virtudes sociales que conectan a las personas entre sí, por ejemplo, la generosidad para prestar ayuda o la capacidad de colaborar desinteresadamente. Gran parte de esta enseñanza viene dada por el curriculum oculto, por los mensajes relacionados con el hacer cada uno su propio trabajo, de hacerlo aisladamente sin interferencias, con la finalidad de sacar mejores calificaciones. Si se colabora es por propio interés.

Buscando razones en contra del amplio convencimiento existente acerca de la justicia como fundamento de la vida pública, Sandel (1982) defiende que la transformación de las relaciones en justas no las convierte en más morales. Lo será si las relaciones eran antes injustas pero no si eran expresión de generosidad y amistad. Pensar en los demás como personas concretas, como amigos o gente a la que queremos, no suele ser lo mismo que hacerlo en términos de merecimientos o de justicia. Ningún profesor puede, sin embargo, obligar a un alumno a ser generoso con otro. Lo más que puede hacer es implicarle en actividades en las que esta virtud se pueda desarrollar.

El objetivo de la autonomía individual, tan propio de la educación liberal, puede ser logrado si la cooperación forma parte del curriculum oculto y los alumnos comprenden la naturaleza social del conocimiento, comprensión que deben tener si no quieren ser unos conocedores autónomos (Bricker, 1989, 75). La explicación viene dada porque la autonomía reclama poder distinguir entre uno mismo y las opciones sociales; por tanto, diferenciar entre uno mismo y el conocimiento que se adquiere aumentará la autonomía. Por otra parte, concebir el conocimiento como algo exclusivamente personal y privado produce un desajuste en los alumnos al encontrarse persiguiendo un objetivo no social en un ámbito social como es la clase.

Es preciso ayudar a los estudiantes a comprender que su individualidad depende de la sociedad; que las personas logran y mantienen su identidad como agentes autónomos utilizando las oportunidades que la sociedad les proporciona, seleccionando alternativas que configurarán su propia vida. Y participando en la vida pública –en el nivel correspondiente en cada momento– para hacer posibles, para sí y para los demás, alternativas muy diferentes. El verdadero reto de la libertad es asumir nuevos valores, rompiendo estereotipos que han asignado los valores propios del cuidado a las mujeres, apostar por "una ética de participación, cooperación y compromiso colectivo [...] en clara oposición a una ética basada en el individualismo, competición y provecho individual" (Eisenstein, 1984, 144). De este modo se logrará una auténtica comunidad democrática sin caer en lo que es simplemente fachada, el colectivismo.

BIBLIOGRAFÍA

BALLESTEROS, J. (1989) *Postmodernidad: Decadencia o resistencia* (Madrid, Tecnos).

BERRY, C. J. (1989) *The idea of a democratic community* (Harvester Wheatsheaf, St Martin's Press).

BLOCHER, D. H. y BIGGS, D. A. (1986) *La psicología del counseling en medios comunitarios* (Barcelona, Herder).

BRICKER, D.C. (1989) *Classroom life as civic education* (New York, Teachers College Press).

CAMPS, V. (1990) *Virtudes públicas* (Madrid, Espasa Calpe).

CHESTERTON, G. K. (1987) *The Essential* (Oxford, Oxford University Press).

DALLEY, G. (1990) *Ideologies of Caring* (London, McMillan).

DEWEY, J. (1954) *The public and its problem* (Chicago, Swallow Press).

EISENSTEIN, H. (1984) *Contemporary Feminist Thought* (London, Unwin).

FINCH, J. (1984) Community Care: Developing non-sexist alternatives, *Critical Social Policy,* 9.

GARCÍA MORENTE, M. (1972) *Ensayo sobre la vida privada* (Madrid, Universidad Complutense).

GRAHAM, K. (1986) *The Battle of Democracy* (Brighton, Harvester).

KANTER, R. M. (1972) *Commitment and Community: Communes and Utopias in Sociological Perspective* (Cambridge, Harvard University Press).

LASCH, Ch. (1984) *The Minimal Self* (New York, Norton).

LLANO, A. (1988) *La nueva sensibilidad* (Madrid, Espasa Calpe).

MACINTYRE, A. (1987) *Tras la virtud* (Barcelona, Crítica).

RYN, C. G. (1990) *Democracy and the Ethical Life* (Washington, The Catholic University of America Press).

SANDEL, M. J. (1982) *Liberalism and the Limits of Justice* (Cambridge, Cambridge University Press).

STARR, P. (1979) The Phantom Community. En J.Case y R.C. Taylor, *Co-ops, Communes and Collectives* (New York, Pantheon Books).

ABSTRACT

SOLIDARITY *VERSUS* INDIVIDUALISM IN EDUCATION TODAY

Today's society is in need of solidarity. Many educational laws stress autonomy as an achievement of personal development that favours political democracy. On the other hand, there have also been different social movements that emphasises the importance of meaningful interpersonal relationships. Very often, however, solidarity is opposed to liberal individualism. In educational *praxis*, emphasis on autonomy could be detrimental to personal fulfilment because *caring* is a collective human aspiration.

KEY WORDS

Democracy, education, solidarity, altruism, autonomy.

DIRECCIÓN DE LA AUTORA

María Victoria GORDILLO
Catedrático de Universidad
Facultad de Ciencias de la Educación
Universidad Complutense de Madrid
Pº Juan XXIII s/n,
28040 Madird (España)
E-mail: gordillo@eucmax.sim.ucm.es

INTIMIDAD Y EDUCACIÓN MORAL

Concha IRIARTE REDÍN
Universidad de Navarra

> *"La novedad de la vida interior que a fuerza de estar escondida y olvidada por el hombre actual, aparece como cosa poco conocida. Y sin embargo, cualquier hombre que, dando mano a las cotidianas tareas, medite sosegadamente y atraviese la corteza de las impresiones que le agitan, puede llegar hasta el fondo de su ser, donde habita la verdad de su vida, esa verdad interior que por añadidura, enseña a apreciar con justeza lo que los hombres y las cosas son"* [GARCÍA HOZ, 1980].

En los últimos años, observamos en España un renovado interés por las cuestiones morales. Proliferación de grupos de investigación, propuestas ministeriales, proyectos curriculares y un vasto número de publicaciones sobre el tema dan fe de esta inquietud. La pluralidad de valores sociales, la misma pluralidad de intereses personales legitimados, hace compleja la articulación de la convivencia y el crecimiento moral de la persona y de la sociedad.

El sistema educativo sale al paso de esta coyuntura histórica y cultural e intenta resolver los dilemas que se van planteando apelando: 1) a la formación de la razón crítica (autonomía personal, descubrimiento de la propia verdad haciendo uso predominante de la inteligencia y teniendo como referencia para ello unos valores universales); 2) a la formación de la razón dialógica (el diálogo permite el consenso y el entendimiento social) y 3) a la formación de habilidades sociales que permitan contrarrestar los efectos de la autonomía y la autoafirmación frente al bien común.

No es, en absoluto, intención de este capítulo desprestigiar estos avances que considero tremendamente válidos, pero sí cuestionarlos, ahondar en ellos; pues entiendo que dejar lo mejor en manos de la autonomía, la razón crítica y el diálogo es dejarlo a un nivel todavía superficial y bastante frágil. Sin grandes pretensiones, a modo de sugerencia y abierta a la crítica se me antoja releer lo moral desde una clave distinta y que considero más originaria en el ser humano, desde la intimidad[1].

Este planteamiento tan simple en principio, que podría resumirse en términos de: retomemos el origen o retomemos lo íntimo, puede crear recelo pues puede darse a lecturas muy diversas. En una coyuntura como la nuestra en la que tratamos de superar el paradigma individualista, sería fácil pensar que en estas líneas volvemos a reivindicar el valor del yo, de lo privado, como sinónimo de íntimo. No es ésta mi intención; muy al contrario, retomar la perspectiva de lo íntimo creo que puede permitir resituar la yoidad, disuadirnos acerca de la importancia relativa del yo y debilitar o hacer dócil al ego, al que la psicología y la cultura han endiosado en exceso.

Asimismo, recurrir a lo íntimo, tampoco ha de entenderse como una *fuga mundi*, una especie de *terapéutica del alma* con la que salvaguardarse de los otros o contrarrestar el estrés vital. No es un recurso para recomponerse privadamente y poder adaptarse mejor a los cambios globales que atravesamos. No es una técnica de autoayuda que alimente sutilmente autoatribuciones de inmadurez, inestabilidad y falta de eficacia, en suma conciencia de enfermedad y necesidad de cura psicológica. Ésta es la trampa en la que vivimos: tenemos la impresión de que la vida nos aboca a la dispersión y a la insatisfacción. No sólo es que nada cambie y hayamos de atravesarlo así, sino que hemos creído, y por ello hacemos un doble esfuerzo, que la culpa es, exclusivamente, de cada yo y es necesario autoayudarse para poder sobrellevar mejor la vida.

No debería confundirse la psicologización con la interiorización o intimación, porque aunque pudiera entenderse la segunda como condición de la primera, o la segunda como apertura a la segunda, lo cierto es que vivir desde lo íntimo no implica añadir nada, meter o introducir nada, menos aún técnicas psicológicas diversas. En suma, el contacto con lo íntimo queda fuera del alcance crítico de Foucault (1986) cuando habla de las tecnologías del *self*. Vivir la intimidad no es una técnica, un artilugio ni un recurso psicológico. Por último, creo decisivo no confundir tampoco intimidad con introspección, pues ésta sólo es un requisito psicológico de la anterior, pero no la agota en absoluto.

1. María Moliner define *la interioridad* como la intimidad de una persona *y la intimidad* como el conjunto de sentimientos y pensamientos que cada persona guarda en su interior. Dice de l*o íntimo* que se aplica a lo más interior en cualquier cosa. Cf. MOLINER, M. (1998) *Diccionario de uso del español* (Madrid, Gredos). Como es sabido, íntimo es el superlativo de interior, en este texto utilizaré los dos términos indistintamente.

1. LA AUTONOMÍA COMO PRINCIPIO BÁSICO EN LA EDUCACIÓN MORAL

Aunque lo que cabe esperar al hilo de la lectura es que defina qué es entonces la intimidad, puesto que he dejado constancia abreviada de lo que creo no es, voy a adentrarme en primer lugar en el principio de autonomía, pues desde ahí –y por contraste– se entiende mejor el punto al que me interesa llegar.

Como sabemos, autonomía hace referencia, atendiendo a su sentido etimológico, al yo que se da sus propias leyes, al yo con capacidad de gobernarse a sí mismo y determinarse.

La gran paradoja estriba en que siendo ésta requisito fundamental para ser hombre, pues una heterodeterminación de la voluntad no nos permite hablar de tal, cabe la posibilidad de que en su ejercicio, el hombre se quede enredado en sí mismo y comprometido con la mismidad y no con el bien, lo que a fin de cuentas resulta una trampa para el propio hombre.

Gran parte de las teorías morales, aunque no todas, tratan de encontrar solución a esta paradoja: ¿Cómo fomentar la autonomía en el hombre –requisito esencial para serlo– sin que el proceso quede obstaculizado en la etapa del ego? ¿Cómo enseñar al hombre a trascenderse a sí mismo? Entre las posiciones morales más aceptadas en nuestro país, observamos que: 1) A algunos no les interesa que esto último –continuar más allá de sí mismo– se produzca. El hombre está perfectamente instalado en su ensimismamiento y es moral cuando vive de acuerdo y en coherencia con los principios que se ha dado a sí mismo (autenticidad). Lo moral es, por tanto, subjetivo, atañe a cada persona. Este planteamiento, desde la concepción de persona actualmente en uso, conduce al deterioro de lo humano en todas sus manifestaciones. Así las cosas, el yo (el ego) como centro de la autonomía se queda fijado en estadios regresivos. Sin norma no hay conciencia de bien y de mal, y sin tal conciencia no se puede manejar ni siquiera el nivel instintivo. La norma es presupuesto psíquico para ser hombre, para desvincularse de lo espontáneo y superar la fase de reactividad al estímulo. 2) Otros, partiendo de principios kohlberianos y kantianos, erigen la autonomía como principio radical del obrar moral y consideran necesario atender a unos principios morales que obligan y que la persona racionalmente asume como modo de preservar la convivencia. El hombre ha de controlar tendencias internas (emociones y pasiones) y ordenarse a través de la razón de tal manera que su obrar pueda erigirse en ley universal. De este modo tratan de combinar dos dificilísimos extremos: la libertad moral –expresada en el quehacer de encontrar el propio juicio moral– y la posibilidad de convivencia, todo ello arbitrado por la razón y su capacidad de alcanzar consenso. En estos supuestos se basa la más extendida visión –al menos en la reforma educativa española– sobre lo que ha de ser el obrar moral.

A este respecto, cabe considerar que: 1) no todo lo que se alcanza por consenso es necesariamente lo mejor ni para uno mismo ni para la humanidad en general; 2) la razón es altamente vulnerable al ego y puede ser seducida con mucha frecuencia por él: no todo lo razonable, por serlo, deja de ser egoísta, y cabe por ello dudar que la racionalidad alcance de tal modo el núcleo de la persona como para considerarla abanderada del ser y del obrar moral. ¡Cuántas veces por bondad es necesario no ser en absoluto 'razonable' –los actos de amor son mucho más que esto–, es necesario saltarse lo establecido y consensuado por la mayoría o dar mucho más de lo que se ha establecido como justo. Algunas voces críticas (Gilligan, 1982) han observado cómo el cuidado, la compasión, el compromiso o la lealtad pueden ser abanderados de lo moral mucho más relevantes que la autonomía, el autocontrol y la independencia.

Podríamos seguir con la exposición, pues son muchos los planteamientos morales y muchas las matizaciones que pueden hacerse, pero he despejado brevemente los dos que actualmente tienen más fuerza: el de la autenticidad y el de la autonomía. Las teorías que defienden esta última, en el mejor de los casos, permiten vivir con cierta autonomía racional y garantizar unos mínimos de convivencia, lo cual siempre es mejor que la barbarie; pero en cualquier caso lo moral aún tiene bastante de cálculo matemático, y tal vez se debe a una percepción errónea de lo personal que busca salvar distancias con lo que cree no personal (lo/s otro/s, El Otro) y a una visión aún demasiado egótica a la que le falta tensión y radicalidad, en el sentido de hacer una lectura más allá de sí.

Parece necesario superar este panorama. Como si de un proceso de crecimiento se tratara, los que no admiten distinción entre lo bueno y lo malo, lo lícito y lo ilícito, tendrán que asumir la norma como referencia si no quieren quedarse anclados en estadios regresivos (esclavitud de los estímulos). A su vez, quien haya descubierto el valor de la norma como referencia en las primeras etapas del desarrollo moral (todo proceso de crecimiento pasa por algún tipo de obediencia) deberá aprender a leer el espíritu de la letra (lo cual requiere grandeza) sino quiere convertir su existencia en un compendio sistematizado de normas éticas que la realidad, por otra parte, se encarga de desbordar (esclavitud de la norma).

Hay que ir más al fondo, un verdadero proceso moral exige conocer muy bien los mecanismos del propio ego, para superarlos, resituarlos e incluso desbaratarlos si es el caso. Hay que permanecer muy lúcido para no sucumbir a las trampas que plantea, pues el ego de cada cual es especialista en tener siempre la razón e inventar razones que lo justifiquen. Si retomamos los dos planteamientos morales al uso a los que aludía en párrafos anteriores, en el primero de ellos, desde esta perspectiva, el ego está a sus anchas (no hay crecimiento, y no solamente de tipo moral); y en el segundo, el ego puede enseñorearse a partir de un cumplimiento escrupuloso de principios universales, de un control de sus impulsos internos, o de una conducta moral que puede erigirse en ley universal; o empeorar al ver la imposibilidad de cumplirlos o al bloquearse en un estado permanente de culpa. En este modo de entender la moral, pueden aparecer mecanismos del ego despersonalizadores y en última instancia amorales ante los que hay que estar muy atento, como la suficiencia de lo humano o el dominio sobre la realidad, entre otros.

Planteo en este punto la necesidad de una mayor tensión (en sentido positivo, como apertura) y radicalidad en lo moral. La verdadera vocación del hombre está en tender al mayor bien, a la mayor verdad y a la mayor belleza. Sólo así es posible superar el yo absolutizado y desvincular la persona del cumplimiento literal de la norma o del cálculo formal entre lo privado y lo público.

Dice Csikszentmihalyi (1998): "Lo que falta en una sociedad racionalizada no es la acción, sino la finalidad, una sensación de pertenencia a un mundo unificado, animado y espiritualmente protector". Un mundo con un sentido mayor que el sí mismo, en el que, además de razones críticas, hay también razones últimas. Es muy probable que haya quien considere que está última cuestión sólo atañe a aquéllos que profesan algún tipo de creencia religiosa. Siendo esto cierto, sólo lo es en parte. Propongo, si éste es el caso, la lectura de unos apuntes sobre la obra de Iris Murdoch aún sin publicar en España (Domínguez y otros, 1999). Esta autora no es creyente y aunque tampoco nada inclinada a aceptar una forma de ordenamiento moral objetivo, sin embargo permite resaltar esta idea de tensión y radicalidad. Observa la vida desde el ego como vanidad de vanidades. Incita a mantenerse fiel a esa llamada que nos dice "que hay más que esto", a "polarizarse con radicalidad al Bien que nos atrae". Como horizonte propone al hombre finalidades que no son muy del uso: "ser perfecto", "ser bueno" o "ser virtuoso". Entiende esto como obligación absoluta, lo moral como cuestión seria, un eje de la vida de una persona sobre el que no caben juegos, sino fidelidad incondicional. Observa que lo moral es un asunto dinámico, nunca acabado, en el que "no hay tregua" pues siempre hay algo mejor, que obliga a superar toda "autocomplacencia acomodaticia" y a estar muy atentos, pues "el bien y el mal no pueden ser motivo de pactos".

En unos tiempos en los que el ego está ensalzado, vuelto sobre sí mismo, ¿no es necesario un horizonte de sentido, más amplio, de mayor bien, de mayor bondad? ¿No nos falta este discurso en educación? Desde esta perspectiva, ¿no se nos quedan cortos la clarificación de valores o la discusión de dilemas morales? Sin afán destructivo, insisto en reflexionar acerca de si constituyen una visión chata de lo moral. Parece preferible el imperativo categórico al ego sobre sí mismo, pero ¿no cabe ir más allá? Desde el ego, nunca saldrá un proyecto de humanización, y tal proyecto exige mucho más que seres razonables, a menos que la razón esté imbuida en una experiencia más profunda, pues ella por sí sola no lo alcanza. "La razón es gestora de lo que hay, no es esclava de nada. Discurre con igual habilidad cuando el corazón está limpio y cuando está empozoñado" (Chavarri, 1993).

Más aún, no es necesario partir de cero. En los últimos años se vienen haciendo distintas propuestas educativas que vamos a considerar válidas, pues nos están haciendo recobrar el sentido moral y sensibilizarnos al respecto. ¿Pero están esas propuestas apuntando hacia una mayor esperanza, una mayor confianza, una mayor grandeza, una mayor belleza, una mayor bondad o una mayor unidad? O lo qué es lo mismo ¿cuál es el criterio último que orienta la decisión ante un dilema moral o el que orienta la configuración de la propia escala de valores? ¿Es posible apuntar hacia niveles más profundos? ¿Dónde se descubre el verdadero sentido del yo como apertura y coexistencia? ¿Qué percepción tiene el yo de sí mismo a niveles superficiales? ¿Se entiende como coexistencia? ¿Llega nuestra educación moral al ámbito de lo íntimo?

2. MIRAR DESDE LO ÍNTIMO

El siguiente texto ilustra lo que es el sentir generalizado en nuestro país sobre lo que ha de ser el sustento de la educación moral, y es curioso que cada vez aparece más alejado y descafeinado del origen filosófico en el que se sustenta: "La moral no se reduce simplemente a seguir las normas que nos han impuesto, sino a decidir por uno mismo (...). El sujeto tiene que construir sus propias reglas sociales como el resto de su conducta y de su conocimiento sobre el mundo (...). Lo más importante es favorecer la actividad del sujeto, su propia construcción y su capacidad de razonar sobre ello" (Delval, 2000).

En este punto creo que interesa incidir sobre ese yo que razona, decide y construye lo moral, porque quien creemos ser, condicionará sobremanera el razonamiento, las decisiones y la 'construcción' moral. Me serviré de las ideas de los profesores Juan Fernando Sellés (1998) y Naval y Altarejos (2000).

Supongamos que la persona tiene capacidad de reducirse a sí misma y posibilidad de identificarse con su yo. Pero el yo no es la persona, la persona es mucho más. Cuando la persona se identifica con su yo, se identifica con una idea de sí, lo que dificulta que se encuentre con quien es en realidad. El hombre no es sólo una idea y mucho menos la idea que se hace de sí mismo (tantas veces ufana de lo mejor y ajena en exceso a lo peor de sí mismo: el yo ideal). La persona no es un yo al lado de un no yo, distinta, distanciada de los otro/s, del Otro. "Una persona no es un individuo aislado, cerrado, no es individual o particular, ni nada que se parezca a la realidad física". "En lo íntimo se descubre que el ser personal no es un ente aislado, sino que coexiste con el ser del universo, con el ser de las personas distintas" (Sellés, 1998, 24 Y 27). La conciencia íntima, la conciencia de lo originario, no es una autocámara donde el yo se cierra para ser persona, sino autopresencia abierta a la totalidad del ser.

La persona cree saber quien es, se describe físicamente, desmenuza sus posesiones, repasa sus acontecimientos, ejercita su inteligencia, fortalece su voluntad, hace proyectos; cree saberse, pero habitualmente no puede dejar de buscarse. Como si en el fondo intuyera que en realidad no se sabe y algo le impulsara a guardarse, cerrarse, definirse, separarse, diferenciarse, posicionarse o defenderse. En suma, vive desde la carencia e indigencia.

En un ser que se despliega desde aquí –con preocupación por lo propio, pendiente de definición, afirmándose en ideas o posesiones o proyectos consumados, centrado en el yo, en el fondo inseguro y con sensación de ser incompleto– el conocer, el juicio, la razón, la voluntad, la decisión y la 'construcción' quedan, sin duda, mediatizados. Es más fácil que el bien quede reducido a su bien y lo mejor a lo que mejor le asegure ser. No hablo de mala intención generalizada, sino de lo no consciente pujando por la supervivencia en muchos casos, pues el yo tiene que sobrevivir.

Con esto no quiero decir que no deba promoverse el talante de ser desde sí (el poseerse es decisivo en cualquier acto libre que se precie), pero sí que no ha de confundirse la autonomía que nace desde una conciencia y vivencia yóica con la que surge desde una conciencia y vivencia íntima. Esto en el actuar moral me parece una cuestión a considerar.

La conciencia de identidad yóica es la conciencia que culmina con el yo soy yo. Este tipo de conciencia está absolutizada en nuestra cultura. Si se absolutiza, se cierra sobre sí misma y es muy difícil que la persona se abra a otro tipo de conciencia de sí. Habrá que considerar si la autonomía de la que hablamos en nuestras propuestas de educación moral responde a este modo de entender a la persona.

La intimidad es "apertura hacia dentro insondable" (...); "no es ningún obrar, ninguna posesión, ni alta ni baja, sino el ser" (...) "no es separatista sino personalmente abierta"; no es sensiblera, más allá de todo afecto positivo o negativo, es personalmente amorosa (Sellés, 1998, 38 y 39). Desde esa conciencia, el hombre no necesita incorporar nada externo porque se mantiene como origen en su brotar originario. No necesita guardarse, cerrarse, porque comprende la abundancia. "Un buen descanso es perder el lastre del propio yo" (Sellés, 1998, 33), olvidarse de sí. Por fin comprende que no se agota en el sí mismo. "Su mayor riqueza no estriba en acopiar recursos sensibles externos, sino en dar de sí cada vez más" (pues no se agota en dar, sino al contrario). La persona puede dejar de buscarse pues lo que tiene que hacer es encontrarse y reconciliarse: "sólo puede darse quien se acepta como quien es" (Sellés, 1998, 35 Y 36).

Saberse en lo íntimo es no tener que conquistar nada, ni siquiera la intimidad, porque "la intimidad transparente es la persona que se es", una realidad abierta, coexistiendo con los otros, trascendida y trascendiéndose. "El único cuidado con esa transparencia es procurar en su vida no hacerse opaca" (Sellés, 1998, 221).

Desde estos planteamientos el cambio de mirada sobre la realidad es grande. Así en Altarejos (1999) se puede encontrar un modo diferente de entender y enfocar la actual educación cívica tan influenciada por la filosofía kantiana. "(...) El bien común, objeto de la convivencia humana, puede entenderse como la suma armónica de los bienes particulares de los individuos, y la autolimitación de éstos sería la mejor y más fecunda disposición de los sujetos en orden a aquél. La Educación cívica debería fomentar entonces la renuncia solidaria a las aspiraciones individuales que perturban el equilibrio dinámico de la acción social. Sin embargo cabe otra posibilidad (...) no se oponen bien particular y bien común, pues ambos no son sino dos perspectivas de la misma realidad: el bien personal. El bien común no aparece como la suma o agregación de los bienes particulares autolimitados, sino como integración de las actuaciones personales que se potencian y se expanden en las relaciones interpersonales exigidas por la coexistencia humana" (Altarejos, 1999, 1).

3. EDUCACIÓN MORAL

El espacio de lo íntimo es el espacio de lo irreductible, el espacio vedado definitivamente a cualquiera que no sea uno mismo. Sólo cada cual tiene acceso a él. Quizá por ello en educación, siendo conscientes de esto, y sin poder prescindir de que así sea, se nos presenta lo interior como ámbito intocable. Es más, pudiera parecer que la sola insinuación de intervenir en él fuera una propuesta pedagógica deontológicamente reprobable. Quizá en esto nos equivocamos.

Es claro que ninguna acción pedagógica puede alcanzar de modo definitivo la intimidad de un ser humano. Pero una acción pedagógica puede predisponer al ser humano a vivir la intimidad, lo que realmente es. Por lo primero, el problema deontológico, si alguien lo planteara, queda resuelto, y por lo segundo, tal vez la educación toque una pieza nuclear que habitualmente no tiene demasiado en cuenta.

La educación completa, la educación integral, es objetivo primordial en las propuestas pedagógicas. Sin embargo, al final la acción educadora suele ser fragmentada y desproporcionada. El avance histórico de las prioridades educativas, al menos en nuestro país, así nos lo pone de manifiesto. Vamos pasando de la adquisición de conocimientos a la de procedimientos (aprender a aprender) para actualmente observar una progresiva sensibilización hacia la educación emocional y casi paralelamente hacia la educación moral y cívica. A golpe de necesidad o tal vez de conciencia, vamos retomando una cuestión tras otra viendo la dificultad de abarcarlas todas al mismo tiempo. De hecho, la transversalidad ha dado más frutos en la teoría que en la práctica.

Es como si se merodeara en torno al ser humano: se quiere lo mejor para él, se vuelve una y otra vez sobre sus manifestaciones racionales, sociales, afectivas, morales, se enfatiza unas descuidando otras, quedando finalmente una sensación de excursión, de que no se alcanza nunca el meollo de la cuestión educativa. Lo que digo no trata de ser una descalificación del hacer pedagógico pero sí una reflexión por si la verdadera unificación exige una mirada antropológica distinta y a la vez necesita de más incursiones que otra cosa.

Como dicen Naval y Altarejos (2000), la aparente contradicción entre unidad-diversidad hace que –aún reconociendo que la educación si quiere humanizar, ha de referirse a la intimidad, pues sólo allí se realiza la unidad– a la vez la educación sólo puede acoger y comunicarse con manifestaciones parciales y acciones particulares, y por tanto diversas y exteriores de la unidad personal. La imposibilidad de resolver este problema en la práctica conduce a graves errores antropológicos y pedagógicos, a propuestas que, en última instancia, atienden alguna faceta de la vida personal en exclusividad, postergando las restantes dimensiones y desnaturalizando la acción educativa y a su sujeto. Desde esta posición se forjarían reduccionismos pedagógicos (intelectualismo, voluntarismo, emotivismo, colectivismo) según se acentúe la incidencia de la acción educativa en la formación de la inteligencia, la voluntad, la afectividad o cualquier otro aspecto manifestativo de la persona.

Aquí puede estar la cuestión. Los aspectos manifestativos, como tales manifestaciones pueden ser observables, objeto de estudio, de programación educativa y de formación. Pero la interioridad, lo íntimo, es la dimensión inobjetivable de la persona, es la personalización de las dimensiones del hombre objetivables y manifiestas. Es el reconocimiento de la capacidad humana para hacer suya la realidad interior, exterior, intramundana o trascendente, para situarse en la realidad actuando desde sí (no confundir con autonomía), la capacidad de percibir lo real en distintos niveles de densidad ontológica. La persona es más que sus afectos, su inteligencia, su voluntad, sus relaciones o su contacto con el mundo. Por la intimidad, las instancias mencionadas se hacen activas y pasan a ser mucho más que meras funciones coordinadas. La intimidad hace algo más que coordinar, da conexión y penetra por dentro. ¿Nos falta esta visión en educación? ¿Es esto lo que falla cuando hablamos de convivencia y civismo? ¿No pretendemos sino simplemente coordinarnos? ¿No es ésta la mayor meta porque más nos parece utopía?

Esto, en el caso de la educación moral, me da pie a pensar que invertimos mucho tiempo en el cómo (método) y en la discusión acerca de la teoría de educación moral más válida (por ejemplo, educación del carácter *versus* educación del juicio moral, es una confrontación común en la actualidad). Podríamos pensar que cada teoría responde a un fondo, esto es cierto; pero tal vez, más al fondo aún del fondo de las teorías, diéramos con la clave. Pues mientras cada teoría se parapeta en defensa de sus propios intereses, haciéndose rígida y opaca, la intimidad, que tiene perfecta capacidad en última instancia de desbordarla, puede quedar desatendida. Sin ella, la persona no se hace partícipe, y sin participación, la educación, sea moral o de otro tipo, no alcanza lo esencial.

Esbozo a continuación algunas ideas que pueden orientarnos al pensar y programar la educación moral, con la ventaja de que lo que indico no niega nada de lo que venimos haciendo a este respecto. Simplemente puede ampliarlo o resituarlo:

1) Parece importante distinguir la autonomía del talante desde sí. Llevar la vida en las manos (poseerse) y entenderla como apertura, coexistencia y trascendencia, hace surgir un tipo de autonomía distinta a la que habitualmente concebimos, que a mi parecer refuerza las tendencias egóticas y dificulta el desarrollo moral.

2) Cabría considerar, también, una mayor tensión, radicalidad, en el sentido de grandeza de miras. Hace falta trascendencia, un horizonte de sentido muy amplio. Sólo desde el *Sumum Bonum* podemos hacer los recortes del ego sin resistencias, sin miedo, más allá de las leyes y las normas. Unas miras con más largo alcance no son sólo asunto de personas con creencias religiosas, sino de todos; y aún admitiendo su valor, y en un sentido inclusivo, de más largo alcance que la libertad, la igual-

dad, la tolerancia, la solidaridad o la justicia. La receptividad humana depende de la anchura y la altura del ser. Hay que abrirse más, de modo que sean posibles binomios como justicia y gratuidad, ley y libertad o razón crítica y misterio. Tenemos que habérnoslas con la misma fuente del ser.

3) De entre las diversas instancias humanas, y sin descuidar ninguna (razonamiento, voluntad, regulación emocional o intersubjetividad) creo que no insistimos lo suficiente en la educación de la conciencia. Ésta es importante como garantía de posesión y salida de sí. El problema es que estamos reduciendo la conciencia a conciencia yóica; ésta la hemos absolutizado, de modo que se relativiza todo –incluidas las normas morales– si no está en la propia conciencia, y de ello se deriva que todo aquello que no produce una liberación de la conciencia pierde toda credibilidad. Sin duda la intimidad trasciende la autoconciencia. La intimidad del hombre permanece incluso sin que tengamos conciencia de ella. Más aún, sin conciencia refleja (autorreflexión) la intimidad puede desplegarse. Pero también es cierto que en el común de los mortales el despliegue de la conciencia lleva a más vida interior y viceversa.

Desde un punto de vista pedagógico es preciso fomentar la autoconciencia no sólo como percepción del yo en cuanto individuo, sino como autopercepción atemática del yo en su unicidad: el sí mismo en relación con otras personas (coexistencia) y más allá de sí mismo (trascendencia).

Parece también decisivo abrir la conciencia de tal modo que no queden fuera las tendencias despersonalizadoras tan útiles en el discernimiento moral (por ejemplo, el principio indiferenciado de placer, la necesidad de seguridad y control, la mentira existencial, el individualismo egocéntrico, o los vicios capitales, etc.). Al hombre actual le cuesta ver el no ser, la negación de la humanidad, lo que queda por hacer. "(...) No somos más felices porque no actualizamos la receptividad hacia la infelicidad, más armónicos porque no queremos actualizar la sensibilidad hacia el caos que somos y producimos constantemente, ni más pacíficos porque cerramos la puerta sensible a la cantidad de violencia que generamos, creyéndonos la generación más pacífica, más feliz y armónica" (Chavarri, 1993).

Sólo desde la trascendencia se puede reconocer en la propia identidad una profundidad que trasciende el propio ser individual y separado (esto es una obviedad), pero no parece tan claro que sólo desde ahí se puedan superar las tendencias despersonalizadoras, mirando toda nuestra complejidad sin quedar identificados y fijados en ellas.

4) En relación con lo anterior, parece importante, en medio de tanto activismo pedagógico, favorecer espacios para la soledad (que no para el aislamiento) como ámbito de libertad y silencio interiores. Enseñar a las personas a estar en silencio. La apertura verdaderamente moral exige de una reconciliación de la persona con su propia finitud, con sus limitaciones. Es muy importante la armonía del yo con sus propias autopercepciones (la trascendencia aquí es de vital importancia), de no lograrla –y son conductas frecuentes– se huye de la soledad, se buscan estímulos diversos, o el refugio en el grupo. Y así, a veces, conductas 'morales' aparentemente irreprochables, son fruto del egoísmo.

   Los niños están especialmente volcados hacia fuera, y consideran que el bienestar está relacionado con la adquisición de cosas materiales. Necesitan estímulos constantes. Formar el ego requiere algún tipo de ascetismo, de aplazamiento del placer inmediato. Pero eso sólo engendra virtud y fuerza interior cuando es asumido en lo más profundo y con libertad. Conviene, entre otras cosas que ya se plantean en educación moral, que los niños aprendan a estar consigo mismos, a apreciar la cantidad de recursos y sentimientos positivos que hay en su interior y que son más valiosos que el placer momentáneo que dan los objetos materiales. Hay que aprender a contemplar la realidad, y habitualmente les enseñamos a dominarla, luego no es extraño que se apliquen estos esquemas a las soluciones morales. Podemos tener miedo a que esto les puede apartar de la vida y no prepararles para un mundo competitivo, cuando en realidad los niños estarán mejor equipados para afrontar situaciones dolorosas con un horizonte de esperanza mayor. Y también para evaluar sus necesidades y las necesidades de los demás, tomando decisiones más serenas, más informadas y menos egoístas. Hay que aprender a volcarse en lo profundo del ser para contrarrestar el peso, a veces excesivo, de las vivencias superficiales y las 'trascendencias' insustanciales que los adultos tantas veces les enseñamos.

La educación moral, sea cual sea la perspectiva teórica en la que se sustente, debería fomentar el talante desde sí, mientras enseña a hacerse consciente –en el proceso de maduración– de las tendencias egocéntricas que es preciso corregir. Debería abocar a la tensión del poseerse en coexistencia (una sola mirada para lo propio y lo ajeno), trascender el ego sin caer en la indiferenciación universal o los totalitarismos igualitarios. El discurso pedagógico debería abrirse a lo íntimo, respetándolo profundamente, mientras lo recrea en horizontes amplios, grandes, utópicos, que, por otra parte, son los que hacen crecer a la intimidad.

BIBLIOGRAFÍA

ALTAREJOS, F. (1999) Entre la instrucción y la formación. La encrucijada de la Educación Cívica, *Jornadas sobre La Educación Cívica Hoy. Perspectivas y Retos* (Universidad de Navarra, 26 de noviembre).

CHAVARRI, E. (1993) *Perfiles de nueva humanidad* (Salamanca, San Esteban).

CSIKSZENTMIHALYI, M. y CSIKSZENTMIHALYI, I. S. (1998) *Experiencia óptima. Estudios psicológicos del flujo de conciencia* (Bilbao, Desclée de Brouwer).

DELVAL, J. (2000) Algunos comentarios sobre educación moral, *Cuadernos de Pedagogía,* 294, 78-81.

DOMÍNGUEZ, A. (1999) Iris Murdoch: moral y absoluto privado, *Paideia,* 50, 419-439.

FOUCAULT, M. (1986) *The care of self* (Nueva York, Pantheon).

GARCÍA HOZ, V. (1980) *El nacimiento de la intimidad* (Madrid, Rialp).

GILLIGAN, C. (1982) *In a Different Voice: Psychological Theory and Women's Development* (Cambridge, Harvard University Press).

NAVAL, C. y ALTAREJOS, F. (2000) *Filosofía de la Educación* (Pamplona, Eunsa).

SELLÉS, J. F. (1998) *La persona humana III. Núcleo personal y manifestaciones* (Bogotá, Universidad de la Sabana).

ABSTRACT

INTIMACY AND MORAL EDUCATION

A change in the anthropological perspective for the process of Moral Education is suggested. We take up the concept of intimacy as coexistence and transcendence in order to provide a counterbalance to the overrated concept of ego in our culture.

KEY WORDS

Intimacy, inwardness, moral education.

DIRECCIÓN DE LA AUTORA

Concha IRIARTE REDÍN
Departamento de Educación
Universidad de Navarra
31080 Pamplona (España)
Tel. 00 34 (9) 48 42 56 00
E-mail: ciriarte@unav.es

THREE ESSENTIAL COMPONENTS OF CHARACTER DEVELOPMENT

Madonna M. MURPHY, Ph.D.
University of St. Francis

1. CHARACTER EDUCATION IN THE UNITED STATES

Character education is one of the fastest growing educational movements in the United States today. The moral crisis in American culture is reflected in the societal problems regarding violence in youth and in schools has led to a re-evaluation of moral education. The important role character development plays in school is being re-examined. Schools are being urged to return to their original mission and teach students to develop their character as well as their mind.

As character education has mushroomed into a national movement, skeptics and critics have emerged to raise challenges –some of them echoing Socrates' questions in the *Meno.* What is virtue? What is character? Can it be taught? Valid criticisms of character education stem from the fact that there does not seem to be a general understanding of what character it. Is character merely good behavior? Is it good citizenship? Is it good-decision making skills? Is it a person with a positive self-esteem? Alfie Kohn is perhaps the most vocal critic of the character education movement stating that the term 'character education' is blurred[1]. This confusion is seen in the American schools today by the many different activities that we found included in the Blue Ribbon Schools (the schools which have won the U.S. Department of Education's award for excellence) as character education. Life skills curriculum, drug education programs, sex education and health

1. KOHN, A. (1994) The Truth about Self-Esteem, *Phi Delta Kappan* 76 (4): 272-282.

education, self-esteem programs, guidance programs, citizenship programs, boys scouts, discipline programs, service programs are all considered character education[2]. A recent study sponsored by the Center for the Advancement of Character and the Character Education Partnership supports the main tenet of this paper as they found that: "There is little philosophic consensus about what character education is and how it should be taught"[3]. Americans need to return to their Greco-Roman intellectual heritage to find the philosophic principles needed to focus to the national movement to promote character.

2. WHAT IS GOOD CHARACTER?

Aristotle helps establish a philosophic basis for character education through his identification of the tripartite components of the moral development of the individual: intellectual, volitional and behavioral. He tells us in the *Nicomachean Ethics* that there are three steps necessary in order to form one's character:

> In the first place, he must have knowledge; secondly, he must choose the acts, and choose them for their own sake; and thirdly, his action must proceed from a firm and unchangeable character (1105a31).

Character influences how someone makes decisions, chooses to act or not to act, and summarizes the general way in which one deals with others. Philosophers and philosophers of education tell us that we need to restore this ancient distinction of the acquisition and exercise of virtue as the foundation of character for it plays a central role in moral life[4]. According to Aristotle "Virtue is a state of character concerned with choice, lying in a mean "and that there are two kinds of

2. MURPHY, M. (1998) *Character Education in America's Blue Ribbon Schools* (Lancaster, PA., Technomic Publishing Company). This book looks at 350 of U.S. Department of Education award-winning schools are doing to promote character education. This chapter is a summary of the many findings of this research as reported in this book.

3. NIELSEN-JONES, E., RYAN K., et al. (1998) Character Education and Teacher Education, *Action in Teacher Education: Journal of the Association of Teacher Educators* Vol. XX, (No. 4): 11-28.

RYAN, K. (1999) *Teachers as Educators of Character: Are the Nation's Schools of Education Coming Up Short?* (Washington, D.C. Character Education Partnership and the Center for the Advancement of the Study of Ethics and Character).

4. KAPLAN, A. (1995) Conversing about Character: New Foundations for General Education, p. 362, *Educational Theory* 45 (No. 3): 359-378; CALLAN, E. (1995) Virtue, Dialogue, and the Common School, p. 1, *American Journal of Education* 104 (No. 1): 1-33; MAC INTYRE, A. (1984) *After Virtue*, p. 149, (Notre Dame, Notre Dame).

virtues, intellectual and moral" (1107a 1-7). Intellectual virtues can be taught, while moral virtue comes about as a result of habit. "The moral virtues we get by first exercising them...e.g. we become just by doing just acts, temperate by doing temperate acts, brave by doing brave acts" (1103b). Aristotle stresses the importance of developing moral habits from the earliest years and is a strong proponent of character education. However, he realizes that it is no easy task to be good. This is because in everything we need to find the middle road of virtue: "to do this (the good) to the right person, the right extent, at the right time, with the right motive and in the right way is no easy task" (1109a 27). The development of character or moral virtue is thus a matter of learning to avoid extremes in behavior, finding instead the mean that lies between the extremes. Moral virtues helps us to develop this facility to doing the good. "The distinction between moral and intellectual virtues is essential to the ethical construction of character ... the responsible and integrative activity that each individual must choose and design"[5].

The novelty of Aristotle's contribution to virtue theory lies in the deep appreciation of the tripartite components of the moral development of the individual agent: the body, appetite and reason. Each must be developed. This understanding of the moral person is finding expression today in the definitions of character given by some of the academic leaders of the character education movement. According to Thomas Lickona, "Character education is the deliberate effort to cultivate virtue. Virtues are objectively good qualities. Good character consists in understanding, caring about and acting upon core ethical values"[6]. Kevin Ryan concurs that "Virtue is both the disposition to think, feel and act in morally excellent ways...to have good character means to be a person who has the capacity to know the good, love the good and do the good...These three ideals are intimately connected"[7]. From this we can see that character is a holistic term, concerning the whole person. It takes into consideration the cognitive, emotional and behavioral aspects of the moral life. Character education involves developing the head, the heart and the hands of the students in a moral unity. It must include instructional objectives in the cognitive, affective and psychomotor domains with outcomes related to the students' thinking, feeling and behavior. Children need to be taught in order to *know* what virtue is and then they need to be guided in order to reason well and

5. KAPLAN, A. (1995), *o. c.*, p. 369.

6. LICKONA, T. (1998) Character Education: Seven Crucial Issues, p. 23, *Action in Teacher Education: Journal of the Association of Teacher Educators* XX (4): 77-84.

7. RYAN, K. and BOHLIN, K. (1999) *Building Character in Schools: Practical Ways to Bring Moral Instruction to Life*, p. 45, 5, (San Francisco, Jossey-Bass Publisher).

choose the correct action to do in a given situation. The *desire* and *love* for the good must also be developed in them if they are to be virtuous. Finally, children must have the opportunity for *action* in order to *live* virtuously.

We can use this paradigm to develop a model that shows character as the intersection of moral knowing, moral attitude and moral action (Figure 1).

3. A CONSTRUCT FOR UNDERSTANDING GOOD CHARACTER

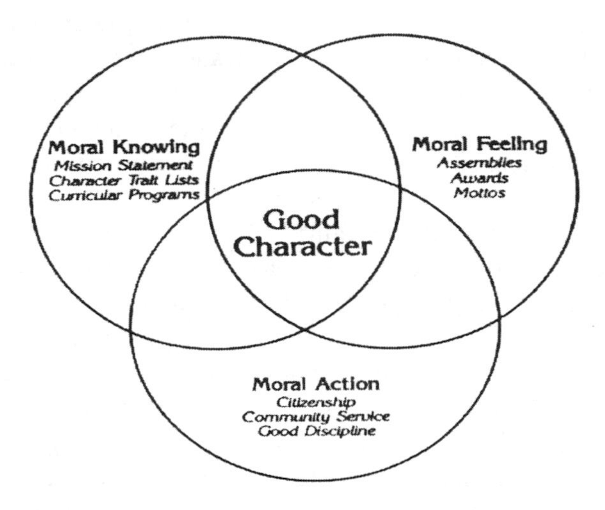

Figure 1: A construct for understanding good character

This construct is also useful for organizing the many different ways in which schools can promote character development and will be used as the paradigm for organizing the content of this chapter. First, we will show how schools can directly teach specific values and virtues so that students have 'moral knowing' of what they should do. The school as a whole can promote moral literacy through a mission statement that identifies the virtues and values that a school professes to promote. The teacher, principal, and family are all essential players in teaching moral virtues. Second, schools can instill moral desire in students by encouraging students to *want* to live a life of good character through assemblies, school mottoes, awards and other special programs. This 'moral feeling' aspect of character development is shown by the ways in which a school motivates students and guides them in the development of a sense of positive self-esteem based on human dignity. Finally, schools wishing to foster character must develop students' moral actions; can do this by upholding high academic standards, good discipline, citizenship and community service. Students need the opportunity to practice virtuous actions, for as Aristotle points out, one becomes virtuous by practicing virtuous actions. In order to promote this aspect of character education, schools need to provide students with opportunities in which they can perform virtuous acts and acts of service to others by promoting clubs and offering opportunities to volunteer. To be effective character education must be comprehensive. It must be holistic and give importance to developing all three aspects of character –moral cognition, moral affect, and moral behavior. This chapter will examine key ways my research of the Blue Ribbon Schools in America has shown how each of these aspects is promoted in schools.

4. MORAL KNOWLEDGE

Moral knowledge can be developed by a school mission statement that identifies the virtues and values a school professes to promote and by teachers, counselors, principals and parents who work together to support those character qualities. The identification of the moral values and human virtues which a particular school or school district will promote is the first step to be undertaken before one can begin to teach character education in the school. The school needs to clarify what its community understands by 'good character' and what core values it feels each student should learn. In one sense, it really does not matter which virtues are chosen; because even learning to live one virtue alone will help to build a student's character. Most character education scholars[8] concur with the idea that the virtues form a unity, and that in order to be a person of character you must have several virtues working together. In general they agree that as a bare minimum, every list of character traits ought to contain the four cardinal virtues that have come down to us from the Greeks: prudence, justice, courage and temperance. Usually more modern terminology is used for them in American schools: i.e. prudence is "good decision making skills", fortitude is "courage", temperance is "self-discipline" and justice is "fairness". These virtues and others need to be taught directly, modeled and then reinforced by the significant adults in children's lives. Character education usually involves explicit teaching of what each of these different virtues are and how to distinguish 'right' from 'wrong' and

8. LICKONA, T. (1998) Character Education: Seven Crucial Issues, *Action in Teacher Education Journal of the Association of Teacher Educators* XX (4): 77-84, RYAN, K. and BOHLIN, K. (1999) *o. c.*, KILIPATRICK, W. (1992) *Why Johnny Can't Tell Right from Wrong* (New York, Simon & Schuster).

make good decisions about what to do. Teachers, principals, counselors and parents are all essential contributors to the development of a child's moral knowledge.

5. THE IMPORTANT ROLE OF TEACHERS, PRINCIPAL AND PARENTS

Teachers and schools, like parents and families, cannot avoid teaching values. Schools inevitably teach values for the very act of educating another is a moral act[9]. The role of the teacher is key for the character development of students. The teacher must be first of all a moral model of the dispositions they hope to teach their students[10]. The moral educator must also be aware of the three types of knowledge necessary in an Aristotelian program of moral education: knowledge of general moral principles or virtues, knowledge that particular actions are instances for living the virtue and the dispositional and attitudinal knowledge necessary to execute the moral action[11]. Possibilities for moral education lie in every part of the curriculum. Teachers need to take advantage of specific 'character moments', i.e., incidents or situations in school or society which are used as content for a class on moral decision-making, helping students decide what should be done in the given situation. This can also be accomplished through the use of curricular programs that teach what specific virtues and moral values mean. These usually include examples of virtuous and morally correct behavior through the use of either literature or real life models.

The principal also plays an important part in creating a climate for character development in the schools. Ways in which principals promote moral knowledge and character education in schools include character building assemblies, plays, school mottoes or slogans, bulletin board messages posters and public address (P.A.) announcements. Through these means, principals try to foster individual self-discipline, values and new understandings of behavior. The counselor also has a very important role in the development of sound character through guidance classes in which a class explores social responsibility, values and ethical judgment. "Through individual counseling, small group work, teaching in the regular classroom and other techniques,... They teach students how to make good

9. GOODLAD, J., R. SODER and SIROTNIK, K. (1990) *The Moral Dimensions of Teaching* (San Francisco: Jossey-Bass).

10. WORSFOLD, V. L. (1999) Moral Education for Democracy, p. 132, *Philosophy of Education*, Philosophy of Education Society.

11. ROBENSTINE, C. (1998) Aristotle for Teachers as Moral Educators, p. 111, *Philosophy of Education*, Boston, MA, Philosophy of Education Society.

choices so as to function well in society. Developing character is the essence of the guidance counselor's work"[12].

Finally we know that parents are the primary educators of their children and their key character educator[13]. The family is the most common context in which a human being experiences care and nurturing. Research studies have found a positive correlation between an adult family member's involvement in volunteer work and a young adolescent's involvement in the same or like works of caring for others[14].

6. DEVELOPING THE AFFECTIVE SIDE OF CHARACTER

It is important for students to develop the emotional side of themselves (i.e. the affective and attitudinal aspect of human potential) in order that they may not only know the good, but also love the good. There is growing evidence that fundamental ethical stances in life stem from underlying emotional capabilities. The education of moral character needs to conscientiously address the development of "emotional habits" and foster "emotional literacy and emotional intelligence"[15]. According to Daniel Goleman, emotional intelligence is a set of traits and qualities that make us more fully human and matter immensely for our personal destiny[16].

Social and emotional education is important as it helps students to develop the attitudinal behaviors and cognitions necessary to become competent in all domains –socially, emotionally, academically and physically. One key goals is to develop the student's motivation and self-esteem so they seek to contribute responsibly and ethically to others[17].

Student motivation is a very important factor in character education. Motivation is related to the student's inner desires and is thus closely associated with his values. Values represent what people believe in: what they are

12. WILEY, L. S. (1998) *Comprehensive Character-Building Classroom: A Handbook for Teachers* (De Bary, Florida, Longwood Communications).

13. RYAN, K. and K. BOHLIN (1999) *o. c.*, p.117.

14. CHASKIN, R. (1995) Youth and Caring: An Introduction, *Phi Delta Kappan* 76 (9): 667-674.

15. ZIGLER, R. L. (1998) The Four Domains of Moral Education: the contributions of Dewey, Alexander and Goleman to a comprehensive taxonomy, p. 19, *Journal of Moral Education* 27 (No. 1): 19-33.

16. GOLEMAN, D. (1995) *Emotional Intelligence: Why It Can Matter More than Intelligence* (New York, Bantam Books).

17. ELLIAS, M., et al (1997) *Promoting Social and Emotional Learning: Guidelines for Educators* (Alexandria, Virginia, Association for Supervision and Curriculum Development), 2-3.

committed to and what they cherish. Values give direction to behavior. A school tells students what it values by what it rewards and by what activities it deems are important enough to sponsor and to allocate important school time. Typically, motivation is a durable phenomenon, although it is not fixed. Students who are not motivated to learn in schools can be helped by nurturing a positive self-concept. This can be done by giving students positive feedback which helps them to take responsibility for their own learning, realizing that their success can be attributed to their own personal effort and abilities.

Awards and ceremonies are important ways of emphasizing and transmitting character values[18]. A school and, in fact, a culture show what type of character they value by the awards, recognitions and ceremonies (or celebrations) they sponsor. If all of the awards go to athletics (including the monetary 'award'), the school or society says it values athletics. It is important for schools to recognize and celebrate good character, hard work, effort, and good citizenship. There is no better way to build up children's 'self-esteem' than for them to win an award well-earned. Schools have found, as have successful organizations, that mottoes, slogans, and symbols strengthen school spirit and unite and motivate school members to strive toward a common goal. There is positive effort on the part of the teachers and administrators in these outstanding schools to create an image, a common goal around which the whole school unites.

7. DEVELOPING SELF-ESTEEM

In developing students' self-esteem, it is important that they be given the correct things to esteem: values such as responsibility, industriousness, honesty and kindness, not values such as good looks, popularity or possessions. Students will feel good about themselves because they know they have done well (worked hard) and have tried to do the right thing. Research has not show the reverse to be true, i.e., that students will do well in school because they feel good about themselves[19].

High self-esteem by itself does not assure good character. However, unless students respect and appreciate their own worth and dignity, they have little to offer to others[20]. Typically, self-esteem is defined as the personal judgment of

18. WYNEE, E. and K. RYAN (1993) *Reclaiming Our Schools: A Handbook on Teaching Character, Academics and Discipline* (New York, Macmillan Publishing Company).

19. KOHN, A. (1994) The Truth about Self-Esteem, *Phi Delta Kappan* 76 (4): 272-282.

20. VAN NESS, R. (1995) Raising Self-Esteem in Learners, *Phi Delta Kappan Fastback* 389.

worthiness expressed in the attitudes the individual holds towards himself or herself. Self-esteem means 'reverence for self'. At a philosophical level, self-esteem is a central feature in human dignity and thus an inalienable human entitlement. Nationwide, teachers tell us that the number one problem in the schools today is a lack of respect: a lack of respect of children towards themselves, other students, their teachers and their parents. Self-esteem allows us to value and respect ourselves and thereby to value and respect others. Self-esteem is an attitude or feeling that accompanies believing that one is doing what is 'good'[21]. Attributing intrinsic value to children because of their unique qualities and gifts is self-esteem education that is appropriate both in and outside the curriculum .

Self-esteem programs are one kind of affective education, i.e. concerned with the formation, content and role of emotions, feelings, values, attitudes, predispositions and morals. Many of the programs used in schools today which deal with citizenship, substance abuse, peace education and explicit character education include aspects of affective education –educating moral feeling or the 'heart side' of character. Controversy arises when affective education is emphasized as more important than the cognitive, and when the content of the affective curriculum is based on a subjective, self-discovery philosophy (held by humanists) rather than on an objective, truth-discovery philosophy (held by 'realists'). Controversy also arises when people have different understandings of what self-esteem is. Too many people see self-esteem as "permission to do what I want to do as long as it makes me feel good". By contrast, ethical self-esteem – the kind that is properly part of good character– is permission to do what I want as long as it results in good moral behavior.

The realists propose that self-esteem comes through focusing on truth-discovery. Their theory is that changes in achievement cause changes in self-concept i.e. self-esteem develops as a by product of other reality-based factors. The pedagogical focus, then, centers on activities of problem-solving, seeking relevant meaning from facts, skills development and discovering academic and moral truths. Real self-esteem develops when a student works hard, learns something worthwhile and learns how to accomplish challenging tasks. If students are challenged academically to do their best, graded strictly but justly, rewarded and praised when they have earned it, they will come to develop a sense of self-respect and have "achievement self-esteem". Educators who want to help children "feel good about themselves" will do better by treating them with respect, not merely showering them with praise. Research has demonstrated the

21. ELLIAS, M., et al. (1997) *o. c.*, p. 32.

validity of the realist model for developing self-esteem, showing a correlation between students academic success or failure and the resultant high or low self-esteem[22].

8. HUMANIST AFFECTIVE EDUCATION

The humanists (Carl Rogers, Maslow, Arthur Combs) set up a system of affective education based on the human experience philosophy of John Dewey. Dewey proposed that values develop through a cyclical process, as the individual interacts with his or her environment. Values are open to question and change. This 'developmental' approach to affective education proposes that the school's role is to help the child formulate values or beliefs through experiences. The content of the humanist's curriculum is based on the premise that self-esteem comes through focusing on self-discovery. The theory is that changes in self-esteem cause changes in achievement. The pedagogical focus in these programs centers on activities seeking self-discovery. The teacher becomes the facilitator of student self-discovery. Contemporary self-esteem programs are criticized because of their lack of consistency, absence of clear direction and purpose and lack of thoroughness in program planning [23].

There are no data to show that these self-esteem programs can make a difference in raising students' self-esteem or basic view of themselves. No researchers have been able to show that high self-esteem inclines people toward pro-social behavior or steers them away from anti-social behavior. Some studies have shown a positive correlation between self-esteem and school participation, school completion, self-direction and various types of achievement and chances for success in life[24] but such correlations could mean only that self-esteem was the result of these outcomes rather than their causes.

One can even challenge the desirability of focusing on self-esteem in the classroom because this kind of affective education program may lead to a preoccupation with self instead of with community. As stated by Kohn "Affective education should be embraced but in the context of building community rather then attending to each individual separately... Whether our objective is to help children become good learners (that is creative, self-directed, lifelong learners) or

22. BEANE, J. (1991) Sorting Out the Self-Esteem Controversy, *Educational Leadership* 49 (1): 26-31.
23. MURPHY, M. (1998) *o. c.*, pp. 108-112.
24. BEANE, J. (1991) *o. c.*

good people (that is secure, responsible, caring) –or both, we can and need to do better than merely concentrating our efforts on self-esteem"[25].

A self-esteem program can promote genuine character development if it teaches that authentic self-esteem is based on the knowledge that one has chosen to do the better thing. Guidance programs that are effective in promoting character development teach character qualities as part of their curriculum. It is important for schools to develop the emotional side of students' character. School mottoes, awards and ceremonies and virtue based guidance programs can be effective ways for schools to motivate students to develop and display good character

9. MORAL ACTION

Finally schools can develop the good moral behavior and 'pro-social' actions in students by encouraging them to be good students and to be good citizens who care for others and participate in community service. Teachers can promote character in students by challenging them to develop good study habits in order to be the best students that they can be. Schools should have high academic standards for all their students. Students will be able to achieve because their teachers implement the latest pedagogical methodologies which enable students to have academic success while helping them develop their character through the effort to do their work well.

The actual role of the student as student allows them a key environment in which to develop their character. Their job is to be the best student that they can be. Studying and learning give a student a key opportunity to show their character through their actions. Students should develop both a cultural and a moral literacy, i.e. a knowledge of culture's moral wisdom and those enduring habits or traits needed for good character. Children will develop self-discipline and responsibility if they devote the time necessary to studying and doing their homework instead of watching television. They will develop courage to attack difficult assignments, and perseverance if they keep at the assignment until they have completed it. Studying and learning also help to develop intellectual virtues in students such as a love of learning, valuing the opportunity to learn, respect for the truth, objectivity, prudence to think critically, understanding, humility to accept limitations and a concern for excellence. Students need to do their school

25. KOHN, A. (1994) *o. c.*, p. 174.

work the best that they can: neatly done, with care for details, expending appropriate effort and time. Finally, students need to learn how to check their work and evaluate their own work before they turn it in or call it finished, to be sure that it is done well and meets standards of excellence.

It is important for students to learn the value of work done well as this is a fundamental source of our dignity and sense of worth as human beings. One could summarize all of the problems in American society today, as resulting from a lack of care in work. Many people work for money alone, and fail to see that work is the way in which they can fulfill themselves and develop their character, affect the lives of others and contribute to the betterment of society.

10. DISCIPLINE THAT DEVELOPS CHARACTER

Schools with good discipline have students whose behavior shows that they are living the third aspect of good character, moral action. They are choosing to perform the appropriate actions in different school situations. "Discipline derives from disciple referring to the practice as opposed to the doctrine of an institution"[26]. Schools need to look at their discipline as a shared way of living, a way that we can teach students to character to internalize character.

A discipline program can be considered character-developing when they emphasize specific good character traits and are based on values not on a system of rewards and punishments. The best way to set up a virtues-based discipline programs is to develop the value principles prior to rules. The principles are general virtues, e.g. be respectful, be responsible, and provide the reason for following the rules.

A discipline program that teaches self-control can truly be a character development program because it spells out specific qualities or virtues to be developed. It seeks to help students internalize the locus of control of behavior. Young people need to learn the skills of self-control and motivation to become productive, contributing, and knowledgeable adult participants in society. This is one of the most important tasks that good teachers undertake. These are teachable and learnable pro-social skills. When a student is disciplined in a virtue based discipline program, the incident or infraction is discussed with the student, the school's character traits are reviewed and the student decides which ones were negatively demonstrated by the his/her actions. Then, to reinforce the meaning of the citizenship traits, the student will read books that demonstrate traits being

26. KAPLAN, A. (1995) *o. c.*, p. 364.

used positively and write a one-page essay discussing the traits. Finally, the teacher, student, and parents discuss the essay.

Having high expectations of students' behavior, encouraging them to be self-disciplined, and to take personal responsibility for their actions fosters in students a respect for others and helps students develop their character. Awards can be given for good discipline as a representation of the personal commitment students have made to be responsible in their behavior.

Seeking to help students internalize the reasons why someone should behave, schools have sought to practice 'moral discipline' –i.e., to use discipline as a tool for teaching respect and responsibility. This approach holds that the ultimate goal of discipline is self-discipline –the kind of self-control that underlies voluntary compliance with just rules and laws, is a mark of mature character, and is what every society expects of its citizens[27].

Schools express their focus on character development by the rules they promote. Like other institutions, schools need rules to accomplish their goals. Rules are guides to behavior. They tell the student what is acceptable behavior and what is unacceptable. Rules help children learn the skills and attitudes need to live in harmony with others. When rules are a positive expression of cxpectations, they are character-building. They tell students what kind of behavior is expected of them. Rules written negatively list every possible type of misbehavior imaginable but do not successfully communicate to students the correct behavior.

11. THE CLASS MEETING

The class meeting is a popular and effective means for solving classroom management problems which helps develop character and foster good discipline. The meeting focuses on helping develop good decision-making skills in students as a way to promote good behavior. In order to promote the values of respect, responsibility and safety, students use problem-solving strategies to make responsible choices and good decisions. The class meeting helps to create a good moral environment, provides an experience in democracy, and involves students in making decisions about the life of the classroom[28]. This results in a safe and respectful physical and emotional environment.

27. LICKONA, T. (1991) *o. c.*, p. 110.
28. WILEY, L. S. (1998) *o. c.*, pp. 88-89.

12. CONFLICT RESOLUTION AND PEER MEDIATION

The most popular movement today in all schools is teaching students and teachers how to resolve conflicts or disagreements in a peaceful manner. This proactive mode teaches social skills, i.e., negotiation skills, mediation skills, anger control, refusal skills, and problem solving. It teaches students how to listen instead of punishing them for not listening. Teaching all students negotiation and mediation procedures and skills results in a school-wide program that empowers students to solve their own problems and regulate their own and their classmates' behavior[29].

Conflict resolution is a method that enables people to interact with each other in positive ways in order to resolve their differences. Peer mediation programs take the next step: they empower students to intervene in the conflicts of others and thereby share responsibility for creating a safe and secure school environment. A peer mediation program's first objective is to ensure that *all* students have learned the basic skills required to resolve conflicts. This gives all students the opportunity to benefit from having this special kind of social responsibility.

Research on the effectiveness of conflict resolution programs has been very positive. When conflicts are managed successfully, they can increase achievement, develop higher level reasoning, and build problem solving skills; they also energize individuals to take action, promote caring and committed relations, and help students to understand others.

While traditional discipline procedures teach students to depend on authority figures to resolve conflicts, peacemaking programs teach students how to mediate disputes and negotiate solutions themselves. In the process, such programs are also developing strengths of character such as good judgment, perspective-taking, self-control and personal responsibility.

13. EDUCATION FOR CITIZENSHIP

Character education means coming to understand, care about, and practice virtue. Citizenship education will be character education if the methods used in the presentation focus on helping students develop the moral knowing aspect of their character while learning about their civic responsibilities. A character

29. JOHNSON, D. and R. J. (1995) *Teaching Students to Be Peacemakers* (Edina, MN., Interaction Book Company).

building citizenship program emphasizes the development of specific 'democratic' qualities such as justice, respect, fairness, cooperation, persistence, moral responsibility, empathy and caring. Citizenship awards are used to promote moral feeling in students. Finally, it is within the realm of good citizenship that students manifest the third component of good character, moral action. Now they will have opportunities to show good actions to others in the classroom, school, family and neighborhood. Citizenship education can be one of the best forums for developing character in students because it allows the development of all three aspects of character. Increasingly schools are teaching citizenship and character in the same way that they are teaching reading and math. They are working with their communities to define those core values such as honesty, hard work and respect for others and for oneself, that make it possible for our democracy to continue

Schools which advocate citizenship programs for their character development provide students with opportunities in which they can find solutions to problems and can then act on the solutions they decide to take. These programs help them to become active, questioning young adults who are prepared to take on the vital role of citizens in a democracy[30]. Moreover, they build personal character by challenging students to translate moral judgment and feeling into moral action as citizens of their classrooms, schools, and communities.

14. CARING AS A MORAL VALUE

Developing good citizenship in students implies developing students who know how to care for all of the other people in their world –their family, school, community, city and nation. Character education needs to emphasize the importance of caring within the classroom and caring beyond the classroom. This is especially important in order to confront the moral issues presented by our multiracial and multicultural community; issues which have truly global repercussions.

Students show that they care for others by sharing their time with them. Educators can begin to promote the value of caring explicitly by exploring ways in which they can create a more caring culture in classrooms and in schools. One of the most common ways for students to show their good citizenship within the classroom is to participate in a buddy program, patrols or a tutoring program.

30. SADOWSKY, E. (1991) Democracy in the Elementary School: Learn by Doing, en J. BENNINGA, *Moral, Character, and Civic Education in the Elementary School* (New York, Teachers College Press).

Schools foster the development of character through actions by students in community service. Projects undertaken in the schools help students realize that character education includes service to others. Community service efforts build self-worth and allow students to experience themselves as part of the larger network of people who are helping to create a better world. Research has found that an intensive experience in caring for others may have a profound effect on young people[31].

15. CONCLUSION

This chapter has reported on the different ways in which the United States Blue Ribbon schools promote the character of their students by helping them to understand, care about and act upon core ethical values"[32]. If character concerns the whole person, as a holistic term it must take into consideration the cognitive, emotional and behavioral aspects of the moral life. This paradigm was used to organizing the many different ways in which schools promote character development. Schools must make an effort to directly teach specific values and virtues so that students have 'moral knowing' of what they should do. The teacher, principal and parents are essential players in teaching the moral virtues identified in the school mission statement as the virtues and values that the school professes to promote. Second, schools can instill moral desire in students by encouraging students to *want* to live a life of good character values through assemblies, school mottoes, awards and other special programs. This 'moral feeling' aspect of character development is shown by the ways in which a school motivates students and guides them in the development of a sense of positive self-esteem based on human dignity. Finally, schools wishing to foster character must develop students' moral actions; can do this by upholding high academic standards, good discipline, citizenship and community service. Students need the opportunity to practice virtuous actions, for as Aristotle points out, one becomes virtuous by practicing virtuous actions. In order to promote this aspect of character education, schools need to provide students with opportunities in which they can perform virtuous acts and acts of service to others by promoting clubs and offering opportunities to volunteer. To be effective character education must be comprehensive. It must be holistic and give importance to developing all three aspects of character –cognition, affect and behavior. It must be comprehensive

31. CHASKIN, R. (1995) *o.c.*
32. LICKONA, T. (1998) *o. c.*, p. 23.

and include all aspects of the school, the curriculum and the community and show the important role parents, teachers, counselors and principals play working together to promote character in the youth. Not only can each subject in the curriculum be used to promote character but in addition, the extra-curricular activities of the school are important means which give students opportunities manifest good character qualities and to do good actions. Finally, students should be helped to develop their character in such a way that they naturally do good deeds out in their neighborhood and community, on the playground, in the sports field, and in their family. The Blue Ribbon Schools Model for Character Education is comprehensive and holistic because it gives students opportunities for developing all the areas of their character: moral knowing, moral feeling, and moral action. It can thus serve as a very helpful construct to guide the national movement to promote character education in American schools.

BIBLIOGRAPHY

BEANE, J. (1991) Sorting Out the Self-Esteem Controversy, *Educational Leadership* 49 (1): 26-31.

CALLAN, E. (1995) Virtue, Dialogue, and the Common School, *American Journal of Education* 104 (No. 1): 1-33.

CHASKIN, R. (1995) Youth and Caring: An Introduction, *Phi Delta Kappan* 76 (9): 667-674.

ELLIAS, M. et al. (1997) *Promoting Social and Emotional Learning: Guidelines for Educators* (Alexandria, Virginia, Association for Supervision and Curriculum Development).

GOLEMAN, D. (1995) *Emotional Intelligence: Why It Can Matter More than Intelligence* (New York, Bantam Books).

JOHNSON, D. and JOHNSON, R. (1995) *Teaching Students to Be Peacemakers* (Edina, MN., Interaction Book Company).

KAPLAN, A. (1995) Conversing about Character: New Foundations for General Education, *Educational Theory* 45 (No. 3): 359-378.

KILPATRICK, W. (1992) *Why Johnny Can't Tell Right from Wrong* (New York, Simon & Schuster).

KOHN, A. (1994) The Truth about Self-Esteem, *Phi Delta Kappan* 76 (4): 272-282.

LICKONA, T. (1991) *Educating for Character: How Our Schools Can Teach Respect and Responsibility* (New York, Bantam).

LICKONA, T. (1998) Character Education: Seven Crucial Issues, *Action in Teacher Education.*
Journal of the Association of Teacher Educators XX (4): 77-84.

MAC INTYRE, A. (1984) *After Virtue* (Notre Dame, Notre Dame).
MURPHY, M. (1998) *Character Education in America's Blue Ribbon Schools* (Lancaster, PA., Technomic Publishing Company).
NIELSEN JONES, E., RYAN, K. et al. (1998) Character Education and Teacher Education, *Action in Teacher Education: Journal of the Association of Teacher Educators* Vol. XX (No. 4): 11-28.
ROBENSTINE, C. (1998) Aristotle for Teachers as Moral Educators, *Philosophy of Education* (Boston, MA, Philosophy of Education Society).
RYAN, K. and BOHLIN, K. (1999) *Building Character in Schools: Practical Ways to Bring Moral Instruction to Life* (San Francisco, Jossey-Bass Publisher).
SADOWSKY, E. (1991) Democracy in the Elementary School: Learn by Doing en BENNINGA, J. (ed.) *Moral, Character, and Civic Education in the Elementary School* (New York, Teachers College Press).
VAN NESS, R. (1995) Raising Self-Esteem in Learners, *Phi Delta Kappan Fastback* 389.
WILEY, L. S. (1998) *Comprehensive Character-Building Classroom: A Handbook for Teachers*. (De Bary, Florida, Longwood Communications).
WORSFOLD, V. L. (1999) Moral Education for Democracy, *Philosophy of Education*, Philosophy of Education Society.
WYNEE, E. and K. RYAN (1993) *Reclaiming Our Schools: A Handbook on Teaching Character, Academics and Discipline* (New York, Macmillan Publishing Company).
ZIGLER, R. L. (1998) The Four Domains of Moral Education: the contributions of Dewey, Alexander and Goleman to a comprehensive taxonomy, *Journal of Moral Education* 27 (No. 1): 19-33.

ABSTRACT

TRES COMPONENTES ESENCIALES DEL DESARROLLO DEL CARÁCTER

Este capítulo presenta un modelo comprehensivo para la educación del carácter que incluye: la cognición moral, la afectividad moral y la conducta moral. Las ideas citadas proceden de una investigación sobre las escuelas Blue Ribbon en EE.UU. que muestra cómo cada uno de estos aspectos puede ser promovido en ellas. En primer lugar, las escuelas pueden enseñar directamente valores específicos y virtudes para que los estudiantes tengan 'conocimiento moral' de lo que deben hacer. Esto se hace a través de una declaración de la misión de las escuelas que identifica las virtudes y los valores que la escuela profesa. El maestro, principalmente, y la familia, son muy importantes para la enseñanza de las virtudes morales. En segundo lugar, las escuelas pueden suscitar en los estudiantes, animándoles a través de asambleas, consignas escolares, premios y otros programas especiales, el deseo moral de vivir una vida buena. Esta 'sensibilidad moral' en el desarrollo del carácter se muestra en el modo en que una escuela motiva a los estudiantes y los guía en el desarrollo de un sentido de autoestima positiva basado en la dignidad humana. Finalmente, las escuelas que desean formar el carácter deben desarrollar 'acciones morales' en los estudiantes; y pueden hacerlo erigiendo elevadas normas académicas, buena disciplina, sentido de ciudadanía y servicio a la comunidad. Para promover este aspecto de la educación del carácter, las escuelas también deben proporcionar oportunidades para que los alumnos puedan realizar buenas acciones y actos de servicio a otros, promoviendo clubes y ofreciendo oportunidades de servicio a los estudiantes.

KEY WORDS

Character education, character development, education in the United States of America, moral knowledge, affective education, moral action

DIRECCIÓN DE LA AUTORA

Madonna MURPHY, PH. D.
University of St. Francis
500 Wilcox
Joliet, IL. 60435
Phone 815-740-3212
Fax 815-740-4285
E-mail: mmurphy@stfrancis.edu

WHAT IS CHARACTER OR MORAL EDUCATION ALL ABOUT?

Concepción NAVAL DURÁN
Universidad de Navarra

In recent years character education has been the focus of increasing attention. But the issues concerning educational programmes that are designed to encourage moral development in children and teenagers are many and varied.

Moral education, which has been a constant concern throughout the history of education, has often come under attack. One of the criticisms levelled at it is the assertion that morality belongs to the inner, most personal area of human experience; it is identified with the person, who is autonomous in his/her judgements and decisions, and it cannot therefore be the object of a teaching process from the outside. Despite this objection, however, there is unanimous agreement today that moral education is an essential part of the school *curriculum*.

1. ESTABLISHING THE QUESTION

Much of the work done today on moral education is influenced by Durkheim's ideas. Of all the critiques to his theories, that of Piaget is one of the most illuminating and profound. Durkheim and Piaget present us with two irreconcilable paradigms. Both deal with morality, moral rules and the way we gain access to these rules. But "what is a rule, where do the rules which govern interpersonal relations and social life come from, why do we observe these rules, and why are certain infringements tolerated, what is a just rule and what is a sanction?"[1].

The study of Piaget began with the observation of *children's games*. He discovered an evidence demonstrating the existence of *stages* in the formation of moral judgements, which are parallel to the stages that the development of intellectual operations. The *development in stages* is characterize made manifest in the way *rules* are used in *games*.

There is a progression from an *egocentric* stage to a *co-operative* stage. The child moves from an *objective* conception of guilt to a *subjective* one, and from an *expiatory* conception of punishment to one which is *motivated* and *reciprocal*. As a result of all these, according to Piaget, a fundamental dichotomy emerges between two kinds of morality: a morality of constriction (heteronomous, objective responsibility, expiatory sanctions, retributive justice, unilateral respect) and a morality based on co-operation (autonomy, subjective responsibility, sanctions of a reciprocal nature, distributive justice, mutual respect).

In fact, rather than being a dichotomy, these two forms of morality are both present, but at different periods in the child's development. Co-operative morality –the process of normal child development– is formed through natural interactions with the child's surroundings; thus, games hold a special function. This dichotomy has major pedagogical consequences: the *active methods*, and what Piaget calls *self-rule*, which stress on children's curiosity, their sociable nature, their need for expression and co-operation. All of these form the bases for the child's moral development. This approach is more effective than the methods which rely on coercion, on the imposition of rules, which serve only to keep the child in a state of immaturity and irresponsibility.

This is where the so-called *New School* Movement derives its inspiration, an inspiration that is related to Dewey's ideas. Piaget´s ideas are in contrast with those of Durkheim. In Piaget's view, the error in Durkheim lies in his *substantialist* and *absolute* vision of society. Piaget thinks that Durkheim does not only ignore the individual, but he also fails to take into account the nature of what is social, which by its very essence is interactive and co-operative. Above all, he leaves out some considerations of the child and the special dimension of the world of children that revolves in games and the relations between equals. Consequently he leaves the child in a morality of heteronomy and dependence.

1. FORQUIN, J.C. (1993) L´enfant, l´école et la question de l´éducation morale. Approches théoretiques et perspectives de recherches, p. 81, *Revue Française de Pédagogie*, 102, 1993/1. Some ideas are adopted here: cf. pp. 69-106.

1.1. KOHLBERG: MORAL EDUCATION AND COGNITIVE DEVELOPMENT

From the 1970s, moral education in schools in the United States was heavily influenced by Lawrence Kohlberg. The *theoretical importance* of his work can be ascribed to the following: 1) the originality of the focus of his research, and of the results obtained; and 2) the profound and multi-dimensional philosophical reflections that somehow included a religious dimension.

Kohlberg is above all a psychologist, a researcher, and a theoretician who studied human behaviour using the methods of clinical psychology. His main instrument is a questionnaire that is administered face-to-face. His main aim was to identify the natural mechanisms and operative processes at work in the building and forming of moral judgements in different types of individuals. The individual is presented with a story or an anecdote that involves a moral dilemma.

In Kohlberg, as in Piaget, there are stages that corresponds to the formation of moral judgement. These stages are determined by the laws of succession, irreversibility and universality.

In essence, the typology of the stages of moral development consists of 3 levels, and each level has 2 stages: preconventional morality, conventional morality and postconventional morality. It is doubtful whether morality based on fear (stage 1 of the preconventional level) and that based on interest (stage 2) really deserve to be called morality. The question is not simply one of terminology. In some texts, Kohlberg speaks of "premoral" stages rather than of a "preconventional morality". What difference is there between "premoral", "non-moral" and "immoral"? Where does morality really begin for Kohlberg: in stages 1, 3 or 5? Kohlberg himself is ambiguous on this point.

It is on the subject of "postconventional morality" where Kohlberg makes his most original and profound contribution. And it is here also where a parallelism with Piaget is most justified. In stages 5 and 6, the individual achieves autonomy in the exercise of moral judgement. This, however, occurs at a much later stage than in Piaget's model. Stage 6, the final, typically Kantian stage, thus appears more as an ideal of reason rather than something empirically attainable. A great deal of the debate surrounding Kohlberg's thesis centres on what is actually referred to by stage 6. This has resulted in the weakening and in the eventual disappearance of the credibility of his model.

What are the educational implications of Kohlberg's psychological theory? From it, we can derive an educational imperative: whatever can contribute to the child's (and that of the adult) moral development is desirable. The moral education which Kohlberg propounds offers itself as an original solution to what seems today to be an insurmountable dilemma, namely, the opposition between relativism and indoctrination. He advises helping each child to progress in a direction to which he/she is already committed or is naturally inclined. It is not a matter of imposing an alien or inaccessible model, but of promoting and stimulating the child's own moral development.

What pedagogical method can be used to achieve this stimulation? He recommends making learners reflect on moral dilemmas and genuine moral conflicts for which there is no ready-made adult solution. This is different from the "Values Clarification approach". Here the dilemmas only serve to reveal the assumptions and underlying attitudes of the individuals concerned. The aim is not to change their minds. Kohlberg's work provides a concrete objective for moral education: to stimulate the child's moral development and help him/her to go from one stage of moral thinking to another higher level. Hence, a lot of importance is given to the way the dilemma is described, particularly the choice of words.

Another approach suggested by Kohlberg, which has resulted in different kinds of experience, is to form students into *just community schools* in which the members are invited to organize their school life on the basis of democratic rules and of adherence to the principles of justice.

The chief objection to Kohlberg's theory insofar as it is a theory of moral education (that is, leaving aside the scientific psychological debate on the validity of the theory of stages) lies in the relationship between cognitive maturity and the disposition towards morality. Is it enough to judge well in order to act well? Kohlberg, like Piaget, seems to exclude the hypothesis of cynicism, which is also referred to as the hypothesis of clear-seeing or of intelligent immorality, or of the will to do wrong. Reading these authors, it would seem that evil is not a fact of life, a part of our individual and collective experience. What is to be done with the problem of evil when "moral education" is conceived of as being purely rational?

In this context, Peters's critique in *Moral Development and Moral Education,* is of particular interest. Peters says that in the area of morality Kohlberg attributes relatively little importance to certain character traits like honesty and he regards habit-forming processes as being of secondary importance. Besides, Kohlberg pays scant attention to the connection that exists between distinguishing between good and bad and one's attitude towards that distinction. "The child must not only develop an aversion to arbitrary behaviour, but must also acquire a positive interest (...). How do children become interested in something? I think this is the most important question in moral education; but in Kohlberg's work no clear response is to be found"[2].

Peters pleads explicitly for a more appropriate theory of moral education, a focus incorporating a broader vision of human nature than that offered by theories of cognitive development like that of Kohlberg.

1.2. School and Values

Alongside theories such as those of Durkheim and Kohlberg, there are others which purport to give recommendations for educators. They consist of reflections based on empirical findings or ideological constructions. These pedagogical theories take the form of *tendencies, trends* or *movements*.

Unlike in French-speaking countries, we can see genuine trends or movements in moral education in English-speaking countries. These began in the United States based on the idea of values and the teaching of values. *Values education* refers to something open and informal, in which the focus is on sensitiveness and discovery. It is obvious that, in the strict sense, *values education* covers a broader area than moral education.

Values are qualities which have worth. They can be loved or desired, and can make us act even at the cost of some sacrifices. Ethical values are therefore far from being the only kind of value. The distinction between moral education and the teaching of values is not always explicit among British or American authors; although, the expression *moral/values education* is commonly used. Kevin Ryan, in an article entitled "Moral and Values Education" (1986) distinguishes implicitly between four "moral education movements": 1) cognitive development (Kohlberg); 2) *values analysis*; 3) *values clarification*; and 4) *set-of-values*.

The aim in *set-of-values* movement is to impress on the student by means of the subjects and the way the school is organized, certain values which are considered essential in the adult community. This is a method, which was used in the Untied States from the 1920s, under the name of *character education.* This is a term which is being used again today in the *Character Education*

2. PETERS, R. S. (1981) *Moral Development and Moral Education,* (George Allen& Unwin, London) [1984, *Desarrollo moral y educación moral*, p. 141 (Fondo de Cultura Económica, Mexico City)].

movement, which is based either on a set of "core values"[3], or on a perspective known loosely as "communities of tradition"[4].

Values clarification has had an important impact in reflections on moral education in English-speaking countries since the 1960s. Its justification lies in the radical plurality of beliefs and values in the modern world and in the concern to help children make and develop their personal choices in a situation of tolerance and dialogue.

The teacher organizes learning sessions which encourage and help the student to gain a clearer awareness of his/her own individual values. According to Raths, Harmin and Simon (1966), three essential abilities or operations come into play: *choosing, prizing and acting*. Three main pedagogical methods are recommended: 1) teacher-pupil dialogue in class; 2) *value sheets*; and 3) organising group discussions following different kinds of procedures.

The theoretical basis for *value clarification* has been the object of a great deal of criticism: a) the moral problems are diluted among trivial practical questions; b) it promotes individualism and ethical relativism because all choices are held to be valid, for as long as they are conscious and *authentic*.

In recent years there has been a tendency to draw away from these approaches and a corresponding return to *character education*. The stress is placed on the moral function of the school at the heart of society and a rediscovery of values and virtues. In fact, Garrod and Howard (1990) asked whether the debate on moral education today does not tend to boil down to a confrontation between two major approaches: a) that which focuses on virtues and values; and b) the *development* approach.

1.3. THE PHILOSOPHY OF MORAL EDUCATION

All philosophy embodies a moral system, or at least a reflection on morality; similarly, every morality implies some kind of philosophy, to the extent that morality seeks a basis which is not to be found in empirical evidence or pragmatic needs.

Analytical philosophy, mainly in the Anglo-American world, emphasizes the method. The main contribution of English-language philosophers to the

3. Cf. W. Bennett, J. Benninga, W. Kilpatrick, T. Lickona, J. Snarey, T. Pavkov, E. Wynne, K. Ryan and R. Lovin.

4. Among others, this includes: A. Bryk, M. Asante, B. Chazan, C. Dykstra, S. Hauerwas, P. Hill, M. Kalenga, A. MacIntyre, P. Nelson, P. Palmer, N. Warfield-Coppock, D. Wong.

reflections on moral education therefore lies in the analysis of concepts, the clarification of meanings and the possible implications of statements made in ordinary language. For an *apologia* for this point of view, see Henry Aiken in an article in the *Harvard Educational Review* (1955).

For philosophers in the English-speaking world, the relationship between the intellectual and practical component of morality, between judgement and moral action, constitutes one of the central issues in moral education. Peters wrote an original reflection on "the paradox of moral education": the tension between habit and reason. What the school does is to contribute to the development of moral dispositions through the content and skills learnt in the various disciplines. Beyond the development of abilities, attitudes and motivations, which can play a leading role in the development of the moral sense, all serious intellectual activity involves moral demands. Nevertheless, what predisposes learners to adopt moral patterns of behaviour, is neither direct nor automatic, and the outcome is not guaranteed. Morality is something interior. It has to do with our intentions. But intention is not enough; we have to act; we have to play an active part in the world. Here, we come to the question of the will.

Other issues which are tackled in philosophical reflections on moral education in English-speaking countries include the following: 1) discipline and punishments; 2) the relations between moral education and religious education; 3) the ethical aspects of certain subjects that are taught, such as physical education; 4) the relationship between teaching and indoctrination.

This last point would seem to be the most significant. A substantial amount of the discussions focus on the dilemma involved in passing on moral standards and values at the risk of becoming arbitrary or the dilemma that arises in prohibiting any incursions into the sacred domains of the individual conscience with the risk of emptying school education of any culturally meaningful content. Thus, the school has neither the duty nor the power to educate. It should content itself with instructing. In either case, however, the fact remains that the teachers actually have no choice. Even if they are not properly qualified to impart moral education to their pupils, they cannot avoid making a contribution, whether directly or indirectly, whether it is through the content of what they teach or the example they set to the children. This is one of the reasons why the idea of a morally neutral teaching is mistaken.

Another approach is put forward by rationalist philosophers like Hare, Peters and Wilson: moral issues should not be excluded from the curriculum, but it should be approached in the most general and most formal way. This results in the paradox of a moral education that is morally neutral. Although this approach is interesting (it is present in authors such as Rawls and Habermas), it is not completely convincing.

Pedagogical reflections show that the separation of the content and form of morality tend to be problematic. We should ask with Eamonn Callan (1985) whether the development of moral reasoning as proposed by the "formalist" rationalists is truly an antidote against indoctrination, and is fully equivalent to the essence of moral education. Concern for others and taking into account the interests of all the members of the human community do not have the same rational necessity as the acceptance of the rules of scientific development. To be reasonable is impossible if we reject logic; nor can we be reasonable if we reject morality, or more precisely, if we do not heed it.

The question therefore lies in finding out how we can conceive of a moral education for schools that would not involve inculcating an arbitrary morality and culture. This begs the questions as to whether it is possible to establish a morality, or moral education based on reason alone. In different ways, some of the authors we have mentioned (at least the most important ones, that is, Durkheim, Piaget and Kohlberg) share a rational view of moral education. Yet the experience of the dissociation between morality and rational intelligence in our lives cannot be denied.

Obviously, the approaches to moral education are varied. They depend on the way the ethical theory underlying them is understood. Three focuses can be distinguished: adaptation, autonomy, and virtue. Each of these is based on a different set of assumptions, a particular concept and basis of morality, and involves distinct methodologies. We shall now look at the approach based on virtue, to see if it has a more comprehensive view of education.

2. MORAL EDUCATION AND MORAL VIRTUES

Educational improvement can be seen as having two major directions: a) that which takes place in the order of intelligence, and b) that which belongs to the order of the will. These two aspects are closely allied and complementary. Besides they arise out of a holistic concept of education. In fact, character formation is the basis for cultivating the intellect.

2.1. Character education. Interrelations between intellectual and moral education

Parallel to the issue of intellectual formation is that of moral formation. In this second dimension, education is concerned with an ideal of life in the practical order: virtue. This sphere, in which virtue is the object of human dynamism, is developed and unfolds through the education of the will. Through the educational process, children learn to act in accord with a right and proper understanding of life. *Phronesis* (prudence) through practical judgements that determine and specify what is to be done in every situation, directs the desire to act with rectitude.

The proper end of this type of education is the practice of the virtue of prudence, which enables men to justly assess the acts of their will. But this is not to say that intellectual elements are excluded. While, it consists of a state of the will, at the same time it requires knowledge.

The good man fulfils his proper function well (see Aristotle, *Eth. Nic,* I, 7, 1098 a 14-15). He fulfils it well and nobly. These adverbs certainly indicate the moral nature of his way of acting, that is, in the way he fulfils his human nature as a whole. Morality is not a partial aspect of human life, but rather it affects the realisation of its specific function. To be a good man is to be a man who is good. Virtue, then, is the disposition through which human beings become good and fulfil their proper functions.

Intellectual and moral formation are two complementary aspects of education in order to acquire virtue. They contribute to the attainment of the two-fold ideal of life. The good of the intellect can be attained by learning and understanding. This is the consequence of instruction and experience. The good of the will, however, is a consequence of habit. The good of the will is principally intellectual. But as the will is an attribute of man, the good of the will requires the pursuit of secondary ends in the practical order. Among these, we can include the following: leisure that is indispensable condition for *theoria* and one of the ends of political *praxis*; noble actions, like those resulting from the exercise of the moral virtues; and the presence of certain external goods that are indispensable for life, and although they are secondary in nature, they complete our happiness.

We should point out that in education these two ends (intellectual and practical) are not in conflict. They harmoniously complement each other at the *different levels* of human fulfilment. Although Aristotle does not say that a virtuous character is needed in order to carry out theoretical activities, in his analysis of the effects of the moral virtues, he maintains that *phronesis* makes *sophia* (wisdom) possible.

If we bear in mind these two aspects, it is clear that education should include both, so that our students perceive not only what is true, but also what is good. To achieve this, they must achieve harmony between nature, habit and reason.

2.2. Habit

According to Aristotle the second principle –after nature and reason– that is necessary for man to become good, is that of habit, because "for the things we have to learn before we can do, we learn by doing"[5].

The external senses perform their proper acts immediately. For example, in the case of the eyes, we see simply because we look. In the case of habits, however, it is necessary first to learn, and once we have learnt, then we perform what has been learnt, as actions only become habits when they are repeated many times. In human beings, the acquired habit, is the principle of action in the subject, and his/her perfection is the end of this action. In the case of man this action is voluntary, whereas in the case of animals it is involuntary. If we say that the action of a subject is free, it implies that the subject possesses an ability by virtue of which he/she can distinguish good from evil.

In the first place, the word *practice (ethos)* is a word with many meanings. It is sometimes used to mean *custom*. The role assigned to it in education is to reinforce certain human tendencies to move in a particular direction. This involves shaping the individual's innermost forces. This educational exercise or practice is intended to act directly on the *ethos*, predisposing it in one direction or another. The result of this practice is the *habit*. Habit, then, requires practice, and practice then acts on our impulses.

Early in the life of the human being, custom and nature complement each other. "It makes no small difference, then, whether we form habits of one kind or of another from our very youth; it makes a very great difference, or rather all the difference"[6].

Aristotle is the outstanding proponent of what has been an undisputed principle of education:

5. ARISTOTLE, *Eth. Nic.*, II, 1, 1103 a 34-35.
6. *Eth. Nic.*, II, 1, 1103 b 23-25.

a) the shaping force of practice and custom, as the means of inclining impulsive dispositions towards what is good;

b) the enrichment of a natural spontaneity in the human being which when oriented well leads to a possession of a "second nature" which inclines him/her towards what is just.

The child has acquired the virtues when the passions (*pathe*) turn towards the good even before he/she has the use of reason. This is the reason behind the importance given to the role of custom in character education. The virtues are a consequence of custom.

In concrete, a man is virtuous if he acts with virtue: that is, knowing what he is doing and choosing the act for himself as a result of a permanent disposition. Thus knowledge is the first requirement for the good act, as "the intermediate is determined by the dictates of reason", for "the mean states which we say are intermediate between excess and defect, being in accordance with right reason"[7]. But while knowing is not the only thing necessary, as Plato thought, the good act has to be accompanied by knowledge.

The second requirement is choice; that is, the choice of an action for itself, not for some other reason. The third requirement for acting virtuously is that the good act should be the result of a permanent disposition.

In culture and history, the subject of habits is associated to views about freedom. Aristotle uses two meanings of the word habit which he expressed in two different terms: a) *hexis*, in Latin *habitus, habitudo*, essentially refers to possession (*habere*); and b) *ethos*, custom or customs, that refers to everything that is the result of practice. The permanent disposition called *hexis* has its origin either in nature or custom. Custom is a consequence of repetition or the continuity of an action which modifies a person's behaviour and which leads to the creation of a "second nature", that is, a habit as *hexis*. Nature gave us the ability to acquire the virtues, but this ability must be developed by habit.

But not all habits are virtues. For them to be so, they have to be ordered and to conform to certain rules. It is easy to be angry, but "to feel them at the rigth times, with reference to the right objects, towards the right people, with the right aim, and in the right way, is what is both intermediate and best, and this is characteristic of excellence"[8], and this naturally is not easy. Mistakes, then, can be committed in several ways, because what is bad belongs to things that have no limit; but to get something right, there is only one way, as it is

7. *Ibid.*, VI, 1, 1138 b 18-23.
8. *Ibid.*, II, 6, 1106 b 21-24.

"possible to fail in many ways (...), while to succeed is possible only in one way"[9]. We thus come to the subject of practice in education, not as a means of acquiring any habit, but as a means of acquiring the virtues, which are essential for human perfection.

The appetite for the good, which is part of our nature, does not create virtue, but rather the aptitude for the acquisition of virtue. At least in their origins, the passions are not subject to any kind of internal necessity to always tend towards what is morally good. All acts involve pain or pleasure, or both at the same time. If the moral act brings hardship or more sorrow than joy, then the passions may turn towards a moral evil despite their natural inclination to seek the good. This is because they are at the same time inclined to look for what is pleasurable. In such a case, the passions will only follow their moral impulse when moved by an external force which is represented by educational obligation for children and legal obligation for adults.

The educator should encourage the child to perform an act repeatedly. With each repetition, the degree of habituation becomes much more profound, and in the long term it becomes easier to behave virtuously. The gradual reduction in effort in the realisation of subsequent acts increases the pleasure that comes with the performance of the act.

2.3. PLEASURE AND PAIN

"Each of the pleasures is bound up with the activity it completes. For an activity is intensified by its proper pleasure, since each class of things is better judged of and brought to precision by those who engage in the activity with pleasure; e.g. it is those who enjoy geometrical thinking that become geometers and grasp the various propositions better, and similarly, those who are fond of music or of building, and so on, make progress in their proper function by enjoying it; and the pleasures intensify the activities, and what intensifies a thing is proper to it, but things differents in kind have properties different in kind"[10].

In all cases, the most perfect act is at the same time the most pleasurable one. When a tendency to perform a particular act has been repeated to such an extent that the act itself has been perfected and there is ease in every performance of the act, then the tendency acquires a certain irresistible attraction that

9. *Eth. Nic.*, II, 6, 1106 b; 29-31; II, 5, 1106 a 1-6, 1106 a 35.
10. Ibid., X, 5 1175 a 30-1175 b 2.

inclines it to the act itself. Hence, the need for the initial external help can then disappear.

If, besides, the object of the habit is an act which is in accord with right reason, then this act is also pleasurable and perfect. The habit can thus bring together rationality, morality, perfection and pleasure in the same action. What is morally evil thus appears to be repugnant: it is considered contrary to reason, difficult to perform and causes suffering. Our faculties veer away from it. In the virtues there is an acquired disposition through an active, spontaneous movement, that leads human beings towards what is good and directs them away from what is contrary to it. A disposition of this kind is a virtue. The moral virtues are acquired by habit, in Aristotelian sense. "Neither by nature, then, nor contrary to nature do excellence arise in us; rather we are adapted by nature to receive them, and are perfect by habit"[11].

We must stress the role of pleasure in the formation of moral virtues. Morality is a source of enjoyment, of pleasant feelings. It leads to happiness. Happiness excludes suffering and involves pleasure. Education relies on this harmony between virtue and pleasure. For if suffering and goodness were inextricably linked, we would never be able to acquire any moral habit, as our nature inclines naturally to flee from suffering and to seek what we can enjoy.

"For moral excellence is concerned with pleasures and pains; it is on account of pleasure that we do bad things, and on account of pain we abstain from noble ones. Hence we ought to have been brought up in a particular way from our very youth, as Plato says, so as both to delight in and to be pained by the things that we ought; for this is the right education"[12].

Education consists, therefore, in making pleasure serve what is good. The attraction of pleasure leads us to what is good when the two are united in the same action. The habit which forges this union is a moral virtue. Consequently, the promotion of moral virtue requires awakening habits in children which are in essence agreeable, and which are good in their object. Practising moral virtue is simply allowing oneself to be gently carried along by a good habit.

It is undeniable that we "order our actions, some more than others, in terms of pleasure and pain", that is, the experience of pain or pleasure is very important for our actions. Being able to distinguish the pleasure in doing what is good and the pain in doing what is bad is not the only way to attaining goodness. But a correct perception of these is fundamental. Virtue consists in

11. *Eth. Nic.*, II, 1, 1103 a 23-26.
12. *Ibid.*, II, 3, 1104 b 9-13.

knowing how to behave well, and this requires knowing how to distinguish what is good from that which is not.

This is why Aristotle states that "the soul of the student must first have been cultivated by means of habits" and goes on to use a graphic metaphor: the pupil's soul must be "like earth which is to nourish the seed. For he who lives as passion directs will not hear argument that dissuades him, nor understand it if he does"[13]. It is clear then that there has to be a basic foundation consisting of certain habits, without which man cannot be ruled by reason.

As regards the question whether education has to begin with reason or with habits, the answer is that the two aspects should be completely harmonious. But then an education through reason will only be fruitful if certain habits have been acquired. That is why Aristotle says that reasoning and intelligence only develop in children as they grow older. Hence, first it is most important to take care of the body and then educate the child's desires. The soul is prior to the body, and the intelligence to the desires, but this order is ontological, not chronological. Nonetheless, the education of children has to start with the acquisition of habits, even though the true principle, the one which really moves the child towards the good, is that of the intellect.

The education which teaches us to know and to perform what is humanly good cannot be understood as mere instruction, or as a process of learning practical techniques and intellectual strategies. Education is the process of forming habits which help guide the individual's subjective tendency towards what is objectively important, so that he or she can derive subjective pleasure from what is objectively most agreeable.

With respect to what we ought to do, the risk lies not in error but in blindness: in not seeing at all. Virtue reappears as the good habit of the will given its tendency towards the good. The unjust man regards as good something that is not objectively so. This keeps him blind to what is genuinely good. Because his tendencies are not accustomed to pursuing the good, he does not know goodness at all, because the things that appear to him in this guise are illusory.

From experience, considering both individual life and collective life, the human being sets for himself/herself goals that interest him/her and that give him/her pleasure. Hence, the question does not lie in lack of interest or pleasure, but in being interested and experiencing pleasure in the right things. The aim is to feel pleasure in what is genuinely pleasurable, by means of the proper education of the tendencies. In fact, the unjust man has weakened his capacity for good. He therefore thinks that something is good when in fact it is not. The

13. *Eth. Nic.*, X, 9, 1179 b 23-29.

virtuous man, on the other hand, has grown strong through his habits, and is sensitive to what is good. He pursues the truth, which he can sense to be the most agreeable thing, and take pleasure of what is best and most noble.

We can see from this that sadness and joy have to be managed with care. Their presence or absence in both acts and habits is an obvious sign of the possession or non-possession of virtue. But virtues and vices should not be confused with feelings. Virtues are objects of choice and deserve to be praised or censured. This is not the case with feelings.

This is why Aristotle recommends games and fairy tales for children, as long as both sources of fun are supervised. He was sensitive to the importance and the quality of children's small pleasures. Concretely, he values the pleasure that the child experiences when he follows his natural tendency to imitate. He describes the joy that this activity produces, as well as that which accompanies the recognition of people from their picture, and that of music. A further source of happiness in learning is that which is derived from novel experiences. Making progress in one's studies also produces happiness, increases one's interest and encourages one to study further.

To end, we can say that there were two things which the Greeks appreciated very much and which can serve as guidelines for us: the educational value of poetry, and the ethical influence of literary works that reflect the political and religious principles of a people's life.

ABSTRACT

¿EN QUÉ CONSISTE LA EDUCACIÓN DEL CARÁCTER O EDUCACIÓN MORAL?

En estos últimos años la educación moral, tanto en las escuelas como fuera de ellas, ha sido objeto de creciente atención pública y política. Al mismo tiempo se ha extendido cierta insatisfacción respecto a los enfoques que se habían adoptado anteriormente. Así se ha convertido en tarea urgente replantear cuestiones implicadas en el diseño de programas educativos para facilitar el desarrollo moral en los niños y adolescentes.

En este artículo se ofrece un doble enfoque, histórico y temático, para conseguir una clarificación de esta situación actual y que sirva de base para puestas en práctica futuras.

En la primera parte –enfocando la cuestión– surgen aportaciones como las de Durkheim, Piaget, Kohlberg, Dewey, el enfoque centrado en los valores con distintas variantes, la educación del carácter y aproximaciones anglosajonas a la filosofía de la educación moral.

En la segunda parte se elige una aproximación temática tratando de esbozar qué es eso que llamamos educación moral desde la perspectiva de la formación de hábitos. Se tratan cuestiones tales como la interrelación de la formación intelectual y moral, el hábito y la virtud, el lugar del placer y el dolor en la educación moral.

KEY WORDS

Moral education, character education, ethics, virtue

DIRECCIÓN DE LA AUTORA

Concepción NAVAL DURÁN
Departamento de Educación
Universidad de Navarra
31080 Pamplona (España)
Tel. 00 34 (9) 48 42 56 00
E-mail: cnaval@unav.es

LAS COMPETENCIAS BÁSICAS EN LA FORMACIÓN MORAL Y CÍVICA

Petra Mª PÉREZ ALONSO-GETA
Universidad de Valencia

1. INTRODUCCIÓN

En la llamada sociedad civil, propia de los países avanzados, la formación de los ciudadanos se dirige, en general, a potenciar en el sujeto una moral de autonomía de contenido universal. Fieles a la Ilustración, se entiende que para la formación del ser humano basta con promover en el individuo el desarrollo autónomo de la razón y atender a sus dictados.

Sin entrar aquí en las limitaciones que esta concepción ética pueda tener como fundamentante de la moral, la educación cívica tal como nosotros la entendemos se debe dirigir a que el sujeto no sólo sea capaz de un razonamiento moral con criterios universales, sino que además se comporte moralmente.

Si nos centramos en el terreno de la acción moral, entendemos que ésta se ve influenciada en gran medida por el grado de autonomía personal y los valores de los sujetos, pero también por el grado de *competencia emocional y social* que éstos poseen. Porque sentimientos y emociones están presentes en nuestro comportamiento como seres racionales. De hecho, la capacidad de comprender los sentimientos de los demás (empatía), el dominio de uno mismo (autocontrol) o la autoestima, etc., pilares todos ellos básicos de la *competencia emocional,* influyen en la acción racional de los individuos y a veces la orientan.

Entre los múltiples sentidos del vocablo *competencia*, desde nuestra perspectiva, nos inclinamos por el de capacidad y destreza, y por el de aptitud e idoneidad. Así, el Diccionario de la Real Academia Española, sobre el adjetivo '*competente*', dice: "dícese de la persona a quien compete o incumbe alguna cosa, buen conocedor de una técnica, de una disciplina, de un arte". En el campo educativo, *las competencias aluden a valores, a aptitud y destreza en valores, si por valor entendemos una cualidad real o ideal, deseada o deseable por su bondad, cuya fuerza estimativa orienta la vida humana*.

Para J. F. Perret, poseer una competencia "consiste en saber cómo movilizar el conocimiento y la experiencia adquirida en una situación dada" (1996, 1). Se hace referencia nuevamente a la acción. La competencia se puede ver como un resultado, pero también como un proceso de adquisición dinámica. Desde esta perspectiva, habría que plantearse: ¿qué competencias debe desarrollar la educación si queremos que los ciudadanos intervengan y actúen adecuadamente en la sociedad civil? Tal y como nosotros lo entendemos, los "aprendices de ciudadanos", junto al pensamiento racional por el que el individuo construye su deseo de entender (y saber), han de aprender progresivamente la competencia emocional y social y valores como la autonomía, la tolerancia, la justicia, la solidaridad, etc., que en definitiva, hagan posibles comportamientos éticos y sociales competentes.

En un sentido amplio, el término competencia social se refiere a conseguir una *adaptación social saludable*. Es un elemento clave del desarrollo humano que incluye la capacidad de autocontrol, a la vez que conlleva un juicio valorativo (personal y social) de la adecuación de dicha conducta, siempre en referencia al contexto sociocultural en que ésta se desarrolla. Así, la consideración de una conducta como socialmente competente depende de variables tanto sociales como individuales.

En educación la noción de *competencia social* acentúa sobre todo la capacidad de adaptación a los diferentes contextos, así como la posibilidad de establecer relaciones recíprocas satisfactorias con los demás.

La competencia social, por ello, incluye dos aspectos básicos: un aspecto interno, que hace referencia a procesos cognitivos y socio-emocionales, donde se incluye la adopción de la perspectiva social, la empatía, la capacidad de autorregulación, etc. Y un aspecto externo, directamente vinculado a las habilidades sociales, que incluye la valoración y apoyo por parte de los demás, y la aceptación o, en su defecto, el rechazo del grupo social. De ahí que competencia emocional y social aparezcan íntimamente relacionadas.

Estas competencias socio-emocionales básicas hacen referencia en última instancia a los valores ético-morales en una sociedad democrática. También en ella estados emocionales como la ira o la hostilidad se consideran, al igual que en sistemas morales como el cristianismo o el budismo, inadecuados y sancionables, mientras que otros como la compasión, el autodominio etc., de claro contenido emocional, se consideran virtuosos.

Aunque la investigación respecto de las emociones está todavía en sus inicios, a la luz del conocimiento actual sabemos que el poder de éstas es extraordinario y que no es posible separarlas de la comprensión de la naturaleza humana. Cada emoción nos predispone de un modo diferente a la acción, y nuestras decisiones y acciones dependen tanto de nuestros sentimientos como de nuestros pensamientos más racionales.

Por ello, si queremos mejorar en la acción moral de los ciudadanos, hemos de conocer los supuestos básicos de la competencia emocional y atender educativamente esta dimensión tan significativa del ser humano.

2. LAS APORTACIONES DE LA ANTROPOLOGÍA SOCIO-CULTURAL

El entorno en el que la especie humana ha vivido la mayor parte de su historia, y en el que viven hoy todavía en la sociedad tribal muchos grupos humanos, es un entorno muy cercano a la naturaleza, en el que todos sus miembros se conocían entre sí, solían vivir de la caza, la recolección o el pastoreo con una tecnología rudimentaria. Un entorno en el que el tamaño de los grupos se relaciona directamente con la subsistencia, según la capacidad de carga del territorio. Las divisiones de los grupos siguiendo los lazos de parentesco y ayuda se solía llevar a cabo cuando el grupo alcanzaba entre los 300 y 600 miembros. Estos subgrupos poco a poco acaban por diferenciarse y pasan a formar dialectos y nuevas formas culturales (Erikson, 1966). En estos grupos se fijan los estándares de comportamiento en cuanto a conceptos éticos, valores y normas, contando con preadaptaciones filogenéticas que refuerzan la solidaridad de la familia y la identificación con el papel de las personas del mismo sexo y del grupo. Esta identificación con el grupo se facilita culturalmente por las creencias y símbolos compartidos y desempeñan un importante papel en la solidaridad y defensa del grupo (Eibl-Eisbesfeld, 1999).

En este contexto, la posibilidad y disposición humana para el aprendizaje de la *identificación* resultaba tremendamente adaptativa, potenciada por la ventaja que suponía el sentimiento de grupo frente a los 'otros', con el consiguiente fortalecimiento del sentimiento de unión, la creación de imágenes de 'enemigos', y el fomento de la lealtad entre los individuos. Se comprende la importancia del grupo, ya que ante la fuerte competencia intergrupal, un individuo tenía pocas posibilidades de sobrevivir fuera de un grupo. En la misma línea, la identificación con la familia aparece muy pronto en el vínculo de apego, y en la adolescencia y pubertad, con los valores del grupo mediante los ritos de iniciación.

Además de la *identificación* con la familia y el grupo, los individuos se vinculan también al territorio, a la tierra. De ahí la añoranza cuando se pasa mucho tiempo lejos. Esta identificación con el grupo y el amor a la tierra se produce por los mismos mecanismos de aprendizaje cultural en las sociedades tribales y en nuestra cultura occidental (Eibl-Eisbesfeld, 1998).

El relato de las hazañas del héroe o el fundador de la estirpe sirve en este proceso de adquisición-transmisión cultural de valores y de los sentimientos de obligación y lealtad al grupo. En definitiva son los valores y normas necesarios para la vida social. Los valores del héroe contemplan en realidad un *ideal*, un ser humano perfecto, al que se han de acercar las normas y modos de conducta sociales. El *eidos* y el *ethos* forman un todo cultural.

Se trata, en realidad, de una postura *ética perfeccionista*, desde la que se asume, que existe una base para juzgar los deseos y acciones humanas. Se presenta a los individuos, sobre todo a los más jóvenes, un camino, una imagen de lo que pueden y deben llegar a ser cuando alcancen la perfección, en la que están presentes fuertes sentimientos motivacionales, de identificación, etc. En estos grupos humanos la formación consiste en ayudar a la gente a identificar el modelo de la perfección y motivar por múltiples medios que se dirijan hacia él. El liderazgo es muy importante en este contexto, en el que ejerce funciones de integración cultural.

Contrariamente, en las sociedades avanzadas las formas culturales no se identifican necesariamente con esta ética de sentido perfeccionista. En tales culturas de contenido más racionalista y autónomo se precisan pautas que sirvan a todos y determinen en los individuos, finalmente, comportamientos moralmente competentes,

La cultura humana es una de las dos maneras en que se transmiten de una generación a otra las 'instrucciones' sobre cómo deben crecer los seres humanos. La otra manera es el genoma humano. La cultura proporciona al hombre modos de desarrollo sobre la base de la herencia genética, "es un comportamiento aprendido". Este comportamiento aprendido es la parte más significativa de su comportamiento total, ya que hasta sus instintos quedan controlados, satisfechos y regulados según los significados, las normas y hábitos sociales. Es el gran moldeador del sujeto mediante unos mecanismos de transmisión-adquisición que se ponen en funcionamiento cuando el individuo nace, por medio de otros individuos que cuidarán de él y que van a determinar que, incluso cuando pueda valerse por sí mismo, no pueda prescindir totalmente de ellos, ni del medio social donde se ha desarrollado. Lo característico de su comportamiento social se adquiere porque las crías humanas imitan a sus padres gracias a la enorme flexibilidad del complejo cerebro humano y de la base potencialmente cultural y no genética de los comportamientos adaptativos, aspectos que dejan de lado cualquier extrapolación zoocéntrica de corte sociobiológico (Gould, 1984, 261).

Los factores genéticos innatos que configuran comportamientos humanos como la compasión, el altruismo o la agresión, tan cercanos a la competencia o la incompetencia emocional, son el producto de un largo proceso condicionado por las experiencias familiares, las normas sociales y los patrones culturales. Se aprende a ser agresivo de la misma forma que se aprende a inhibir la agresión y a ser compasivo, porque ambos comportamientos son biológicamente posibles. Es más, por los estudios transculturales realizados parece que el abanico de emociones básicas (felicidad, tristeza, dolor, sorpresa) que expresan los niños durante el primer año de vida se puede encontrar en todas las culturas. Todos los niños parecen nacer con capacidad de producir las expresiones faciales correspondientes a esas emociones. Sin embargo, las situaciones que las provocan pueden variar culturalmente. Una vez más se pone de manifiesto que genética y ambiente conforman el comportamiento humano. Esta capacidad emocional de los niños desempeña un papel muy importante a la hora de interaccionar con las personas que les rodean. De hecho, los niños aprenden a distinguir las diferentes expresiones emocionales al verlas reflejadas en la cara o la voz de los demás. Esta posibilidad constituye una importante capacidad que les va a permitir orientarse en el mundo, gracias a la información que reciben de los adultos y del entorno que les rodea. Las tendencias altruistas de los niños (conductas de consuelo, etc.) parecen estar en consonancia con el ambiente en el hogar en que se crían. El comportamiento y actitud de los padres y cuidadores son modelos que influyen de forma decisiva. La base de la personalidad del adulto se estructura también a partir de las relaciones de afecto y de la satisfacción de las necesidades básicas en los primeros años de la infancia, que se ponen en marcha dentro de su entorno sociocultural.

Las emociones y los sentimientos básicos como la agresividad, la compasión, el miedo, la ira, la ansiedad, forman parte del equipamiento emocional básico, biológicamente están presentes en nuestra naturaleza. Sin embargo, es la cultura la que suministra el vínculo entre lo que los hombres tienen posibilidad de llegar a ser en el campo emocional social o moral y lo que realmente llegan a ser como miembros de ese grupo cultural. En el seno de una determinada cultura se aprende a manifestar o controlar sentimientos y emociones de acuerdo con los significados, valores y pautas culturales del grupo. Nuestro equipamiento biológico nos permitirá vivir una serie de vidas afectivas, sociales y morales posibles, pero nacemos en una cultura y acabamos viviendo una sola vida cultural. Sin embargo, ser humano es ser algo más que sentir y actuar como miembro de un grupo cultural; hay diferentes modos 'individuales' de sentir y ser de ese grupo (edad, *status*, género, etc.). Este proceso de individualización personal se desarrolla por medio de la educación. Gracias a la educación se lleva a cabo la modulación cultural de lo biológico. El ambiente modula la *competencia o incompetencia emocional* y *socio-moral, la violencia, la agresión o la compasión.*

3. EMOCIÓN Y CULTURA

El antropólogo A. Montagu, después de estudiar la agresividad en distintas culturas, afirma en su libro sobre *La naturaleza de la agresividad humana* (1983), que nadie que haya sido suficientemente amado se ha convertido en asesino. Con este planteamiento, tal vez se pretende poner de manifiesto la importancia que para la adquisición de pautas de comportamiento agresivo tiene el medio donde se ha desarrollado el individuo.

El bebé está dotado de grandes posibilidades, las cuales activa en contacto y dependencia con los tipos específicos de intervención sociocultural a que se ve expuesto. En medios sociales donde se fomenta la amistad y cooperación, como es el caso de los Tasaday de Mindanao, los Ifaluks del Pacífico o los Pigmeos del bosque Ituri, la conducta agresiva es rechazada y se encuentra básicamente bajo control. Es una conducta tan rara que, cuando aparece, se considera como un signo de anormalidad y es reprimida (Montagu, 1983). Se puede decir que las potencialidades genéticas –que comparten con el resto de la humanidad– no han recibido los estímulos necesarios para el desarrollo de la conducta agresiva. Las sanciones sociales formales e informales contra la práctica de esa conducta han sido tan fuertes que han aprendido a no ser agresivos. De igual forma, la conducta agresiva se potencia y aparece con fuerza en otros grupos humanos (Montagu, 1983).

Los chewong son un grupo aborigen de cazadores recolectores nómadas de la península de Malasia. Tienen un marcado control emocional. Poseen una serie de reglas explícitas en relación con la expresión de las emociones que, según describe la antropóloga Howel (1981), les lleva a no manifestar ningún tipo de emoción, ni cuando consiguen cazar, ni ante las desgracias, ni ante importantes sucesos de la vida como los nacimientos, el matrimonio o la muerte. En este mismo orden de cosas, los indios norteamericanos reprimen su emoción y no lloran ante la pérdida de un ser querido, no porque no puedan, sino porque han aprendido a controlarse e inhibirse. Se podrían aportar otros muchos ejemplos. Lo determinante, en nuestro caso, es que el hombre tiene unas posibilidades biológicas que, sin la estimulación adicional y apropiada de esas disposiciones en su cultura, sin su organización social con arreglo a ciertos modos de conducta culturales y sin un mundo humano, no se manifestarán.

3.1. SOCIEDADES COMPLEJAS Y ENTORNO SOCIOEMOCIONAL

El ambiente de nuestras ciudades en las llamadas sociedades avanzadas es muy diferente del entorno en el que los humanos evolucionaron durante la mayor parte de la historia. El carácter novedoso de este entorno tiene muchas ventajas pero también es causa de numerosos problemas sociales.

La mayoría de los gobiernos de las llamadas sociedades avanzadas siguen los planteamientos éticos del racionalismo al considerar las normas que han de guiar la sociedad. Son normas universales estrictas definidas por la razón con carácter universal (imperativo categórico kantiano). La razón muestra que no se debe matar, maltratar o agredir a otro. Por ello el racionalismo dirige la ley y el pensamiento al respeto de los derechos humanos básicos, que se asientan sobre las condiciones mínimas para una *vida digna*. Esta idea de *vida digna* enlaza directamente con la idea de los derechos de los ciudadanos. Concepto que desde el racionalismo tiende a establecer en la sociedad civil una situación social en la que se trate a todas las personas desde las directrices universales que sólo la razón puede dar.

Muchos seres humanos viven hoy en ambientes urbanos. Sociedades anónimas formadas por miles o millones de personas gracias a la civilización técnica, que permitió que los grupos y su subsistencia no dependieran de la carga del territorio. Pero frente a los indudables avances de la ciencia y la tecnología que nos facilitan la vida, el trabajo, la salud, etc., la sociedad de masas, la superpoblación, el deterioro medioambiental etc., causan numerosos problemas y tenemos que aceptar que algunos contextos no son los más adecuados para el desarrollo humano, ni para que se lleven a cabo los procesos de socialización y de identificación con el grupo, la adquisición de valores y el seguimiento de la norma moral.

Ante la auténtica crueldad que demuestran algunos adolescentes e incluso niños, cabe preguntarse, *¿qué es lo que ha ido mal en el desarrollo de quienes* *actúan con violencia?* El problema es muy complejo, sobre todo si entendemos que las causas sociales pueden hacer posibles o casi se diría que inevitables los comportamientos humanos.

En este sentido, aparece un dato que configura un contexto, un hábitat, que significativamente parece alejarse de las pautas más favorables de la crianza (Pérez Alonso-Geta, 1996). No podemos establecer aquí el significado total de tal hábitat. Sólo apuntaremos que se trata de poblaciones que, frecuentemente, han tenido un crecimiento muy rápido y descontrolado con una fuerte movilidad y en las que, consecuentemente, los niveles de equipamiento, en todos los órdenes, suelen presentar grandes deficiencias. Además, debido a que la población vive alejada de su lugar de origen, se observa una menor dependencia y arraigo con respecto a los mayores, abuelos, suegros, etc.

También, en este intervalo de hábitat, en mayores porcentajes, los padres dicen que los niños "les hacen perder los nervios e incluso ser agresivos", y parecen importarles mucho menos los contenidos, "los modelos y valores" que reciben los niños a través de la televisión. Son, además, los que, en mayor proporción, sitúan el abuso sexual como uno de los tres problemas más importantes que aquejan a la infancia. Asimismo dicen contar en menor medida con la ayuda de los mayores (abuelos, suegros) en la crianza de los niños, lo que puede conllevar un mayor desarraigo familiar.

En este hábitat, la mayor permisividad ante los contenidos de la televisión, se asocia con ambientes más proclives al nerviosismo y a la agresividad. El hecho no deja de ser preocupante. Desde una perspectiva ecológica, el niño o el adolescente que pasa gran parte de su tiempo libre frente al televisor, se encuentra integrado simultáneamente en varios contextos y sistemas (micro, macro, etc.), que le conforman y de los que participa, porque en ellos desarrolla su vida (familia, escuela, grupo de iguales, asociaciones, etc.). Estos contextos y grupos sociales le imponen actitudes, valores y normas, toda una serie de signos y símbolos que le identifican como perteneciente y representante de los grupos en cuestión. No en vano la mayor parte del comportamiento humano, según las pruebas experimentales, se define como un comportamiento aprendido en un determinado contexto social. Por otro lado, entendemos que el sujeto que recibe masivamente las imágenes de la televisión, las, procesa y valora los modelos ofertados en relación con la eficacia que para él manifiestan las conductas observadas, combinando creencias y vivencias individuales con las interpersonales y grupales. La diferente forma en que se viven la violencia y la agresividad en el entorno inmediato influye poderosamente en cómo los niños procesan la violencia televisiva. Ello es especialmente determinante en ambientes de desarraigo familiar.

El desarraigo con el entorno natural es gravísimo para el desarrollo del individuo, porque lleva al sujeto a alejarse de la realidad natural y cultural. No se implica social ni afectivamente, y tiende a la inadaptación y la exclusión.

Sin embargo, no todos los que se ven expuestos siguen los modelos agresivos y violentos que se ofrecen sobre todo a través de la televisión; depende de la cercanía y de la posibilidad de poner en marcha las acciones que allí se representan. No obstante, es importante señalar que a medida que se ven expuestos a modelos agresivos sube el umbral de la tolerancia a éstos. Las imágenes conmueven menos al individuo y acaban por no producir compasión. A partir de aquí la norma de principios (no matarás) se puede convertir en una norma convencional.

Respecto a la distinción entre normas 'convencionales' y 'morales', la investigación posterior de la teoría de Piaget ha puesto de manifiesto que los niños juzgan más severamente la ruptura de las reglas morales que la trasgresión de las convenciones sociales. J. Kagan, por su parte, sugiere que la distinción entre normas convencionales y 'de principios' o 'normas morales' se relaciona con factores afectivos. Sólo la norma de principios se halla ligada a una fuerte emoción (cuando se infringe, surge el sentimiento de culpa). Cuando desaparece la reacción afectiva de un individuo a la violación de una norma de principio, ésta va perdiendo su carácter. Se hace más convencional. En este sentido, los niños de cinco años ya comprenden que las reglas sobre el vestir, por ejemplo, son convencionales, y que pegar y hacer daño a otro es una norma de principios, y es malo infringirla.

De acuerdo con esto, cabría pensar que la exposición a que los niños se ven sometidos al vivir en contextos violentos o a través de la televisión, tiene consecuencias directas en el establecimiento de la norma. La exposición a modelos violentos adormece las relaciones emotivas de los niños, pues sube el umbral de tolerancia de la violencia y dejan de sentir aversión o conmoción por los actos agresivos. En consecuencia, la norma moral "no hacer daño" se irá haciendo más convencional, lo cual significará una mayor socialización en los modelos agresivos y desde la perspectiva que asumimos modelos morales inapropiados para el desarrollo del individuo y de la sociedad.

La imitación y seguimiento de los modelos a los que se ve expuesto, dejando a un lado la variable 'tiempo de exposición', tendrá que ver con las valoraciones que en los distintos grupos de pertenencia se haga de esas conductas y con la proximidad y eficacia que la actuación conforme al modelo conlleve.

Los niños y niñas se enfrentan con modelos que tienen una significación en su cultura, en la que padres, escuela, grupo de iguales, televisión, etc. son conjuntamente agentes transmisores. Tienen que enfrentarse con procesos de construcción de su propia identidad personal, de la que ellos mismos son agentes, contando con la información de su contexto social (Pérez Alonso-Geta, 1996).

No hay duda de que la pérdida de valores, la privación social y afectiva en el contexto familiar, la influencia de modelos violentos a través de la televisión y otros ámbitos de socialización, suponen una carga para el desarrollo del individuo, generan miedo al fracaso, frustración, soledad y baja autoestima, decepción, rabia y agresividad, componentes básicos, todos ellos, del *comportamiento violento*. Pero esto no significa que los afectados se conviertan, sin más, en agresivos y violentos. Aquellos que han aprendido a manejar las frustraciones, a tener compasión y, en definitiva, a ser competentes emocionalmente, no utilizarán la violencia para desenvolverse, ni siquiera cuando experimenten grandes fracasos o agresiones.

En nuestra cultura europea está demasiado presente, todavía, la idea del filósofo Hobbes de que 'el hombre es un lobo para el hombre', que hace referencia al componente innato del comportamiento violento. Sin embargo, se debe tener en cuenta la libertad humana, así como que las pruebas de las investigaciones muestran, cada vez con más contundencia, que el comportamiento humano es un reflejo de lo que le acontece y no una consecuencia de sus impulsos innatos. El comportamiento violento y agresivo, la incompetencia emocional, también se aprenden. Cuando en un grupo humano se ridiculiza y reprime la conducta agresiva, ésta acaba por desaparecer, de igual forma que cuando constituye una forma eficaz de manejar la situación se potencia y es cada vez más frecuente. El ser humano, contando con unas potencialidades de ser agresivo, amar o hablar, se desarrolla en contacto con el grupo social en que vive, y en virtud de los modelos y las condiciones de vida a que se ve expuesto organiza su conducta.

En contextos no agresivos el niño, desde muy pequeño, aprende que es más eficaz expresar lo que quiere a través del lenguaje que mediante la agresión; desde ese momento habla y no recurre a la agresión. La agresión continua es, en la mayoría de los casos, una respuesta a la experiencia de rechazo, frustración o agresión que proporciona al individuo un medio hostil. Experiencias pasadas, junto a modelos sociales, enseñan a los niños que la violencia y la agresión constituyen medios eficaces de manejar la situación. Se ha comprobado que los padres de niños agresivos suelen utilizar un estilo familiar coercitivo, una disciplina de afirmación de poder, con castigos físicos y ausencia de explicaciones verbales y razonamientos. Para los teóricos del aprendizaje social, estos datos indican que los padres sirven de modelo de conductas agresivas para sus hijos, los cuales imitan lo que ven. Estas familias se suelen caracterizar por adoptar en su conducta la censura, la riña y la amenaza. Sus relaciones son poco amistosas y cooperativas y altamente hostiles y negativas. Los niños, a su vez, suelen desobedecer, importunar y molestar a los padres. Se frustran unos a otros y los hermanos regañan y riñen entre sí. De esta forma, tanto padres como niños terminan utilizando la agresión para controlarse mutuamente y para intentar conseguir lo que quieren. Los niños que aprenden esta forma de interacción en casa y no tienen otras posibilidades de aprender conductas y habilidades más positivas, transfieren y muestran esa agresividad en otras situaciones y, con frecuencia, acaban manteniendo formas graves de conducta antisocial.

Los padres y cuidadores en los entornos donde no se fomenta la competencia emocional, según la investigación actual, suelen tener creencias *sesgadas negativas* acerca de las características de sus hijos, tienden a verlos menos inteligentes, más problemáticos, agresivos y desobedientes. *Comprenden mal* las necesidades afectivas y motivaciones de los niños, reconocen mal sus expresiones emocionales; responsabilizan más a los niños por su conducta negativa y a menudo les atribuyen intenciones de comportarse negativamente. Tienen una mala *comunicación* y escasa cohesión grupal. Asimismo, despliegan una menor empatía, no se ponen en lugar de los niños, manifiestan poca compasión y en términos generales les conmueve poco el llanto infantil. Estos comportamientos familiares tienen consecuencias profundas en el comportamiento de los niños (Pérez Alonso-Geta y Cánovas Leonhardt, 1996). Asimismo, los niños son frecuentemente humillados, ridicularizados y tratados con frialdad, lo que les lleva a crecer en la exclusión y la inseguridad afectiva y personal (Pérez Alonso-Geta y Cánovas Leonhardt, 1996).

La cría humana se caracteriza por la inmadurez con la que nace, ha de aprender unos modos de conducta que le permitan la adaptación al medio. Los niños necesitan aprender a expresarse en los términos agresivos o afectivos del contexto, aprenden a sobrevivir en ese medio, a tener un lugar y a que se les considere como integrantes del grupo. Aprenden también si la acción violenta tiene ventajas y es eficaz para manejar la situación. Así, por imitación, tienden a resolver los conflictos por medio de la violencia, ya que no disponen de *modelos de comportamiento constructivo para poder manejar su indignación*. Sus propias experiencias les confirman que con la violencia se alcanza el objetivo. Los acontecimientos frustrantes desencadenan en ellos la necesidad de pegar o golpear a otros más indefensos, porque no han aprendido a superar la frustración. Los individuos que en la infancia no han experimentado amor y protección suelen tener problemas de autoestima. Su confianza en sí mismos y en los demás es escasa, lo que les impide, además de enfrentarse a la vida con valor, establecer lazos afectivos estables.

Consolar a otro cuando está triste es algo frecuente en la mayor parte de los niños alrededor de los 14 meses, de igual forma que los niños agresivos suelen percibir su entorno como hostil (sienten que les tienen manía) y justifican la violencia 'como forma de solucionar los problemas'.

Los niños que utilizan la violencia no se preocupan de sentimientos ajenos ni los reconocen, no se ponen en el lugar de los demás. Los niños empiezan, muy pronto y de forma deliberada, a consolar a los demás, a la vez que a causar daño y molestar a otros niños y adultos. Esto indica que empiezan a identificar las condiciones o acciones que desencadenan o evitan un estado emocional en otra persona. Comienzan a tener cierta comprensión del modo en que la emoción se sitúa y varía en una secuencia causal.

Otra de las características es que son incapaces de controlar sus impulsos y sentimientos, retrasar la gratificación o superar la frustración que antes o después llega en la vida (Pérez Alonso-Geta, 1992).

4. LA COMPETENCIA EMOCIONAL Y SOCIAL, BASE PARA AVANZAR EN EL DESARROLLO DE LA SOCIEDAD CIVIL

Al inicio de la década de los noventa, Salovey, de la Universidad de Yale y Mayer, de New Hampshire, acuñaron por primera vez el término *inteligencia emocional* para referirse a la *inteligencia impersonal* e *intrapersonal*. Sin embargo, fue Goleman, psicólogo de Harvard, quien en su libro *La inteligencia emocional* llamó la atención sobre la importancia del mundo afectivo personal en la vida y el desarrollo de los individuos. *La inteligencia emocional* comprende capacidades básicas como la percepción y canalización de la propia emoción o la comprensión de los sentimientos de los demás. Tiene su propio dinamismo y actúa constantemente sobre nuestro comportamiento y nuestra personalidad. Estas capacidades básicas, que nos permiten tener confianza en nosotros mismos o saber disfrutar de la relación con otras personas, se van formando durante la infancia.

Las potencialidades biológicas, el sistema cultural, la estructura social y el desarrollo afectivo en la crianza y educación resultan ser la fuente primaria de la competencia o incompetencia emocionales del individuo. El contexto emocional donde los niños se desarrollan constituye el primer referente. Un buen ambiente socioafectivo proporciona el repertorio emocional que permite canalizar las emociones de forma que mejore su calidad de vida futura.

El aprendizaje integral no sólo comprende los estilos cognitivos, los valores intelectuales, prosociales, etc., sino que hace referencia también a la emoción, los sentimientos y la acción. La respuesta de la pedagogía a la investigación actual debe tener como objetivo, además de la transmisión de conocimientos, el desarrollo de las competencias emocionales y sociales y el estímulo de la autonomía de la propia responsabilidad y control. Pretendemos, así, acercarnos al conocimiento de las claves del desarrollo emocional y a las pautas de educación que permitan sentar las bases de un buen ajuste afectivo y sociomoral.

4.1. Claves de la competencia emocional

La palabra 'emoción', del latín *emotio*, se define en el diccionario de la Real Academia Española como "estado de ánimo producido por impresiones de los sentidos, ideas o recuerdos que con frecuencia se traduce en gestos, actitudes u otras formas de expresión". Para Goleman (1996), el término emoción se refiere a un sentimiento y a los pensamientos, los estados biológicos, psicológicos y el tipo de tendencias a la acción que lo caracterizan. Existen numerosas emociones, a la vez que múltiples matices y variaciones entre ellas. P. Ekman, de la Universidad de California, tras un estudio transcultural describe las emociones en términos de grandes familias o dimensiones básicas reconocidas por todas las culturas y representativas de los infinitos matices de la vida emocional (ira, miedo, afecto, etc.).

4.2. La imaginación emocional

La capacidad imaginativa desempeña un papel fundamental en el desarrollo de la compresión de la realidad social en general y de la construcción social de las emociones en particular. Sirve a la comprensión de la complejidad de los sentimientos, la comprensión del engaño o la importancia de las reglas culturales en la manifestación y control de la expresión emocional en un contexto social. La forma en que evoluciona y se desarrolla la imaginación en la vida infantil está influenciada por los acontecimientos sociales, las fuerzas culturales, el contexto concreto en el que viven el niño o la niña y los presupuestos desde los que se les trata en casa y en el centro escolar. Tiene que ver con las respuestas a las experiencias afectivas que van teniendo día a día en la familia y la escuela.

La imaginación emocional se sitúa en ese lugar propio de pensamientos y ensoñaciones donde es posible el reconocimiento de las emociones, los sentimientos y los motivos propios y ajenos. Su desarrollo permite *manejarse* y controlar afectivamente la situación. La imaginación emocional permite adoptar la perspectiva del otro, empezar a comprender sus sentimientos y emociones, así como los motivos y razones de su conducta. Permite también anticipar los propios patrones de acción imaginando los patrones de percepción emocionales. La imaginación y la capacidad de simular permiten concebir las posibles realidades que otras personas sienten. Son la llave que les introduce en los sentimientos, miedos y esperanzas de los demás. La comprensión imaginativa no supone, sin más, una transmisión contagiosa del que es observado al observador. Por el contrario, se genera una emoción 'como si' o simulada. Imaginamos su estado de ánimo, no sólo lo que el otro siente, sino lo que cree y desea. Se puede hasta cierto punto imaginar todas esas sensaciones sin experimentarlas en realidad. La imaginación emocional se ha de potenciar para permitir superar las imágenes restringidas de una imaginación que nunca ha sido nutrida.

4.3. LOS PILARES DE LA INTELIGENCIA EMOCIONAL

La competencia emocional se puede entender como la capacidad que permite a la especie humana solucionar el problema de la vida. La inteligencia emocional se podría explicar desde cuatro pilares o parámetros básicos: la capacidad de entender y comprender emociones y sentimientos propios, la autoestima, la capacidad de gestionar y controlar los impulsos y situaciones afectivas y la capacidad de entender y comprender los sentimientos de los demás.

Tener competencia emocional es algo que requiere entrenamiento y aprendizaje y, como tal, se puede enseñar. Todos hemos oído en la infancia frases como: ¡los niños no lloran!, ¡no te dejes llevar así!, ¡debes superar la frustración!, etc. Sin embargo, llegar a ser competentes emocionalmente requiere una educación que empieza en los primeros años de la vida y va mucho más allá de este tipo de advertencias. Requiere que quienes cuidan de los niños les ayuden a desarrollar las cualidades o pilares básicos de la competencia emocional.

4.3.1. *Capacidad de entender y comprender las propias emociones*

El reconocimiento de las propias emociones es el alfa y el omega de la competencia emocional. Sólo cuando se aprende a percibir las señales emocionales, a categorizarlas y aceptarlas, es posible dirigirlas y canalizarlas adecuadamente sin dejarse arrastrar por ellas. Para Goleman (1996, 85), el conocimiento de uno mismo y de los propios sentimientos es la piedra angular de la inteligencia emocional, la base que permite progresar. La toma de conciencia emocional constituye la habilidad emocional fundamental, el cimiento sobre el que se asientan otras habilidades y otros pilares emocionales. La comprensión, que acompaña a la conciencia de uno mismo, tiene un poderoso efecto sobre los sentimientos negativos intensos y nos proporciona la oportunidad de liberarnos de ellos. Consecuentemente, se tiende a tener una visión positiva de la vida y a percibirse como una persona controlada y autónoma. Por el contrario, las personas atrapadas por sus emociones se ven desbordadas e incapaces de escapar de ellas.

Como es lógico, los niños no pueden disponer, de entrada, ni en mucho tiempo, de tal repertorio de habilidades, pero se pueden ir sentando las bases para su adquisición. La adquisición de la conciencia de 'sí-mismo' se desarrolla continuamente a lo largo de la infancia en relación con otros procesos cognitivos y de socialización, los cuales van a permitir, finalmente, la representación e identificación del 'yo' y de los propios sentimientos y emociones.

Las investigaciones de Bretherton han mostrado que alrededor de los dos años, los niños comienzan a describirse a sí mismos y a los demás como seres que perciben, sienten emociones, tienen deseos y pasan por diversos estados cognitivos (Harris, 1992, 63). El autoconocimiento de los niños va aumentando en la medida que aumenta la conciencia de sí mismos y va más allá de la época infantil, la cual constituye sólo el inicio de un proceso personal. Hacer una apreciación adecuada de las propias emociones es uno de los pilares de la competencia emocional, en la que se asientan otras cualidades emocionales. Sólo quien sabe *qué, cómo* y *por qué siente* puede manejar y controlar inteligentemente sus emociones.

4.3.2. *La autoestima*

Otro de los pilares básicos de la inteligencia emocional es, sin duda, la autoestima, directamente vinculada al autoconcepto y a la comprensión y los sentimientos propios. Sin entrar aquí en cuestiones terminológicas, el autoconcepto se puede entender como el esquema mental que permite definirnos. Es la visión e imagen que el individuo tiene de sí mismo, influye en la conducta y es el mediador entre la persona y el medio. El conocimiento de sí mismo y la consiguiente autoimagen, el autoconcepto, es una estructura fundamental para entender la concepción del mundo del sujeto y una de las principales variables que influyen en las acciones de éste. Interactúa con factores biológicos y fuerzas situacionales externas, y así dirige y guía su conducta. De todos los juicios a los que el individuo se somete, ninguno es tan fundamental como la evaluación de sí-mismo. El resultado de esta evaluación es la *autoestima*. Este concepto modula el presente y el futuro del individuo y es un factor esencial de su vida personal y social. En la autoestima se combinan varios procesos mutuamente relacionados: la evaluación propia y la subsiguiente respuesta afectiva (positiva o negativa) al contenido de la misma.

Para la mayoría de los autores, se pueden distinguir dos dimensiones básicas de la autoestima. La 'autoestima general' se refiere al grado global de aceptación o rechazo que una persona tiene de sí misma como persona. La 'autoestima de competencia' se refiere a los sentimientos que se derivan de su percepción de poder y eficacia en las distintas áreas de actuación (intelectual, física, social, etc.). En la obtención del concepto de sí-mismo no basta con la sola percepción y objetivación del yo; ésta se completa con la consideración de las actitudes de los otros en la actividad social común (Mead, 1934). El sujeto, en un proceso reflexivo y personal, va creando su autoconcepto. Observa cómo los otros son diferentes o similares a él mismo y categoriza después sus propias características. El concepto más primario y dependiente de *self* que construye el sujeto se conoce como el '*self* del espejo'. Con esta metáfora, atribuida a C. H. Cooley (1902), se quiere significar "que nuestros autoconceptos se forman como reflejos de las respuestas que recibimos de los otros". Centra su interés en los grupos de referencia y en los 'otros' como 'los espejos' que reflejan las imágenes del sí mismo. Es importante señalar que el *self* del espejo se desarrolla a partir de las respuestas de los demás, no de la verdadera respuesta, sino de la que el sujeto imagina después de asumir el rol del otro. Esta idea imaginada será real para el individuo con todas sus consecuencias, independientemente de que sea o no exacta. En este sentido, si percibe que los demás le responden negativamente, podrá verse afectada seriamente su autoestima, aun cuando esos "otros" pudieran haber intentado comunicar aceptación.

En general, el desarrollo del autoconcepto a partir de las evaluaciones de los 'otros' es más relevante en los sujetos que tienen mayor dependencia de los demás, sea por *status* social o por inmadurez biológica o psicológica, como es el caso de los niños. Durante los primeros años, las experiencias afectivas con los 'otros' significativos (padres, compañeros, profesores, etc.) son los factores determinantes de la autoestima, con mayor valor de predicción que la propia competencia o eficacia en los distintos dominios o áreas de actuación. La autoestima en esta edad se basa, en gran medida, en la percepción que se tiene de la estimación de los otros. En este sentido, la familia es clave para la formación del autoconcepto en el niño.

Por otra parte, el autoconcepto basado en la acción, en la eficacia, que desarrollan Gecas y Schwalbe (1983), implica ir más allá del '*self* del espejo'. Supone que la clave para la propia percepción no depende básicamente de las percepciones imaginadas de los 'otros', sino de la 'acción' del propio sujeto y de sus consecuencias. El concepto de uno mismo se genera no sólo en función de las valoraciones reflejadas por los otros, sino también de sus acciones y consecuencias. Es un *self* más activo que la imagen ofrecida por la metáfora del espejo de Cooley. Mediante la acción se experimenta el grado de autoeficacia. En la competencia se combinan, de una parte, lo que quisiéramos conseguir y, de otra, la confianza que tenemos en nuestra capacidad para conseguirlo. Este autoconcepto depende de las oportunidades del individuo para participar en la 'acción eficaz' y, en buena medida, de la estructura social en la que se desarrolla; por lo tanto, son muy importantes *los contextos de la acción*, el *significado de la acción* en los mismos, incluso las *consecuencias* no intencionadas de esa acción, pero también, la confianza en uno mismo y la capacidad y motivación para el esfuerzo.

En el autoconcepto podemos considerar tres componentes básicos: el *componente cognitivo,* que comprende imágenes de lo que somos, lo que deseamos ser y lo que manifestamos ser cuando entramos en relación con los demás; el *componente afectivo-evaluativo*, del que se deduce la aceptación o rechazo e indica la medida en que el individuo cree ser capaz, significativo, exitoso y valioso; un niño que se infravalora a sí mismo y no se considera válido en relación a los demás puede estar sentando las bases de la incompetencia emocional; finalmente, el *componente conativo o conductual*, el autoconcepto influye profundamente en la regulación conductual dando significado a la motivación, reacciones afectivas y cognitivas.

Entre los factores más influyentes en la formación de la autoestima podemos señalar: el *éxito o fracaso* en dominios altamente valorados en el individuo (en relación directa con el sistema de creencias personales). La *valoración recibida de los demás*, con especial incidencia de los 'otros'; el profesor se presenta aquí como facilitador de experiencias positivas o negativas en el aula (proceso de enseñanza-aprendizaje y en las relaciones entre iguales). *Comparación so-*

cial, la comparación con los otros se suele utilizar como base para inferir juicios acerca de la propia competencia en distintas áreas. Esto aumenta a partir de los 10-12 años (González y Tourón, 1994, 150). Finalmente, *las atribuciones*, que hacen referencia a los juicios sobre las causas de los resultados de éxito o fracaso en diferentes dominios conductuales. Para contribuir al desarrollo de la autoestima será preciso plantear a los niños metas alcanzables con su esfuerzo, donde puedan desarrollar y poner en acción los propios recursos e intentar, en lo posible, que puedan percibir el fruto de su implicación y esfuerzo.

En resumen, en lo que a nosotros interesa las distintas posiciones teóricas han contribuido a proporcionar una mayor comprensión del fenómeno. El autoconcepto es un aspecto nuclear de la personalidad, mediador de las relaciones del hombre con su entorno. Es una realidad que incluye los pensamientos y sentimientos con respecto al sí-mismo, internamente consistente y relativamente estable, aunque con la posibilidad de estar sujeto a cambios en el tiempo. Actúa como filtro y organizador de la información y determina en cierto modo la conducta del individuo. De acuerdo, por una parte, con *la imagen que la persona tiene de sí misma* y sus relaciones ambientales y, por otra, con *su jerarquía de valores y fines*. Es precisamente con relación a los valores y principios, donde la autoestima se vincula a la competencia o incompetencia social y moral.

Para Rokeach (1973) *los valores significan preferencia con relación a los cursos alternativos de la acción.* Los valores pueden ser terminales e instrumentales. Dentro del sistema de valores de un individuo en la teoría de Rokeach, los valores terminales ocupan un lugar más central que los valores instrumentales. Éstos a su vez se ubican en un lugar más importante que las actitudes. Pero el epicentro de todo este entramado está ocupado por las concepciones o creencias que una persona tiene de sí misma. Lo que Rogers (1959), Cooley (1985) y otros identificaron como el *autoconcepto.*

La jerarquía de valores e intenciones se considera, así, como parte del *autoconcepto,* que a su vez es una parte importante en la representación interna del mundo de cada individuo.En el autoconcepto basado en el '*self* del espejo', la conducta y las actitudes de los demás tienen una importancia fundamental. Estas actitudes y conductas sirven de 'espejo' en el que mediante la propia interpretación el individuo se ve reflejado. El resultado es la asunción de los distintos sistemas de valores planteados por el contexto (padres, profesores, grupo de iguales, etc.) para recibir a través del 'espejo' la aprobación de los demás. Un autoconcepto más autónomo se consigue cuando el individuo es capaz de estructurar su autoconcepto y sus valores por él mismo, sobre la base de la acción eficaz. Pero nada nos garantiza que esta acción eficaz sea una acción moral. De hecho, la investigación actual (Molina y Pérez Alonso-Geta, 2000) muestra que algunos escolares (ESO) generan su alta autoestima sobre la base de la acción asocial (contestación, dominancia del grupo, agresión, etc.).

En otro sentido, todos los modelos teóricos sobre altruismo y conducta prosocial coinciden en señalar que la elevación del autoconcepto es la principal recompensa interna para ayudar a los demás (Latané y Darley, 1970; Roenhan, 1978). La autoestima, en consecuencia, se puede generar con independencia del sentido moral de la acción. Es misión de la educación dar a los individuos posibilidades de llegar a desarrollar su autoestima sobre la base de la acción moral. Ya que para tener una buena autoestima no es necesario tener unos buenos principios y valores. Se puede poseer un autoconcepto positivo de uno mismo, lo que no impide llevar a cabo malas acciones.

4.3.3. *La capacidad de gestionar y controlar inteligentemente los impulsos y situaciones emocionales*

Las emociones básicas del ser humano forman parte de su naturaleza biológica, lo quiera o no, pero la posibilidad de manejar estas formas de comportamiento en un sentido u otro, dentro de un contexto cultural, está en sus manos. Aquí tiene una importancia capital la educación. El autocontrol se puede entender como la capacidad de dirigir de forma autónoma la propia conducta. La autorregulación es un aspecto esencial del desarrollo humano, que permite al hombre controlar la situación y no estar a merced de las demandas del entorno. Nos enseña a 'esperar' cuando las cosas no se pueden obtener inmediatamente, a 'variar' las estrategias cuando éstas no funcionan y a 'evitar' comportamientos inadecuados. Emociones básicas de nuestro bagaje emocional, como el miedo, la ira, etc., son además mecanismos de supervivencia que no se pueden desconectar ni evitar, pero se pueden conducir y canalizar de forma fructífera. El componente biológico primario emocional, como puede ser el deseo o la lucha, se puede sustituir por formas de comportamiento aprendidas y culturalmente aceptadas, como el flirteo o la ironía. Controlar el impulso, superar la frustración, es algo fundamental en la competencia emocional.

Control del estímulo. La base de la regulación emocional es la capacidad de demorar la acción ante el estímulo, en beneficio de un objetivo propio a más largo plazo. La fuerza de voluntad y la capacidad de sacrificarse por un objetivo futuro contribuyen al rendimiento personal. Esta capacidad se puede desarrollar y la educación, en este sentido, es fundamental. Se ha estudiado cómo los niños *resisten a la tentación.* Al principio no tienen ningún tipo de restricción y van inmediatamente tras cualquier cosa que les atraiga, pero más tarde aprenden a inhibir conductas que les han prohibido, incluso cuando nadie les mira. Se ha demostrado que cuando a los niños se les explica y proporciona una buena razón, aumenta la probabilidad de que resistan a tales *tentaciones*. Lo mismo sucede cuando se les enseña a desarrollar sus propios planes y estrategias. Otra forma de estudiar el autocontrol ha sido el *retraso de la gratificación*. Se les presentó a los niños, en una situación similar a la que frecuentemente encuentran en la vida diaria, la alternativa de obtener una pequeña recompensa de forma inmediata o una recompensa mayor si esperaban. El tiempo de espera para la gratificación aumentó cuando los propios niños se daban autoinstrucciones (tengo que esperar....). También se demostró que cuando el objeto quedaba fuera de su vista, los niños podían esperar más tiempo. Estudios longitudinales, en los que se analiza la conducta de los niños a lo largo del tiempo, han mostrado, por otra parte, cómo las primeras capacidades para retrasar la gratificación pueden ser, a largo plazo, una forma de predecir el logro futuro.

Otra forma de *controlar* el estímulo es alterar la experiencia de la emoción que éste produce, cambiando para ello la situación inmediata o los procesos mentales que están asociados con esa emoción. En este sentido, para disipar la emoción hay que dejar de pensar gradualmente en el suceso que la provocó. Las emociones intensas, ya sean positivas o negativas, se desvanecen con el transcurso del tiempo. Es posible, sobre esta base, de forma intencional, acelerar el proceso de olvidar de forma deliberada el acontecimiento con carga emocional, dejando de pensar en él. La *gestión* y el *control* de los sentimientos se puede llevar a cabo también cambiando la manifestación externa emocional, porque, para Williams James y otros autores, la expresión externa proporciona una clave importante para decidir qué sentimos.

Finalmente, es posible controlar las emociones y no dejarse controlar por ellas, sino canalizarlas positivamente, cuando se utiliza la energía desencadenada para desarrollar nuevas competencias capaces de fortalecer la confianza en sí-mismo y la satisfacción del logro. La actitud positiva y emprendedora establecerá las condiciones esenciales para los futuros logros.

Superar la frustración. La frustración es una sensación de desagrado debida a un bloqueo u obstáculo en la obtención de deseos, metas o satisfacción de necesidades. En general, produce un desequilibrio y perturbación que lleva bien a paralizar la acción o bien a impulsarla. La acción impulsada desde la frustración se puede encaminar a la superación del obstáculo en sentido positivo (aportando mayor esfuerzo, generando nuevas estrategias, etc.) o negativo (agresión, abandono de la tarea, etc.). Existen para el niño múltiples causas de frustración (carencia afectiva, restricciones en la acción, rivalidad entre hermanos y compañeros, mayores exigencias cuando empieza la escolarización, etc.). El papel de los padres y profesores es permanecer atentos, porque la frustración se puede expresar de múltiples formas (evasión, falta de interés, rabietas y pataletas, agresividad) y cada niño es único como persona y específico en sus ilusiones y necesidades. Así pues, el adulto ha de promover y colaborar no sólo en la satisfacción de tales necesidades y en la adecuación del nivel de exigencia, sino en ayudarle a superar dicha frustración, proporcionándole apoyo, estrategias y motivación para la acción positiva y enseñarle el valor del esfuerzo para conseguir sus metas y objetivos.

A medida que los niños van avanzando en su desarrollo han de aprender a controlar su comportamiento, los episodios de llanto y enfados como respuesta a las situaciones de frustración. Poco a poco deben ir aprendiendo a soportarlas sin alterarse tanto y sin que se desorganice todo su comportamiento. Cuando el niño decide elegir la mayor gratificación, aunque conlleve más espera, acumula cierto grado de frustración. No obstante, la capacidad para retrasar la gratificación es paralela a la capacidad para tolerar la frustración. Esta capacidad para tolerar los retrasos en la gratificación se puede incrementar a partir de los cinco años y depende de sus experiencias anteriores de éxito o fracaso, de las promesas que se le hicieron y de la confianza que le merezca la persona que realiza la promesa.

Por último, la autoadaptación a las situaciones nuevas o de incertidumbre, conflicto, etc. y los problemas que plantea parece que mantienen una relación directa con otras variables contextuales. Los individuos que más se adaptan han sido educados en ambientes de comunicación y de autonomía, mientras que los menos adaptados provenían de ambientes conflictivos y ambivalentes.

4.3.4. *La capacidad de comprender y entender los sentimientos de los demás*

R. Rosenthal, hace ya bastantes años, mostró que la inteligencia emocional está vinculada a la capacidad de leer los sentimientos de los demás. La importancia de la percepción del otro o *empatía* para la competencia emocional es indudable, pues ésta se desarrolla por la comunicación emocional en situaciones de interacción. La disposición natural a la empatía la manifiestan los niños muy pronto. Bebés de tres meses reaccionan alterándose ante el llanto de otro niño y comienzan ellos mismos a llorar. Parece que se trata de una capacidad innata que, sin embargo, es necesario cultivar. Para el psiquiatra Stern, el desarrollo de la empatía depende de la sensibilidad y reacciones de los padres frente a las manifestaciones emocionales del niño, tanto si se ignoran como si se sobrepasan.

Consolar a otro cuando está triste es algo frecuente en la mayor parte de los niños alrededor de los 14 meses, de igual forma que los niños pequeños suelen acudir a los mayores en busca de consuelo. Esto es más probable que ocurra en familias donde hay un ambiente en que los niños mayores tratan a menudo de consolar a sus hermanos, no les importa compartir sus juguetes y no se suelen pelear con ellos (Harris, 1992, 40). Asimismo, parece que los niños pasan por distintas etapas. De los 10 a 12 meses se muestran como espectadores insensibles, limitándose a mirar, más o menos en un tercio de las ocasiones. Otras veces muestran algún tipo de pena (fruncen el ceño, parecen tristes, lloran). A esta edad, sin embargo, raramente tratan de consolar a la persona afligida. Alrededor de los 18 meses las iniciativas de consuelo se traducen en numerosas estrategias: los niños llevan objetos a la persona afligida, expresan su compasión con palabras, buscan ayuda de otra persona e incluso tratan de proteger a la víctima (Harris, 1992, 41).

La compasión es un elemento de *competencia emocional* y también de la competencia social y moral. En este último sentido, el modelo de perfección para el más alto desarrollo humano parte del budismo, es alguien "que ha puesto fin a su sufrimiento y a crear sufrimiento a los demás". De ahí, que la compasión se encuentre en los cimientos mismos del sistema ético (Yearley, 1997, 26).

6. CONCLUSIÓN

Las condiciones socioeconómicas actuales marcan desde el principio la vida de los ciudadanos. Como consecuencia, en mayor o menor grado, muchos niños presentan carencias sociales emocionales, lo que en el futuro va a influir negativamente en su comportamiento sociomoral y en el propio entramado social. En general, en las sociedades urbanas los niños son más solitarios, mimados, consentidos y viven en un entramado de mayor aislamiento social. Muchos de ellos viven en un ambiente familiar de permisividad. Tampoco tienen muchas posibilidades de aprender mediante el juego con iguales, el respeto a la norma, la superación de la frustración, la capacidad de ponerse en el lugar de otros etc., que caracterizan a la persona social y moralmente competentes.

Padres y profesores son, en los primeros años, los referentes básicos a quienes se imita con la necesidad de quien necesita aprender mucho y pronto. Con la imitación se amplía el repertorio de comportamientos emocionales en una o en otra dirección, dependiendo de lo que se experimenta y se vive. En la familia y el aula el niño aprende a conocerse a sí mismo, a explorar, experimentar e intervenir en su medio de forma cada vez más autónoma y eficaz. Los padres y educadores son el eje fundamental en el contexto infantil. Son personas en las que se confía, con las que se necesita vincularse afectivamente y cuya actuación se configura como modelo. Por medio de ellos los niños aprenden contenidos, las normas que regulan las conductas, los valores del grupo de referencia y la competencia emocional.

La *competencia emocional* tiene su propio dinamismo y actúa constantemente sobre nuestro comportamiento y personalidad. Por ello si en la sociedad civil se quiere avanzar en la formación integral de los ciudadanos, hay que posibilitar, que el individuo lleve a cabo la 'acción eficaz prosocial'. Una conducta informada por valores morales, una conducta moral.

Es necesario darle posibilidades de experimentar en el contexto educativo la acción eficaz prosocial. Una autoestima autónoma generada sobre esta base permitirá al individuo no involucrarse en acciones amorales, porque habrá generado el sentimiento –emocionalmente competente y autónomo– de que esa acción se opone a sus principios y es inapropiada, con independencia de que alguien pueda descubrirlo alguna vez. El autoconcepto es posterior a la experiencia, y con ello el individuo podrá mejorar su competencia emocional y moral.

En la misma línea es fundamental enseñarle a comprender los propios sentimientos, a manejar la propia frustración e indignación sin traducirlas en agresión. Es necesario potenciar en los individuos la capacidad de compasión, de ponerse en el lugar de los demás de comprender sus sentimientos y motivaciones. Por último, es esencial también que padres y educadores tengan una buena competencia emocional, un concepto de sí mismos estable y positivo para no convertir las acciones no deseadas de los niños en un ataque personal.

BIBLIOGRAFÍA

AINSWORTH, M. D. C (1983) Patterns of infant-mother attachment as related to maternal care: Their early history and their contribution to continuity. En MAGNUSSON (Ed.) *Human development: An internctional perspective* (Nueva York, Academic Press).

AYALA, F. J. (1983) *Origen y evolución del hombre* (Madrid, Alianza Editorial).

BOWLBY, J. (1985) *El vínculo afectivo* (Barcelona, Paidós).

BRUNER, J. (1994) *Realidad mental y mundos posibles* (Barcelona, Gedisa).

COOLEY, C. H. (1902) *Human nature and the social order* (Nueva York, Scribner´s).

EIBL-EIBESFELD, I. (1999) *Etología humana y agresividad.* Documento presentado en el curso impartido por el autor en el "Centro Reino Sofía para el estudio de la violencia" (26-29 Abril, 1999, Valencia).

ENGELHART (1997) Introducción, en MARTINEAUD, S. y ENGELHART, D., *El tets de inteligencia emocional* (Barcelona, Martínez Roca).

FRANCO, T. (1988) *Vida afectiva y educación infantil* (Madrid, Narcea).

GECAS, V. y SCHWALBE, M. L. (1983) Beyond the looking-glass self: Social structure and eficacy-based self steem, *Soc. Psychology Quarterly*, 46-2, pp. 77-88.

GOULD, S. J. (1984) *Dientes de gallina y dedos de caballo* (Madrid, Hermann Blume).

GONZÁLEZ, M. C. y TOURÓN, J. (1994, 2ª ed.) *Autoconcepto y rendimiento escolar. Sus implicaciones en la motivación y en la autorregulación del aprendizaje* (Pamplona, Eunsa).

HARRIS, P. H. (1992) *Los niños y las emociones* (Madrid, Alianza).

HOWEL, S. (1981) Rules not Words, en HECLAS, P. y LOCK, A. (Eds) *Indigenous Psychologies* (Londres, Academic Press).

HURLOCK, E. B. (1978) *Desarrollo del niño* (Nueva York, Machawhill).

JOSEPH, R. (1993) *The Maked Neuron: Evolution and the languages of the Brain and Body* (Nueva York, Plenum Plublishing).

KIEFF (1983) *Bioética* (Madrid, Alhambra).

LE DOUX, J. (1992) Emotion and the limbis system concept, *Concepts in Neuroscience*, 2.

– (1993) Emotional memory sistems in the brain. *Behavioral and Brain Research*, 58.

MOLINA, T. y PÉREZ, P. Mª (2000) *Autoconcepto social y habilidades sociales en niños y niñas escolarizados en segundo y tercer ciclo de E. Primaria y Primer ciclo de E.S.O.* (Tesis Doctoral, Universidad de Valencia).

PÉREZ ALONSO-GETA, P. Mª. (1992). Los valores de los niños españoles. El niño y la adaptación social. *Informe INCEE.* Universidad de Valencia

– (1996) Situación y entorno de acogida del menor en las familias con niños y niñas menores (0-6 años), en PÉREZ ALONSO, AVELLANOSA, VIDAL y CÁNOVAS, *Valores y pautas de crianza familiar* (Madrid, S. M.).

– y CÁNOVAS LEONHARDT, P. (1996) *Informe sobre la realidad de la infancia en el seguimiento de cero a seis años* (Valencia, INCIE-Fundación S. M).

PERRET, J. F. (1996) *Notas de introducción al simposio sobre competencias clave para Europa* (Estrasburgo, Consejo de Europa, 1996/DECS/SE sec. 96, 1, p. 1).

MEAD, G. H. (1934) *Mente, persona y sociedad* (Buenos Aires, Paidós).
MACCOBY, E. E. (1992) The role of parents in the socialization of children: An historical overview *Developmental Psychology* 28, pp. 1006-1007.
MAIN, KAPLAN y CASSIDY (1985) Security in infancy, childhood and adulthood, *Monographs of the Society for Research in Child Development*, 50 (1-2, serial nº 209).
MONTAGU, A. (1983) *La naturaleza de la agresividad humana* (Madrid, Alianza Universidad).
SOUFRE LA (1990) An Organizational Perspective on the Self, en D. CICHETI, BEGHLY (Eds.) *The Self in transition: Infance to Chilhood* (Chicago, Universty of Chicago Press).
VASTA, R. y otros (1996) *Psicología infantil* (Barcelona, Ariel).
WADSWORTH, B. J. (1989) *Teoría de Piaget del desarrollo cognitivo y afectivo* (México, Diana).
YEARLEY, L. (1997) Tres visiones sobre la virtud, en GOLEMAN, D. *La salud emocional* (Barcelona, Kairós).

ABSTRACT

BASIC COMPETENCES IN MORAL AND CIVIC EDUCATION

The education of citizens in civil society aims chiefly to foster autonomous ethics with universal contents. Following the tennets of the Enlightenment, we assume that promoting an autonomous development of reason and paying attention to its dictates are sufficient for the education of the human being. However, the present socio-economic conditions in western society (isolation of life, negative effects of mass media, uprooting, etc.) determine a citizen's life from the very beginning. Consequently, nowadays, most children show, to a greater or a lesser degree, a lack of social and emotional competence that may cause negative influence to their sociomoral behavior and the social structure itself. *Emotional competence* has its own dynamics and is permanently reflected on our behavior and personality. Thus, if civil society wishes to advance towards a comprehensive education of its citizens, individuals must be allowed to carry out an "efficient prosocial action", an emotionally competent behavior informed by moral values. Citizens must be given the chance to experience an "efficient prosocial action" within an educational context. Similarly, they must be taught how to manage their own frustration and anger and not to resort into aggression. There is a need to foster in individuals the ability of empathise, in order to understand the feelings and motivations of others. Besides, it is essential that parents and educators have a good emotional competence, a stable and positive self-image, so that the misbehaviors of children are not considered personal affronts.

KEY WORDS

Civic education, moral education, emotional education, emotional competence

DIRECCIÓN DE LA AUTORA

PETRA Mª PÉREZ ALONSO-GETA
Catedrática de Antropología de la Educación
Universidad de Valencia
Facultad de Filosofía y Ciencias de la Educación
Departamento de Teoría de la Educación
Avenida Blasco Ibáñez, nº 30
46010 Valencia
E-mail: petramperez@uv.es

WHEN VIRTUE MAKES SENSE

Holly SALLS
The Willows Academy

There are many ways to approach character education. Each approach will tell its own story of what character is and the elements that make up good character. This paper will focus on character education defined as growth in virtue, because the acquisition of virtue is the root of good character.

This presentation is divided into two parts. The first is an introduction in which I describe the prevailing moral climate of our society, within which we teach character in the United States. The second is a discussion of an alternative way of living that allows young people to make sense of and to grow in virtue. The ideas that I offer are not mine alone, of course. They are the result of my personal reflection on the writings of Aristotle and his modern champion, Alasdair MacIntyre.

1. INTRODUCTION

We all know that young people need guidance as they integrate morally good behavior into their lives. That is one of the most fundamental duties of parents, and until the 1960s, it was one of the most common reasons students went into teaching. Let us consider young people's need for guidance and ask ourselves the question "What kind of guidance do young *Americans* need as they integrate morally good behavior into their lives at the beginning of the 21st century?"

The answer to that question is important because it gives us the framework for developing principles of character education in American schools and homes. The answer also gives us an idea of what aspects of character we need to *stress* in character education.

It should come as a surprise to no one to find that as a society we espouse relativism and the assumption that there is nothing objectively good or true for everyone. Because it assumes that there is nothing good or true for *everyone*, society cannot and does not offer any one type of moral guidance to young Americans, except that of requiring each of them to decide what is personally good and true.

Now, if objective good and truth do not exist, where do young people look when they try to answer the question, "What ought I do in this situation?" You know the answer as well as I do –they look to the situation to give them the answer– using situation ethics. Situation ethics offers a multiplicity of moral options, and is the reason why so many people seem able to espouse conflicting moral standards simultaneously. Take the most obvious example of politicians and the widespread acceptance of discrepancies between public and private moralities. The American public seems to require its political figures to behave honestly when carrying out their duties in the public forum, but accepts the possibility of less than honest behavior in their private lives, without any important repercussions in their pubic standing.

But our discussion should not be limited to public personalities. The moral fragmentation that results from situation ethics and relativism is not the domain of public figures alone. It is also the accepted way of life for any number of ordinary folk. In *their* case we do not think of the contrast in terms of public *versus* private moralities, but rather in terms of the possibility of finding conflicting moral expectations in the various roles they play during each day and throughout life.

A good example would be that of an employee whose loyalty to the firm is not only assumed, but even required if that person wants to keep his job, but whose fidelity in marriage is seen as a matter of choice. Or the person who is willing to cheat or be dishonest at work, but who teaches her children to value honesty and not to lie. Situation ethics and moral relativism lead us to think that it is natural to accept distinct moral standards for each of the roles we assume, and to accept without questioning the fact that those moral requirements may even contradict each other.

Thus, many of our contemporaries are led to define who they are and what is good by what each role expects of them; me as daughter, me as employee, me as wife, me as party-goer, me as friend, me as health club member. Modern man seems to be what his roles in life dictate that he be; he can be loyal to his job and unfaithful to his wife at the same time and without thinking twice about it[1].

As a result, many people today do not have a clear idea of who they are, nor do they have a consistent idea of right and wrong. Their concept of *self* is fragmented and their moral criterion is determined by circumstance. This is further complicated by the fact that public institutions in our country are required to assume a neutral stand in the interpretation of what is good, and are obliged to leave individuals free to seek out and define the good as they so choose.

While freedom and independent thinking are important, the result of many young people's choices has become one of the most pressing concerns of educators and American society today: a great number of young people have *not* been successful in determining what is good for them. The declining moral behavior of youth, increased violence, adolescent pregnancy, lack of regard for authority, and a general weakening of academic performance have all been attributed to the inability of young people to distinguish between right and wrong, good and evil[2].

So, when thinking of character education in American society, we need ask ourselves, "What should we stress in character education today in order heal the wounds caused by a *fragmentation of the idea of self* and the *circumstance-dependent* concepts of good and truth that are characteristic of modern American society? If we do not give young people a way to understand who and what they are that can withstand the vagaries of life, to come to that understanding they will have no option other than resorting to the old standbys of relativism and situation ethics.

2. VIRTUE EDUCATION

I am convinced that the type of character education that serves our young people best is virtue education. This is true because by growing in virtue they become good people. That may sound like a platitude, but in reality it is one of the most profound statements that we can make about the human person.

1. MACINTYRE, A. (1981) *After Virtue*, p. 190 (South Bend, University of Notre Dame Press).
2. KILPATRICK, W. (1992) *Why Johnny Can't Tell Right From Wrong*, pp. 14-29 (New York, Simon & Schuster).

I do not think anyone would disagree if I were to say that we are all dissatisfied with ourselves in one way or another. I am sure that each of us could come up with one or two ways to better ourselves without having to think too much. We would like to be better people not because society has told us we need to improve, or merely because someone has criticized us recently. We have an innate tendency that comes with our human nature that pushes us to be better than we are. It is an indication of what Aristotle said so long ago: human life is naturally teleological –meaning that we naturally tend toward betterment or perfection[3]. On the practical level, this means that we make the effort to become good people: to be good, to do the good and to think the good.

But how can I *know* that I am good? When a small child asks "Was I good?" it is usually after he has done something that he knows his mother wanted him to do. He is really asking, "Is what I *did* something that helps me be the kind of person you call good?" When his mother says "yes", she is really saying "Yes, sharing with your sister makes you into the kind of person I classify as good". She is giving the child direction, pointing him toward a standard of goodness that is independent of the child's opinion of it. It is something the child can think of the next time he decides whether or not to share. She is giving him an objective standard that he can internalize and use from now on, or at least as often as he remembers to think of it. Now, we have that same kind of relationship with the innate tendencies of our human nature. When we act, we act under the guidance of our nature that is saying, "You are a work in progress. You are incomplete." So our human nature pushes us in ways that will make us better people. How do we know that our human nature nudges us on? Aristotle tells us that we know because when we strive to be good we are happy[4]. We all have had the experience that some of what we do makes us happy, and some of what we do does not make us happy. We are happy, for example, when we love. Hatred makes us unhappy. We are happy when we open out to others. We are not when we are selfish. We are happy when our life is directed toward a meaningful goal that helps not just ourselves but somehow helps others. We are unhappy when we cannot find meaning in what we do, or a reason for doing what we have to do.

We have the innate tendency to better ourselves and our cultural milieu[5]. That is why great music is composed, why great literature is written, and that is

3. NEWMAN, W.L., ed. (1985) ARISTOTLE, *The Nichomachean Ethics*, I, 7, 1097b 1 (Salem, Ayer Publishing).

4. *Ibid.*

5. ARISTOTLE, *Politics* I, 2, 1253^{a}, 3-4.

the reason for these reflections on virtue education. None of us is satisfied with how good we are or how good our children are. We want to be better.

From what has been stated above, it is clear that situation ethics frustrates our natural tendency to find happiness in striving to be a better person and to attain a goal that transcends our concrete circumstances[6]. If I think of my life as if it were a file cabinet and each circumstance of my life as a drawer, then there does not have to be any meaningful connection between one drawer and another. I can open the drawer labeled religion and faith and pull out "me as a Catholic". As "me as a Catholic" I dig in and rummage around. I say the rosary, go to Sunday Mass and do whatever else I include in the religious aspect of my life. When I have finished, I close the drawer. Next, I am off to leisure time. On Sunday afternoon I open up the drawer labeled "Amusement", and pull out "Me having fun". That is when I go to the movies and probably enjoy watching behaviors and attitudes that would never fit into my religion and faith drawer. But, I'm not in that drawer right now, so it does not matter. One of the basic characteristics of situation ethics is that the contents of one drawer frequently do not fit into any other drawer that I open.

As a result, my life does not have a sense of overall direction; there's no continuity from one type of situation to another. It is difficult for me to think of making *myself* a better person, because my *self* is fragmented into pieces that fit into each drawer. I may not strive for an overall goal, because I focus on the *differences* between each part of my life rather than what they may have in common.

Since each situation is different, what I need are *skills* to become better at what I do in each one of them, not virtue. If I am the owner of a company, for example, I influence others because I am the boss. So, I need the skill of influencing others based on the authority that comes from being boss. If I take that skill home and use it on my husband, for example, you can imagine the outcome. A marriage is a partnership of equals, not a company with a boss. In other words, skills are good for a specific purpose, They are not helpful in every circumstance because they are situation-specific.

The only way we can aim at becoming a better *person* rather than aiming at acquiring *skills* is by thinking of our lives in terms of what Alasdair MacIntyre calls a *"narrative quest"*[7]. That is, living a life that *fosters* rather than frustrates the natural teleological tendency we have. This is the kind of life in which virtue makes sense.

6. MACINTYRE, A., *o. c.*, p. 191.
7. *Ibid.*, p. 203.

In a narrative quest there are adventures, situations, but the emphasis is on the protagonist who goes through one adventure after another, rather than on the adventures in themselves. The adventures derive their meaning from the role they play in bringing *protagonist* through the whole story and towards its fulfillment[8]. Even when a given adventure does not draw the protagonist closer to what is sought, in a narrative quest the incident itself can only be understood correctly within the context of the *entire* story. As the protagonist goes through each episode, she makes a connection between her actions and the situations she experiences on the one hand, and the goal that she seeks on the other. She judges the moral value of action and circumstance in light of what she is seeking.

Living life with the spirit of a *narrative quest* sparks idealism and gives birth to heroes. It makes life worth living because it reflects and ennobles the greatness of our human dignity. It has continuity of meaning, continuity through time, and continuity in purpose. And the narrative life has the *self* as its protagonist, not situations. When we live our lives striving for a goal, then we can have the sense each day of writing another page of the story that is our lives. As we make significant decisions and important choices we are aware that they either help or hinder us in our quest.

This narrative understanding of life is the only one in which growth in virtue makes sense, because virtue is a disposition of soul that we take with us into every circumstance that we enter and into every relationship we have Why? Because virtues complete our nature –they are not an add-on. When our nature nudges us to be more giving and hints that giving will make us happier, it is saying, "You need to acquire a stable disposition that will make it easier and pleasurable for you to give. Right now giving to others takes a lot of effort because you don't have the right disposition toward others. Work on the disposition, and it will be easier for you to give." The way we work on that disposition is by making the effort to give time and again, and in this way gradually acquiring the good habit, the virtue of generosity.

It is true that in the narrative life we can and should acquire the skills that make us better golfers, for example, or better violinists or better typists. But in addition to acquiring skills that help us do some activity better, in the narrative life we become first of all better people.

When Alice, in *Alice in Wonderland,* asks the Cheshire cat which way she should go, he asks her first of all where she *wants* to go. When Alice says she doesn't know, she receives the disconcerting answer that if she does not know

8. *Ibid.*, p. 191.

where she wants to go, then it doesn't really *matter* where she goes. When I live my life as a whole and integrate each of its parts into the big picture I have of it, I can decide *where* I want to go and *how* I want to get there.

To give virtue education all the meaning that it should have, we have to help our young people give life a *narrative* meaning. While it is very important to know the *how* of virtue, it is more important still to understand the *why* of virtue. We ought to help young people see life as an adventure, one in which they are headed toward a goal that transcends not only their own person but also the here and now[9]. The only way to do this is to introduce them *at an early age* to ideals, both natural and spiritual, that are worth living for, ideals that don't simply appeal to their natural tendency to want to be better, but that will also stretch their capacity to give.

Since character education must start at an early age, we cannot exaggerate the importance of continuity between the home and school. Ideals need time to grow, and children need time to mature into them. If there is a rupture between home and school, we create the perfect seedbed for situation ethics, even if we teach virtue.

Once I was having dinner with a mother and her two daughters, both students of mine. While the girls were away from the table, their mother told me that they were going shopping the next day to get some skirts to wear at school. They had, she said, two wardrobes: one set of clothes that complied with the school's standards of modesty and another set of clothes that they wore everywhere else. Mother and daughters missed the boat. Most importantly, mother missed the boat, and she was teaching her daughters that modesty is situation-specific, not at all a virtue.

This is a typical example of situation ethics, of living life as a file cabinet. But what about the church-going adult who prays on Sunday and defames a coworker during the morning coffee break on Monday? Or the parent who includes a white lie in the excuse she writes for her child's late arrival to school? We all have had similar if not identical struggles. A life of virtue is not easy for anyone.

That is why we need to provide children and young people with the chance to live life as a narrative quest, in which they are aware of the fact that each day they write another page in the adventure of their lives. As part of the character education at home and at school we *must* to ask them to think about what kind of person they would like to be, what qualities they admire in the people *we* have held up to them as heroes, what aspirations they have in life.

9. *Ibid.*

As they enter adolescence, young people ought to consider seriously what direction they are headed, whether they like it or not, and what more they can do to help others. In other words, they need to see that life is an adventure, and the story will be the tale of their decisions and actions. I think that this is the only way they will want to make the prolonged effort it takes to grow in virtue.

This means that at home especially, children and need to see in their parents and home environment the reality of a life *already* lived as a narrative quest. We cannot be parents who drop the kids off at church but don't go in, so to speak. We have to go in with them. They need continuity in what they hear *from* their parents and what they see *in* their parents, what they hear at home and what they hear at school, and what they hear at school and the behavior and attitudes of their teachers. If teachers want young people to be courteous, they cannot be rude. If teachers are habitually impatient and scolding, they cannot expect students to be enthusiastic.

Virtue education can be successful when those entrusted with carrying it out, parents and educators, understand what virtue is and are themselves living lives that have internal unity and a sense of purpose. But to live in this way is to fly in the face of the most commonly accepted values and moral expectations in our country. It means being incomprehensible to many of our contemporaries, who find a determination of this type foreign to the accepted mores of the culture of the United States.

Besides this, we need to prevent virtue education from falling into the creation of isolated good habits learned in order to do be successful in a given situation, virtues that turn out to be skills rather than virtues. To do this we need to remind young people of two things. First, the idea that life is a quest, an adventure that they write with their decisions and their actions, and secondly, the conviction that their quest is important to our society and to our world. When young Americans receive this kind of education in character, they can begin to make our country a better place by living out the ideal of a virtuous life.

ABSTRACT

CUANDO LA VIRTUD COBRA SENTIDO

El relativismo y la ética de situación repesentan el esquema moral actual de los EE.UU. Los supuestos filosóficos de ambos dificultan la enseñanza y el cultivo de la vida virtuosa. *When Virtue Makes Sense* describe de una manera práctica los rasgos principales del relativismo y de la ética de situación en los ciudadanos de EEUU. La autora explica las razones por las cuales una vida moral basada en la virtud no cabe dentro de la mentalidad relativista. A continuación ofrece a sus lectores una visión alternativa de la educación del carácter que suscite el crecimiento de la virtud y que permita a los jóvenes de EE.UU. profundizar en su convivencia cotidiana y que, sobre todo, les ayude a confrontar la ética vigente en este país. La autora apela a Aristóteles y a Alasdair MacIntyre en su exposición de la vida narrativa y de la virtud.

KEY WORDS

Character education, United States, situation ethics, virtue, relativism

DIRECCIÓN DE LA AUTORA

Holly SALLS
The Willows Academy
1012 Thacker Street
Des Plaines
Illinois 60016
USA
E-mail: hsalls@hotmail.com

VALOR EDUCATIVO DEL CINE DE FICCIÓN[1]

Carmen URPÍ GUERCIA
Universidad de Navarra

"Habrían creído a sus obras y no a sus palabras, porque las palabras no sirven para apoyar las obras, sino que las obras se bastan"

Miguel de UNAMUNO, *San Manuel Bueno, Mártir*

1. INTRODUCCIÓN

Dedicar un capítulo de este libro sobre educación moral al valor formativo del cine supone afrontar uno de los temas más conflictivos de la historia de las ideas estéticas: la tensión entre el arte y la moral. Siempre que se habla del arte desde instancias educativas, sociales o morales, existe el peligro de caer en posturas excesivamente funcionales, desde las cuales el valor estético de la obra de arte se ve sometido a su valor ético, social o didáctico. Son planteamientos que surgen enfrentados a aquellos otros que desde el polo opuesto defienden la idea del arte por el arte, erigiendo los valores artísticos por encima de otros cualesquiera. El arte, afirman, no debe estar supeditado a ninguna otra finalidad que no sea la del goce estético en sí. La cuestión estaría en determinar en qué medida intervienen en esa experiencia estética otros valores existenciales[2] (morales, educativos, sociales, espirituales, etc.), es decir, qué es lo que hace gozosa una

1. Las ideas que se desarrollan en este documento proceden en buena medida de una investigación más amplia presentada como Tesis Doctoral bajo el título "La virtualidad educativa del cine a partir de la teoría fílmica de Jean Mitry (1904-1988)", y que ha sido publicada bajo ese mismo título recientemente: URPÍ, C. (2000), *La virtualidad educativa del cine a partir de la teoría fílmica de Jean Mitry (1904-1988)*, (Pamplona, Eunsa).
2. Cf. BEARDSLEY, M.C. y HOSPERS, J. (1986) *Estética. Historia y fundamentos* (Madrid, Cátedra).

obra de arte, sólo la pura configuración sensible de las formas o también alguna otra cualidad inmersa en ellas.

La postura que quiero defender aquí sigue esta última alternativa del arte como cultura, donde todos los valores se interrelacionan, como representación estética cultural que refleja el mundo en el que nace contemplado por la mirada personal del artista, cuya profundidad en ocasiones trasciende las propias circunstancias tempoespaciales que la posibilitan, adentrándose en la esfera de lo que escapa ya a lo puramente *cultural* y se convierte en patrimonio artístico *universal*.

El cine protagonizó sin duda la vida cultural del siglo XX, primero como espectáculo de feria, después como arte y como entretenimiento para el tiempo libre. Con la televisión, además, el cine entra en los hogares y se convierte –con todas las limitaciones que la televisión impone: cortes publicitarios, pantalla pequeña, etc.– en una experiencia cotidiana para la inmensa mayoría. La teoría de la educación, por tanto, no puede pasar por alto los efectos que el cine tiene sobre el público.

Normalmente, las investigaciones educativas responden sobre todo a una preocupación sobre los efectos negativos que el cine y, en general, toda la cultura de la imagen, ejerce sobre el espectador, olvidando –en parte– que también puede haber resultados positivos. La preocupación mayor procede del terreno considerable que la imagen ha ganado a la palabra en el campo de la comunicación humana, repercutiendo negativamente en la formación de capacidades verbales, lógicas, discursivas, de concentración, etc. Sin duda, tales consecuencias difícilmente podrían escapar a la teoría educativa contemporánea; sin embargo, tampoco se pueden eludir las consecuencias positivas en las que pretendo centrar el interés de este capítulo.

La perspectiva desde la que el tema se aborda parte de la teoría de la educación estética, es decir, desde la consideración del cine como medio de expresión artística y cultural. El *film* como obra de arte está hecho para testimoniar, para comunicar ideas, impresiones, sensaciones, que se refieren en alguna u otra medida a verdades esenciales. Pero hay que advertir, sin embargo, que tratándose de un arte, una película es siempre un engaño, una ficción. En este sentido la obra cinematográfica se puede definir como "un discurso *sobre* el mundo establecido *con* los datos sensibles de una inmanencia pronto trascendida, mediatizada por la visión personal de un autor y por formas que crean nuevas apariencias y nuevos misterios"[3].

3. MITRY, J. (1986) *Estética y psicología del cine*, vol. II, pp. 208-209 (Madrid, Siglo XXI).

Tales características plantean precisamente la cuestión fundamental de mi argumento: la experiencia fílmica puede, por un lado, suscitar la reflexión y el sentido crítico acerca de las verdades esenciales del mundo y de la vida, pero, por el otro –y mucho más decisivo para la educación moral– formar el corazón del espectador en la práctica del bien. Y esto último mediante la vivencia imaginaria y catártica de la ficción por parte del espectador, con toda la carga afectiva y moral que transporta cada acción de un personaje en una película.

Como pretendo ir demostrando en estas páginas, el arte cinematográfico colabora con la educación, –y en especial, con la educación estética y la educación moral– en la formación de la persona humana, de la libertad y la voluntad que le son propias, en definitiva, en la formación de su carácter. Y el modo peculiar que tiene el cine de contribuir en la formación del carácter consiste en mostrar imágenes que representan la inmanencia misma de las cosas, a partir de las cuales el espectador puede contemplar una realidad paralela a la que conoce, y vivirla mentalmente.

Sin embargo, aunque las imágenes hayan sido tomadas de la realidad misma, nada en ellas escapa a la fabulación que las condiciones técnicas y artísticas (intencionalidad del autor, rodaje, montaje, expectativas del público, etc.) imponen a todo el conjunto: siendo representación de lo real, no son más que su imagen, un juego de luces y sombras. Esta ambigüedad del cine, que presenta al mismo tiempo un mundo real y ficticio, es la causa principal de la fascinación fílmica y de que haya un lugar para el cine en la pedagogía.

1. EL CARÁCTER PARTICIPATIVO DE LA EXPERIENCIA FÍLMICA

1.1. LA RECEPTIVIDAD

Uno de los primeros asuntos que debe abordar la educación estética está en la condición receptiva del espectador, ligada a esa cualidad fascinante de las imágenes fílmicas. Parece que hay acuerdo general sobre la idea de que las condiciones de receptividad bajo las que se lleva a cabo la experiencia estética del cine –sobre todo, el sentimiento de realidad– facilitan la ausencia de criterio en el espectador, es decir, la adhesión afectiva, y en ocasiones incluso intelectual, respecto a la visión del mundo que les ofrece la película. Sin embargo, la discusión comienza a la hora de concretar en qué consiste tal adhesión, que mientras para algunos autores es un estado mental perezoso cercano a la hipnosis[4], para otros se trata de una ausencia *relativa* del criterio distinta a la pasividad mental, denominada 'receptividad'[5]. Como explicaré a continuación, en este estado receptivo, con todas las consecuencias que conlleva, radica la posibilidad educativa del cine. Un profesor de filosofía apuntaba con ironía que algunos educadores "reprochan al cine precisamente lo que ellos mismos tratan –a menudo desesperadamente– de obtener, es decir, la atención espontánea de los niños. Si el espectáculo cinematográfico inmoviliza al niño, ¿no le coloca en las condiciones que el pedagogo trata de crear para que analice un poema o resuelva una ecuación? [...] Admitamos la 'credulidad' de los adolescentes y su 'receptividad'. ¿No son precisamente estos factores los que permiten la formación y la educación de los niños? ¿Merece queja esta 'receptividad' cuando se trata de admirar al Cid, los descubrimientos de Pasteur, un templo griego, el teorema de Pitágoras?"[6].

Por supuesto que el espectador no tiene la libertad de escoger lo que se le da a ver, como tampoco la tiene el alumno que aprende las enseñanzas de sus maestros. Hay efectivamente una especie de hipnosis en la experiencia del cine, desde que una voluntad extraña sustituye a la nuestra; vemos la realidad a través de la mirada del artista, a la cual nos hallamos sometidos por unos minutos. Pero vemos el mundo a través del filtro de una mirada que se ha hecho *mundo*, un mundo que se ha hecho *logos*. Por eso, sólo se puede hablar de *alienación*, en el exacto sentido de la palabra, si tomamos ese 'enunciado' del mundo por el mundo mismo[7], si perdemos nuestra conciencia de ser nosotros mismos, distintos de lo presentado por las imágenes[8].

Lejos de ser un impedimento para la actitud crítica, la receptividad es precisamente su condición de posibilidad. La receptividad posibilita la participación del espectador en las acciones del *film*, la *catarsis* que vive el espectador.

4. Cf., por ejemplo, ELLUL, J. (1983) *La palabra humillada*, p. 172 (Madrid, Eds. S.M.), donde afirma, a pesar de haber antes definido la imagen como el lenguaje de la acción: "he aquí el acontecimiento que todo lo simplifica: aunque la vista de lo real y la acción van unidas, aunque la imagen es el lenguaje de la acción, nuestra transformación en espectadores esteriliza la acción".

5. Cf. MITRY, J., *o. c.*, vol. II, p. 62.

6. BOURDET, Y. (1961) La prétendue pasivité du spectateur devant l'écran, *Cahiers Pedágogiques*, octubre-diciembre, citado por MITRY, J., *Estética*..., *o. c.*, vol. II, pp. 62-63.

7. MITRY, J., *o. c.*, vol. II, p. 558.

8. La docilidad y la confianza como cualidades del alumno debidas al maestro en el proceso de enseñanza-aprendizaje se transmutan en el caso del espectador en esta receptividad. Así, si el proceso educativo (contenidos, procedimientos, objetivos...) se estructura según unos niveles de maduración, también se puede hablar de un cine apropiado a cada nivel de espectadores (existen espectadores más familiarizados que otros con el lenguaje fílmico, espectadores con mayor capacidad crítica que otros). Sin entrar a debatir aquí el problema de la censura, sí cabe reparar en la necesidad de que el público pueda estar bien informado sobre el tipo de cine que va a ver de modo que pueda adecuar cada sesión a sus expectativas.

A través de la receptividad, el espectador puede situarse imaginariamente en el lugar de los personajes que aparecen en la película, se identifica como sujeto de los hechos que se van sucediendo. A través de ella también, el espectador puede proyectar su propio yo, sus propias expectativas e ideales sobre la acción del *film*. Resulta, en definitiva, que sólo por medio de la identificación con la acción fílmica, y la proyección del propio yo del espectador sobre la misma, son posibles unos efectos realmente formativos que nos llevan a considerar pedagógicamente la virtualidad educativa del arte cinematográfico.

1.2. Capacidad crítica del espectador

La participación del espectador en la acción no es constante, siempre hay un momento, por breve que sea, entre la participación en un acto y otro, para su reflexión, para realizar un juicio casi instantáneo[9]. De este modo, la participación se vuelve consciente, 'consentida' cuando la capacidad crítica, sin hacerle resistencia, la controla. Es decir, no se trata de no caer en esa fascinación que es la actitud estética misma, la actitud contemplativa, sino de vivirla sin perder de vista el distanciamiento que existe entre mi yo como espectador y la acción con la que me identifico.

Por otro lado, hay que admitir cierta dificultad para captar cualquier obra de arte –y la película puede serlo– desde un primer encuentro. Por eso, cuando se ve una película por segunda vez, el magnetismo de la actitud participativa disminuye en favor de una actitud crítica. Por eso, también se puede afirmar que, para poder adoptar una postura crítica frente al *film*, cierta educación cinematográfica será siempre muy provechosa. Así lo expresa el teórico francés, Jean Mitry:

> El *film* no exige pensar sobre un pensamiento preciso, sino completar un pensamiento voluntariamente impreciso. [...] Que piense quien quiera. De ahí que muchos lleguen a no pensar afirmando que la obra y el arte cinematográfico no

9. Cf. MITRY, J., *o. c.*, vol. II, p. 66, donde afirma: "como Bergson ha demostrado, no se puede a un tiempo actuar y aportar un juicio sobre ese acto. Pero se puede hacer después. Por lo tanto, si según la expresión de Cohen Séat 'el espectador, en los momentos en que participa no es espectador de su participación' (esto demuestra además abiertamente que tal participación es un *acto* y, por lo tanto, todo lo contrario a una pasividad hipnótica), debe admitirse que la participación no es constante. Si el acto que realizo en la vida me impide aportar un juicio sobre ese acto, mi participación no me impide valorar la inteligencia del drama ni los valores estéticos que me son comunicados. Desde el momento en que se ha realizado reflexiono sobre el acto en que acabo de participar. Por breve que sea, el tiempo que sirve de 'punto de unión' permite este juicio casi instantáneo".

hacen reflexionar, que el cine es un arte *pasivo*, cuando sucede todo lo contrario. Pero para pensar sobre las imágenes hace falta aprender a ver, saber descubrir su sentido a través de lo que muestran, como es preciso saber leer para pensar sobre las palabras[10].

El arte cinematográfico funciona como un lenguaje poético que exige ser interpretado por cada espectador. Y es en esta relación dialógica y creativa entre el cine y el público, en esta respuesta que cada espectador puede pronunciar frente a cada película, donde tiene cabida la posibilidad educativa del cine. Si el enunciado del cineasta se impusiera absolutamente sobre la conciencia del espectador entonces hablaríamos de manipulación y nunca de educación. Hay un tipo de películas que utilizan los recursos cinematográficos para intentar convencer al espectador de unas ideas de fondo que subyacen a la acción de la película, pero este uso de la imagen fílmica no es propiamente artístico sino ideológico, no responde a una intencionalidad expresiva sino coercitiva. Nada más alejado de la auténtica acción educativa basada en la confianza mutua entre el educador y el educando[11], y nada más alejado del espíritu libre y creador del artista.

1.3. LA LIBERTAD DEL ESPECTADOR *VERSUS* LA LIBERTAD DEL CINEASTA

El tema de la capacidad crítica durante la proyección cinematográfica se halla directamente conectado con la polémica entre la libertad del espectador y la libertad del cineasta. La cuestión estriba en saber si se trata de una libertad cuyo respeto es debido por el artista al espectador o consiste más bien en una condición sostenida por el propio espectador y separada del hacer fílmico, es decir, si es el cineasta quien tiene que respetar unas normas artísticas orientadas a la libertad de pensamiento y sentimiento del público, o bien es éste quien debe someterse a la voluntad creadora del artista, dejándose arrastrar por su propuesta. Para una postura extrema del arte por el arte es más importante salvaguardar la situación del artista como creador incondicional y la del espectador como receptor partidario, y para los que se sitúan en el otro extremo moralizante o socializante sólo vale la idea del arte para servir al público.

En un intento de reconciliación, ¿por qué no aceptar que el arte puede realizarse como servicio al mismo tiempo que el artista es libremente creativo? Quizás en un momento de la postmodernidad en que el arte se suele definir

10. *Ibid.*, vol. II, pp. 415-416.
11. Cf. GONZÁLEZ-SIMANCAS, J.L. (1992) *Educación: libertad y compromiso* (Pamplona, Eunsa).

únicamente como la expresión de las obsesiones personales de cada artista sea difícil de entender tal paradoja, pero para considerar válida la idea de educación estética y moral que aquí se defiende es necesario prestarle atención.

Por un lado, la educación se concibe primordialmente como *praxis*, "pues pertenece a su esencia ocuparse directa y eminentemente de las acciones libres, como ninguna otra actividad humana"[12]; y por el otro, la imagen fílmica suele definirse generalmente como el lenguaje de la acción, de lo cual se deduce que el cine puede educar en el terreno de la *praxis* moral sin perder su carácter artístico, es decir, sin que el cineasta tenga que supeditar su libertad creadora a la libertad de criterio en el espectador. La cuestión estriba en que el primero sepa expresar con acierto la acción humana y que el segundo la pueda captar, teniendo como punto en común para ambos la referencia a una lógica de lo real para comprender lo filmado. Al margen de ese previo pacto tácito, cualquier discurso anterior o posterior tiene cabida, pero siempre fuera de la obra en sí porque, como decía Malraux, ya "existe una elocuencia de los actos que no es la del lenguaje, aunque muchas veces la suscite"[13].

"La verdadera libertad del espectador estriba en que puede descubrir la significación de las cosas o ver éstas únicamente como cosas. El autor confía en su perspicacia: el espectador es libre de pensar *sobre* o *a partir* de lo que ve, pero no de escoger *en* lo que se le da a ver"[14]. Aquello sobre lo que puede pensar es antes lo que el espectador ha podido vivir imaginariamente ocupando el lugar mismo del sujeto de la acción, por medio de la participación. El espectador se encuentra a la vez *fuera* y *dentro* de la acción, puede juzgar desde el interior mismo de ella como actor de los hechos y al mismo tiempo, al estar situado *frente* a ellos, mantener el distanciamiento que otorga al juicio la objetividad (*ob-iectus*) necesaria[15]. En la ficción fílmica, como en la realidad, la acción sigue siendo el elemento más definitivo de la moral humana y la educación[16].

12. NAVAL, C. (1996) *Educación como* praxis, p. 13 (sin publicar).

13. MALRAUX, A., citado en "Babelia", p. 10, *El País* (16-IX-96).

14. MITRY, J., *o.c.*, vol. II, p. 54.

15. Cf. MORIN, E. (1961) *El cine o el hombre imaginario. Ensayo de antropología* (Barcelona, Seix Barral), que fue uno de los primeros autores en destacar las consecuencias de este desdoblamiento que se da en el espectador de cine.

16. Cf. CHOZA, J. (1990) Lo satánico como fuente y como tema de la creación artística, p. 291, en *La realización del hombre en la cultura* (Madrid, Rialp) donde hace una puntualización interesante respecto al tema de la acción humana: "quizá lo que el hombre hace es más fuerte que lo que el hombre dice, y en ese caso el sacrificio (*sacrum facere*) sería más que la plegaria (*oratio*), y el drama (*actio*) más fuerte que la poesía (*dictio*), pero en la medida en que en cada una de esas actividades hay una fuerza irreductible a la otra ambas resultan indispensables. Y quizá por eso en los momentos límites, en los que el arte se exige a sí

El cine insta al espectador a ejercitar la valoración continua de los hechos en los que participa; es precisamente esa participación que le acerca tan vívidamente a los hechos lo que otorga mayor validez al juicio de valor respecto a éstos. Y aunque la educación moral potenciada por el cine comienza ya en la discriminación sensible de la película, ésta no culmina hasta que el espectador se enfrenta críticamente a lo que ve y esta crítica se incorpora a su propia personalidad. Como afirma J.L.M. Peters, "aunque, efectivamente, sea necesario poseer un cierto conocimiento del lenguaje cinematográfico para no perderse en su universo, y de su estética para no ser un espectador pasivo, sólo el espíritu crítico permite enriquecer nuestra vida personal con la experiencia cinematográfica"[17]. La posibilidad que el cine ofrece a la conciencia como capacidad crítica es la clave para poder considerar una educación moral y social a partir de la experiencia fílmica.

2. DESENLACE MORAL DE LA EXPERIENCIA FÍLMICA: EDUCACIÓN VIRTUAL[18]

La educación que el cine encierra comienza en la dimensión sensible de la naturaleza humana y continúa en la dimensión psíquica de la afectividad y el conocimiento, pero logra su desenlace en la dimensión social y moral del obrar humano.

Para el mismo Piaget la idea de una educación de la voluntad basada en el desarrollo de una sensibilidad y una afectividad maduras probablemente bastaría para justificar la relación entre el cine y la educación moral, porque según él toda estructura de la afectividad desemboca tarde o temprano en algún tipo de configuración moral[19].

mismo lo supremo, tiende a superar en una unidad más alta los géneros literarios: la lírica es drama y sacirificio y el drama es súplica silenciosa".

17. PETERS, J. L. M. (1961) *Educación cinematográfica*, p. 57 (París, Unesco).

18. El sentido que adquiere aquí el término 'moral' y todos sus derivados ('moralidad', 'moralizante', etc.) no se limita al uso que habitualmente hacemos de ellos, referido a la "adecuación a unas normas de actuación", sino más bien pretende significar, de un modo mucho más amplio, el carácter de acción, de *praxis*, del obrar humano. La actuación humana es moralmente buena cuando su realización –que es su fin– repercute en el propio sujeto como progreso hacia sí mismo, y moralmente mala cuando implica distanciamiento de sí.

19. Cf. PIAGET, J. (1986) *Seis estudios de psicología*, p. 94, (Barcelona, Barral-Labor) donde afirma que «atribuir las causas del desarrollo a grandes tendencias ancestrales es una idea ligeramente sumaria y mitológica, como si las actividades y el crecimiento biológico fueran de naturaleza extraña a la razón. En realidad la tendencia más profunda de toda actividad humana es la marcha hacia el equilibrio, y la razón, que

El espectador se encuentra en el terreno de la moral siempre que toma decisiones para adherirse o no a las conductas que va experimentando a través de los personajes de la película. Digamos que el cine permite rechazar o aceptar un comportamiento sobre la base certera de haberlo vivido, experimentado en la práctica, aunque sólo sea imaginariamente, de manera vicaria. Además, al tratarse del juicio sobre unos hechos ficticios que no 'afectarán' a su vida real, el espectador se atreve a adoptar una postura crítica con mayor distanciamiento.

El punto de unión que mantiene el arte con la moral lo encontramos en el hecho de que el arte es expresión del ideal para quien lo contempla y en esa comunicación subjetiva del arte el espectador reconoce al ideal como una parte de sí mismo, y por eso como un bien, en el sentimiento de plenitud total provocado por "una especie de identificación del yo con lo que querría ser, un simulacro de *posesión*, un fenómeno de participación que es *éxtasis*"[20]. El arte es el mejor espejo que el hombre tiene para reconocerse en el mundo, de lo que se puede deducir que la obra de arte no debe ser considerada un lujo inútil sino que se convierte, como sugiere Julián Marías, en 'vitamina' *necesaria* para la salud espiritual del hombre[21].

El cine nos desvela el ideal que manteníamos escondido en nuestro propio interior y nos invita a llevarlo a la práctica de la vida real. Como afirma A. Gerber, "es necesario hacer que la realidad obedezca nuestros sueños. El cine es el mejor profeta de esta moral. Nos deja entrever los valores que se deben envidiar, los valores posibles, pero sobre todo los imposibles, porque éstos son los que conducen más lejos y remodelan más sensiblemente la existencia. En la experiencia de la participación, se nos proponen vidas paralelas, más allás que, lejos de ser en relación a la realidad cotidiana otra cosa en el mismo tiempo, podrían ser la misma cosa en otro tiempo. El sueño se convierte en ideal, lo imaginario se ve como el futuro esperado de lo real"[22].

La experiencia estética del cine culmina en el encuentro del espectador con su condición humana, en el descubrimiento del mito que todos llevamos dentro, pero además tal descubrimiento permanece después en forma de actitudes, disposiciones, motivaciones, recuerdos vivenciales, tendencias, impreg-

expresa las formas superiores de este equilibrio, reúne la inteligencia y la afectividad». Piaget considera errónea la idea romántica que desvincula la afectividad de todo pensamiento lógico-racional, de toda operación de la inteligencia, y que la incluye únicamente dentro de una espontaneidad intuitiva propia de la primera infancia. Los sentimientos evolucionan hacia un equilibrio creciente, como lo hace el pensamiento, para finalizar en una voluntad madura que se concreta en una moral autónoma.

20. MITRY, J., *o. c.*, vol. I, p. 19.

21. MARÍAS, J. (1971) *La imagen de la vida humana*, p. 81 (Madrid, Eds. Revista de Occidente).

22. GERBER, A. (1969) *Le cinéma comme pédagogie de l'imagination*, p. 208, Tesis Doctoral, (Strasburgo, Universidad de Strasburgo).

nando la conducta posterior del espectador, de todos los espectadores, impregnando la cultura.

2.1. Educación moral y estética: hacia una interpretación crítica del mundo

Si el cine funciona como una realidad paralela y la experiencia fílmica es equiparable a la experiencia real –en cuanto al conocimiento adquirido por los hechos fílmicos y la afectación provocada por éstos en la sensibilidad–, entonces todo logro educativo debido al *film* tiene la validez misma que habiéndose adquirido por la experiencia directa. Del mismo modo, toda interpretación crítica que como espectadores hacemos no ya del *film* como obra de arte, sino de su contenido como experiencias vitales, supone la formación de un criterio interpretativo hacia la experiencia real del mundo y de la vida.

La acción fílmica obliga al espectador a realizar continuas operaciones mentales, entre ellas la del juicio crítico. Éste va conformando en el espectador las formas de pensar y actuar futuras. Se trata de considerar el cine como una ocasión ficticia de interpretar el mundo real. En definitiva, supone la posibilidad de ensayar distintas interpretaciones del mundo sin correr el menor riesgo y sin temor a la equivocación, pero conformando de hecho una personalidad moral en el espectador.

En cine el problema de la íntima unión del fondo y la forma se da de un modo especial, debido al hecho esencial de que el cine recrea en la pantalla los hechos concretos de un *continuum* espaciotemporal. El tema de una película no puede explicarse independientemente de la forma fílmica que lo contiene. "El tema de una obra es su *contenido latente*, aquello que es significado a lo largo de la película, sin ser jamás explicitado ni explícito, y que, poco a poco, se va filtrando en la conciencia del espectador"[23]. El tema, el contenido o el fondo no son lo que se suele llamar la 'moral de la historia', propia de películas didácticas o de tesis, porque la obra de arte no tiene nada que demostrar sino solamente que mostrar[24], pero tampoco consiste en la mera intriga de los hechos, la historia reducida a un esquema dramático cualquiera.

23. MITRY, J., *o. c.*, vol. II, p. 453.

24. *Ibid.*, vol. II, p. 456, donde, sin embargo, no deja de añadir que, "por supuesto, el autor tiene derecho a tomar partido, a exponer su punto de vista, pero siguiendo las pautas de un testimonio y no las de una lección moral".

La forma que tiene el pensamiento de ser transmitido en el arte fílmico no es sino encarnado en una determinada forma artística, lo que significa que toda forma cinematográfica encierra una intención definida, que todo estilo fílmico oculta una determinada forma de pensar, una concepción personal del mundo y de la vida. El arte cinematográfico demuestra el deseo del cineasta de participar al público esa visión personal, en el fondo, de enfrentar al espectador con el mundo común que ambos comparten, que tome conciencia de sí y adopte también una visión personal del mundo. En este sentido el valor educativo del cine como formación moral es irrevocable; incluso frente a posturas extremadamente esteticistas se puede afirmar con seguridad tal virtualidad en el cine, pues aunque éstas sólo reconocieran la posibilidad para formar sensibilidades, queda demostrado cómo lo sensible siempre predispone hacia una determinada inclinación moral en la conducta futura.

En un momento en que la educación moral y la enseñanza de la ética llegan marcadas por un gran predominio de su componente cognitivo y con la aceptación ya de algunas limitaciones de este enfoque, la experiencia del cine se descubre como un vehículo valioso para la aprehensión sensible y emocional del valor moral de la vida humana. Las películas significan actualmente lo mismo que las historias contadas por tradición oral significaban en su época: el modo más directo y eficaz de transmitir los valores morales de la actuación humana[25]. El oyente, como el espectador, incorporaba a su persona la moral *viva* de los hechos narrados, con toda su carga sensible, emotiva, intelectiva, social. El cine continúa en esa misma línea de formación práctica, proporcionando una experiencia semejante a la *catarsis* del teatro griego o la tradicional narración de historias y leyendas.

Y si, como se pretende demostrar, existe una dimensión moral en esa influencia educativa que ejerce el cine, ésta no es la única ni tampoco la definitiva. La integración necesaria de todas las dimensiones educativas de la experiencia fílmica se fundamenta, como se ha visto, en la correlación entre los valores sensibles, emocionales, intelectivos, sociales, morales que hacen de la vida en la pantalla un paralelismo de la vida real, cuya experiencia tiene un valor educativo en sí mismo, como experiencia vital. En definitiva, a partir de

25. Cf. SCHILLER, F. (1991) *Escritos sobre estética (1793-1803)*, p. 176 (Madrid, Tecnos). Partiendo de la tradición moderna de los siglos XVII y XVIII en que se inscribe el funcionalismo pragmático del valor formativo de lo estético en moralidad, Schiller supera la moral del deber puro desde lo estético sensible: la belleza predispone al cumplimiento voluntario y no coercitivo de la ley moral; pero, además, también traspasa esta explicación meramente pragmática de la educación estética, reconociendo en ella la posibilidad ofrecida al hombre de alcanzar la plenitud de conciencia, como integración de razón y sentimiento, de libertad y existencia.

la experiencia estética –también la del cine– se puede exhortar en la persecución de una formación integral, semejante a la del ideal clásico *kalós kaí agathós*, como integración vital entre el *pulchrum* y el *bonum* en el "alma bella", como perfección de la propia existencia definida según la "belleza moral", que suprime la escisión entre lo bueno y lo bello[26].

Habría un modo apropiado de transmitir ese *pulchrum*, que los griegos supieron ver en el corazón de la tragedia clásica que se puede definir como "una acción profunda que se presenta, e induce las emociones que realmente corresponden a su realidad. Presentan lo bueno, lo heroico, lo vil, lo grandioso, lo mezquino, etc., como realmente bueno, heroico,... y lo hace de tal manera que provoca las reacciones emotivas correspondientes a lo bueno, a lo heroico,...; así es como la tragedia realiza la purgación de nuestras emociones: provocando las emociones correctas, es decir, induciendo con energía una situación ordenada en el interior de la persona. Por esto se decía en el principio que las historias son un modo privilegiado de educación; las historias que realizan esta formación son las historias catárticas, no sólo las historias 'limpias' o 'edificantes': se trata de historias que pueden y deben presentar no sólo la bondad y la virtud, también deben presentar la multiforme miseria humana, pero ha de hacerlo no de modo 'fotográfico', como querría cierto 'realismo', sino de modo que lo malo y corrupto aparezca como malo y corrupto, y que además esto sea de tal forma que provoque las emociones correspondientes a lo malo y a lo corrupto"[27].

2.3. Algunas reflexiones para la práctica educativa

Antes de terminar y a modo de propuesta o sugerencia para futuras investigaciones, cabe dejar planteadas algunas cuestiones relacionadas con la práctica educativa. Nada se ha mencionado hasta ahora sobre esa práctica educativa, y tampoco es mi intención desarrollar aquí un diseño didáctico, sino sólo apuntar algunas conclusiones que pueden suscitar la investigación a este respecto y

26. Cf. TURRÓ, S. (1998) L'educació estètica a Schiller, *Seminari Iduna: Reflexions a l'entorn de l'educació estètica*, pp. 7-19, (Barcelona, Publicacions Universitat de Barcelona) donde atribuye esta misma integración clásica a la metafísica estética del romanticismo schilleriano.

27. RUIZ RETEGUI, A. (1998) *Pulchrum. Reflexiones sobre la Belleza desde la Antropología cristiana*, p. 69, (Rialp, Madrid).

orientar la puesta en práctica de las posibilidades educativas que encierra el cine[28].

En primer lugar, se puede pensar en desarrollar el estudio concreto de cada una de las dimensiones educativas del cine con relación a la etapa evolutiva correspondiente. La estructura de esta concreción práctica deberá realizarse atendiendo a las posibilidades de cada etapa educativa respecto a las dimensiones educativas que hemos mencionado en el cine. Si el educador es consciente del valor que ofrece cada una de esas potencialidades educativas a lo largo del proceso educativo, podrá programar los objetivos educativos de cada etapa teniendo en cuenta que la utilización del cine en la educación infantil y primaria se puede presentar como un poderoso instrumento para la formación de la sensibilidad, propia de estas primeras etapas; que su utilización en la educación secundaria será de gran ayuda para una formación psíquica centrada en la afectividad y el pensamiento, necesaria en la etapa adolescente; y por último, que el cine propicia la formación de la conducta social y moral del joven bachiller y universitario.

Como afirma Peters, la educación cinematográfica "no deberá limitarse únicamente a los aspectos estéticos de las películas, sino que también deberán tenerse en cuenta sus aspectos sociales, morales y espirituales. A ese respecto, puede considerarse que el 'segundo mundo' en el que penetra el espectador de cine es una prolongación del mundo real y que los jóvenes, siempre que tengan discernimiento, pueden adquirir, gracias al cine, nociones y una experiencia que les será muy provechosa en la vida"[29].

La vida paralela de la pantalla no hace más que acercar toda la amplitud inabarcable de la realidad al espectador. El educador no tiene más que aprovechar ese poderoso instrumento que proporciona ejemplos que "tienen efectivamente la ventaja de presentarse en el ambiente de una situación 'real' y de impresionar al niño muy profundamente. Si no se utilizan los recursos del cine, la geografía social y económica obliga a los alumnos, con excesiva frecuencia, a imaginar circunstancias y situaciones de las que no tienen ninguna experiencia personal. Lo mismo puede decirse de las lecciones de historia, de religión y de instrucción cívica. Las cosas de que un niño no ha sido nunca testigo puede verlas, bajo numerosas formas distintas, en el 'segundo mundo de la pantalla'"[30]. El cine más que ningún otro instrumento didáctico se evidencia en la

28. En otro capítulo de este libro se expone una experiencia práctica respecto a esta cuestión. Cf. NAVAL, C. y URPÍ, C., Una experiencia de cine: la formación del carácter a través del cine y la literatura.

29. PETERS, J. L. M., *o. c.*, pp. 20-21.

30. *Ibid.*, p. 94.

escuela como un claro ejemplo de la vida sensible, afectiva, racional, social y moral.

Quizás la cuestión estriba entonces en qué papel le corresponde al educador como intermediario entre la película y su público, el alumnado. El educador debe dirigir la actividad de algún modo que permita sacar el mayor provecho educativo del cine. En general, la perspectiva adoptada en las páginas precedentes partía de la educación no formal; sin embargo, con la defensa que aquí se hace del alcance educativo del cine, debe reconocerse que no se pretende sino promover la introducción de la experiencia fílmica también en el ámbito de la educación formal. Entonces es cuando la didáctica debe hacerse cargo de *cómo* llevar a la práctica esta tarea. Pero, para ello, toda didáctica debe considerar previamente la naturaleza de los contenidos educativos y conocer su alcance educativo. Y ése ha sido el objetivo principal de estas páginas: dar a conocer algunas de las implicaciones educativas que provienen de la naturaleza misma del cine.

Algunas nociones aquí argumentadas pueden servir de guía y fundamentación para futuras investigaciones en el campo de la didáctica del cine. Así, por ejemplo, si es cierto que la significación fílmica proviene de la interrelación entre los elementos estéticos y los elementos psicológicos de una película, y que la experiencia fílmica promueve en el espectador la educación de la sensibilidad, de la afectividad, de la racionalidad y de la conciencia moral, entonces la didáctica del cine y el tipo de crítica cinematográfica que deberá suscitarse en las aulas no podrá reducirse, como ocurre habitualmente, a un examen meramente semiológico del texto audiovisual, sino que tendrá que ampliarse a otro tipo de connotaciones artísticas, psicológicas, sociales, etc., presentes de algún modo en las imágenes.

También hay otro aspecto importante de la investigación educativa, además del que se refiere a la didáctica, al que Peters hace otra referencia, y que se relaciona más directamente con la presente investigación: “el cine y la televisión no sólo son un ‘espejo’ de la vida social, sino que forman parte de los fenómenos objeto de los *estudios sociales*. Como pueden ser considerados a la vez como medios de información, producciones culturales y como una técnica, deben encontrar cabida en los libros de texto consagrados a esas diferentes disciplinas”[31]. Esta propuesta va más en la línea de programar unos contenidos educativos específicos, ya sea para los niveles de la institución escolar o para otras instituciones superiores, sobre el hecho cinematográfico, y en general, sobre los medios de comunicación audiovisual: su historia y teoría, las distintas

31. *Ibid.*, p. 95.

técnicas, la estética y psicología de la imagen, su influencia y utilización social, propagandística, publicitaria, etc.

Por tanto, los contenidos actuales de los programas educativos de nuestro país, y de otros países cercanos, deberían responder a los requisitos que se derivan de las observaciones aquí expuestas; la postergación de tales cometidos significa una continua e incalculable pérdida sobre los múltiples beneficios que se podrían obtener en las distintas dimensiones de la educación humana una vez atendidas todas las posibilidades que el cine encierra.

3. ALGUNAS CONCLUSIONES

En las respuestas de los espectadores se puede afirmar que el cine enseña a percibir las cualidades de la realidad y contribuye a configurar la sensibilidad; también promueve sentimientos e ideas frente a las situaciones de la vida a partir de las emociones y pensamientos suscitados por la película en cada momento concreto y sensible; por último, todas esas sensaciones, sentimientos e ideas repercuten también en el plano de la conducta y de la acción –que coincide con la dimensión socio-moral de la educación– suponiendo una auténtica formación de la voluntad. Es más, la original ventaja de la enseñanza moral del cine estriba en que el criterio moral suscitado viene asociado a una sensación concreta y a un determinado afecto o sentimiento, lo cual permite captar con toda su viveza la bondad o la maldad de una actuación, dentro de las nociones estéticas de agrado o desagrado.

Se ha defendido aquí la influencia educativa del cine como arte, una virtualidad educativa inherente al hecho fílmico desde su consideración artística y cultural. Sin embargo, también se reconoce que, para poder aprovechar todas las condiciones que ofrece la experiencia fílmica a la educación, es necesario que esta educación pueda quedar integrada formalmente dentro de las instituciones escolares, universitarias u otras, como los propios medios de comunicación. Además, puesto que es posible ampliar la experiencia fílmica más allá de la proyección en la pantalla –y esto será muy válido para introducir la posición crítica del espectador–, en el terreno de la educación o formación crítica del espectador esta ampliación supondrá preferentemente una serie de actuaciones intencionadas que envolverán tanto la propia experiencia de la proyección como todo el marco anterior y posterior a ella: la presentación de la película, la documentación previa, la revisión de la crítica especializada, el análisis y la crítica personal posterior, con el comentario o exposición pertinentes, etc. Toda profundización en los elementos que rodean la proyección de una película contribuye a no reducir este momento a un puro pasatiempo sino a aprovecharlo como vivencia transformadora; mejor dicho, formadora. Sin embargo, no se trata, por ello, de convertir toda sesión de cine en un simposio, sino más bien de educar una forma participativa de ir al cine para saber apreciarlo y disfrutar en ello. Al fin y al cabo, vamos al cine para pasar un buen rato.

ABSTRACT

EDUCATIONAL VALUE OF FICTION FILM

The viewer's participation in film experience can be considered as a possibility for the attainment of different educational objectives that address different human dimensions: sensible –external senses, imagination, memory, etc.–, rational, social, moral, etc. In this participation, the spectator's receptivity does not contradict his critical judgment but, indeed, validates it. Besides, the spectator's freedom and the artistic freedom of the film's author are not necessarily opposed to each other, since both are limited by the implicit agreements that underlie their relationship that is mediated by the film experience. One of these agreements is a common reference to the same reality whose common sense logic is the point of connection between the spectator, the film and the author. In conclusion, film can be lived vicariously as a virtual experience which enriches life with some kind of sensible and concrete knowledge of reality.

KEY WORDS

Film appreciation, aesthetic education, moral education, character education.

DIRECCIÓN DE LA AUTORA

Carmen URPÍ GUERCIA
Departamento de Educación
Universidad de Navarra
31080 Pamplona (España)
Tel. 00 34 (9) 48 42 56 00
E-mail: curpi@unav.es

SEGUNDA PARTE

PROPUESTAS PRÁCTICAS

EL "PROGRAMA DEL SIGLO XXI POR LA PAZ Y LA JUSTICIA". UNA EXPRESIÓN DE LA SOCIEDAD CIVIL GLOBAL Y ORGANIZADA: ASPECTOS EDUCATIVOS

Enrique ABAD MARTÍNEZ
IPES (Instituto de Promoción de Estudios Sociales)

1. INTRODUCCIÓN: SOCIEDAD CIVIL GLOBAL, ORGANIZADA, ONGS, ALTERNATIVAS

El término 'sociedad civil' apela en este caso más que a un concepto filosófico propio de la teoría política y de difícil definición[1], a un movimiento asociativo no gubernamental creciente y muy variado que se preocupa y actúa por cuestiones que afectan a la seguridad y al bienestar de los ciudadanos. Es por tanto, "menos un concepto descriptivo o analítico y más un proyecto político"[2] que podría responder según Michael Edwards a la siguiente definición: "el foro en el cual la gente se agrupa para progresar en ciertos intereses comunes, sin afan de beneficio económico ni de poder político, sino porque se preocupan lo suficiente por algo para actuar colectivamente y que incluye, por tanto, a todas las redes y asociaciones que existen entre la familia y el Estado, excepto las

1. En este sentido puede verse un buen estado de la cuestión en ALVIRA, R. (1999) Lógica y sistemática de la sociedad civil, en ALVIRA, R; GRIMALDI, N. y HERRERO, M. (eds.) *Sociedad civil. La democracia y su destino*, pp. 63-79 (Pamplona, Eunsa).

2. KALDOR, M. (1999) Transnational Civil Society, p. 195, en DUNNE, Tim y WHEELER, Nicholas J. (eds.) *Human Rights in Global Politics* (Cambridge, Cambridge University Press).

empresas"[3]. Sería una manifestación de lo que Alejandro Llano denomina nueva ciudadanía que, en su actuar, además de no responder a órdenes de las autoridades políticas, evidentemente tampoco se guía por afanes de lucro[4].

Es importante resaltar en este caso, los calificativos que en el título se han añadido al término sociedad civil: *global* y *organizada*. El primero tiene motivaciones evidentes, ya que trascendiendo como trascienden esas cuestiones y problemas –en este mundo que se nos dice globalizado– las fronteras de los todavía vigentes Estados, las propuestas y soluciones que puedan emerger han de tener la misma condición, internacional, o mejor dicho, global[5]. Por otra parte, en el sentido que aquí se quiere dar a la sociedad civil, uno de sus rasgos característicos es precisamente que los que participan de ella manifiestan intereses internacionalistas, concretados –por ejemplo– en la defensa de los derechos humanos en pugna con el subterfugio de la soberanía estatal[6].

El segundo de los calificativos, sociedad civil *organizada*, remite a la realidad de que existen movimientos sociales no gubernamentales que "se proponen una misión común, realizada de manera estable y con seriedad profesional al servicio –entre otras cosas– de iniciativas sociales de solidaridad"[7]. Estos grupos humanos parecen el mejor medio de llevar a cabo esas propuestas, acciones y soluciones que desde el reducido campo de acción de la sociedad civil pretenden ayudar a cambiar el estado del mundo[8]. En los últimos años hemos tenido algunos significativos ejemplos de su efectividad en las campañas llevadas a cabo por coaliciones internacionales de estas asociaciones que han desembocado en importantes tratados y acuerdos entre Estados, como la adopción –por ejemplo– del *Convenio para la Erradicación de las Minas Antipersonales*[9] o del Estatuto del *Tribunal Penal Internacional*[10].

3. EDWARDS, M. (2000) Civil Society and Global Governance, *On the Threshold: The United Nations and Global Governance in the New Millennium*, International Conference, January, The United Nations University, Tokyo, nota 2. <http://www.unu.edu/millennium/edwards.pdf>

4. Cf. LLANO, A. (1999) *Humanismo cívico*, pp. 109-122 (Barcelona, Ariel).

5. Cf. HELD, D. (1997) *La democracia y el orden global. Del Estado moderno al orden cosmopolita*, pp. 129-175 (Barcelona, Paidós).

6. Sobre los derechos humanos como límite a la soberanía clásica de los Estados véase, CASSESE, A. (1988) *Los derechos humanos en el mundo contemporáneo*, pp. 258-259 (Barcelona, Ariel).

7. LLANO, A., *o. c.*, pp. 119-120.

8. Los movimientos sociales constituyen el elemento dinamizador de los procesos que pueden hacer realidad las potencialidades positivas de las sociedades civiles modernas, COHEN, J.L. y ARATO, A. (1992) *Civil Society and Political Theory*, p. 492 (Cambridge, MA, The MIT Press).

9. Sobre la participación de la sociedad civil en la consecución de este importante tratado internacional véase, PONT VIDAL, Josep (Coord.) (1998) *Minas antipersonas. La prohibición de las minas antipersonas: el largo camino del 'proceso de Ottawa'*, dossier (Barcelona, ANUE).

Un aspecto problemático en relación a estas organizaciones de la sociedad civil –del que ahora no podemos ocuparnos pero del que hay que ser muy conscientes y que debe al menos quedar apuntado– estriba en saber cuál es su grado de representatividad del conjunto de la sociedad, tanto en cantidad como en calidad, es decir, en términos de numero de asociados como de presencia de las distintas zonas geográficas y culturales del mundo[11]. A veces sucede que algunas organizaciones con la intención de legitimar sus causas –más o menos perdidas– hablan, actúan y exigen como si representaran a toda la sociedad civil, y ello comporta el grave riesgo de desprestigiar al resto de organizaciones que sí son conscientes de su papel, además de deslegitimar de alguna forma a las instituciones surgidas de la democracia representativa[12]. En términos más generales, este tipo de movimientos no pueden pretender sustituir la labor de unas instituciones democráticas sino que, más bien al contrario, necesitan de ellas. Como afirma Michael Walzer, "sólo un estado democrático puede crear una sociedad civil democrática; sólo una sociedad civil democrática puede mantener un estado democrático"[13].

2. CONFERENCIA DEL LLAMAMIENTO DE LA HAYA POR LA PAZ, MAYO DE 1999

2.1. ANTECEDENTES

Del 12 al 15 de mayo de 1999, y después de varios años de preparativos, se celebró la llamada *Conferencia del Llamamiento de la Haya por la Paz* con la intención de reunir al mayor número posible de organizaciones de la sociedad civil, así como representantes de organizaciones intergubernamentales, especialmente de las Naciones Unidas y, a ser posible, de gobiernos estatales. Antes, durante y después de esta conferencia se ha venido desarrollando con el

10. Una conceptualización de la actuación de la sociedad civil mundial en clave teórica del Derecho internacional en, FALK, R. (1998) *Law in an Emerging Global Village. A Post-Westphalian Perspective*, pp. 38-45 (New York, Transnational Publishers).

11. Cf. GUPTE, P. (1999) How representatives are these Non Governmental Organizations?, *International Herald Tribune*, París, 7 de diciembre.

12. Cf. ANDERSON, K. The Ottawa Covention Banning Landmines, the Role of International Non-Governmental Organizations and the Idea of International Civil Society, *European Journal of International Law*, Vol. 11, Nº 1 (january 2000), pp. 112-120.

13. WALZER, M. (1995) The concept of civil society, p. 24, en WALZER, M. (ed.) *Toward a Global Civil Society* (Providence, RI, Berghahn Books).

mismo nombre una campaña mundial que busca, en el más genuino espíritu pacifista, abolir la guerra y la violencia como método para la solución de conflictos y crear –con todo lo que ello implica– una auténtica cultura de paz. Es importante entender por paz no sólo la ausencia de guerra, sino las condiciones materiales y espirituales que impidan la resolución de diferencias o conflictos de forma violenta, tanto a escala local, como estatal o internacional[14].

No fue casual que esta reunión se celebrara en la ciudad holandesa de La Haya, ya que además de ser conocida como la capital del Derecho internacional, allí se celebraron los dos antecedentes más directos de esta Conferencia. El primero fue justo cien años antes, en 1899, cuando se llevó a cabo por iniciativa del joven zar Nicolás II una Conferencia en la que participaron representantes de 27 Estados, cifra considerable para la época. Con la adopción entonces de la *Convención de La Haya sobre las leyes y costumbres de la guerra* se asentaron las bases del moderno Derecho internacional humanitario, es decir, el conjunto de normas que regulan lo que se puede y lo que no se puede hacer en la guerra (*ius in bello*). La segunda *Conferencia de Paz de La Haya* se celebró en 1907, esta vez a iniciativa del presidente estadounidense Theodore Roosevelt, y tuvo como resultado profundizar y perfeccionar lo que inició su predecesora[15].

En ambas conferencias destacó por sus iniciativas el académico y diplomático ruso F. De Martens[16], al que debemos una famosa doctrina que lleva su nombre y que supuso –en una terminología que hoy nos puede parecer de tintes racistas[17]– un precedente a la *Declaración Universal de los Derechos Humanos*, aprobada cincuenta años después[18]. En las dos reuniones la sociedad civil

14. Es el tránsito de la llamada paz *negativa* a la *positiva*. A este respecto resulta muy interesante el mensaje del Papa Juan Pablo II con ocasión de la *Jornada Mundial de la Paz* del 1 de enero de 2000. Puede consultarse en <http://www.zenit.org/spanish/archivo/document/PAZ2000.html>

15. Sobre los objetivos y logros de las dos conferencias de La Haya puede consultarse, ALDRICH, G. y CHINKIN, Ch. (eds.) (2000) Symposium: The Hague Peace Conferences, *American Journal of International Law*, vol. 94, nº 1, january, pp. 1-98.

16. Para conocer algo más sobre la apasionante vida de este personaje, véase PUSTOGAROV, V. (1996) Fiódor Fiódorovich Martens (1845-1909), humanista de los tiempos modernos, *Revista Internacional de la Cruz Roja*, nº 135, pp. 324-339.

17. No en vano se expresa en términos de superioridad moral de la civilización occidental. Como estudio crítico al concepto de civilización –a fines del XIX y en la actualidad– en las relaciones internacionales resulta muy recomendable el libro de REMIRO BROTONS, A. (1996) *Civilizados, bárbaros y salvajes en el nuevo orden internacional* (Madrid, McGraw-Hill Interamericana), especialmente los primeros capítulos.

18. Sobre la llamada *Cláusula Martens* puede consultarse cualquier buen manual de derecho internacional público, por ejemplo, PASTOR RIDRUEJO, J. A. (1999) *Curso de Derecho internacional público y Organizaciones Internacionales* (7ª ed.), pp. 639-640, (Madrid, Tecnos).

del momento –representada fundamentalmente por las *Sociedades de Paz*[19]– jugó un papel destacado, por un lado convenciendo a los gobiernos a participar y, por otro, aportando iniciativas y propuestas –avaladas ya entonces por miles de firmas– para que se incluyeran determinados aspectos en las negociaciones gubernamentales[20].

2.2. PARTICIPANTES

La tercera de las conferencias de La Haya, la de 1999 objeto de este estudio, presenta tres grandes diferencias respecto a sus predecesoras. En primer lugar, éstas se preocuparon fundamentalmente por humanizar la guerra, por suavizar los métodos de destrucción en ella empleados y minimizar los sufrimientos, especialmente de los combatientes, mientras que la última de las Conferencias se centró en conseguir hacer de la guerra algo del pasado, en abolirla. Es, evidentemente, una diferencia substancial. En segundo lugar, las primeras conferencias fueron intergubernamentales y asistieron –con derecho a intervenir y votar– únicamente representantes de los gobiernos[21]. En la de 1999, por el contrario, los más representados fueron las ONGs y demás movimientos sociales de casi todo el mundo. Asistieron a la que fue, según sus organizadores, "la mayor conferencia de paz de la historia", 10.000 personas de 100 países diferentes, representando a mil organizaciones de la sociedad civil y 80 gobiernos y organizaciones intergubernamentales[22]. Entre los participantes destacaron el Secretario General de las Naciones Unidas, Kofi Annan, y seis premios Nobel de la paz. Por último, mientras que en las primeras se adoptaron tratados jurídicamente vinculantes que los Estados se comprometieron a cumplir, en esta última los gobiernos presentes sólo recogieron las opiniones y exigencias de los ciudadanos de todo el mundo allí representados.

Estas diferencias entre las dos primeras conferencias y la más reciente, tanto en el planteamiento como en los objetivos, invitan a reflexionar en lo que

19. En este movimiento destacaba por su visión profética y enérgica decisión, la Baronesa Bertha von Suttner, una de las pioneras del pacifismo contemporáneo. Sobre su vida y obra puede consultarse, GELAUTZ, B. (1984) Bertha von Suttner. El pacifismo elaborado, *Tiempo de Paz*, nº 4, otoño, pp. 110-117.

20. Cf. WEISS, P. A Background Paper for The Hague Appeal for Peace, en <http://www.haguepeace.org/about/bkgnd.htm>

21. Con la excepción de China, Japón, Persia y Siam, todos del mundo occidental.

22. Cf. *Peace Matters Newsletter of The Hague Appeal for Peace* (1999) vol. 2, nº 2, september, p. 3.

de real o retórico ha podido avanzar la sociedad civil mundial y su percepción sobre los problemas del mundo[23].

2.3. RESULTADOS

Teniendo en cuenta que el gran propósito de la última Conferencia de La Haya era "mandar un mensaje claro al mundo de los responsables políticos sobre los asuntos que dejaron de lado en las dos Conferencias anteriores"[24], sin por ello suplantarles ni desdeñar la importancia y necesidad de su trabajo en las sociedades democráticas, los resultados fueron altamente satisfactorios. Aparte de una masiva participación –con algunas ausencias notables, especialmente de los medios de comunicación[25]–, se aprobó un documento, el *Programa del Siglo XXI por la Paz y la Justicia* que expresa las preocupaciones de la sociedad civil global al respecto de los grandes asuntos que amenazan la paz y la seguridad del mundo. Pero lo más interesante –y lo novedoso– de este Documento no es la denuncia, sino la aportación en 50 puntos concretos de medidas y acciones factibles que se presentan a los gobernantes y líderes mundiales con responsabilidad en el presente y futuro de nuestra sociedad. Se exige de ellos que tomen en cuenta lo que les pide la sociedad civil mundial y que actúen en consecuencia.

Ninguno de los aspectos ahí tratados es nuevo, son viejas aspiraciones y reivindicaciones de los movimientos pacifistas, los activistas de los derechos humanos y los partidarios de un orden social más justo, pero la novedad radica en haberlos tratado y planteado de forma integral puesto que todas estas cuestiones aparecen siempre relacionadas y no basta con solucionar un aspecto olvidándose de los otros. En este sentido, uno de los grandes méritos de la Conferencia ha sido juntar en la redacción de este Programa a un gran número de organizaciones y asociaciones, con intereses muy variados y procedentes de ámbitos geográficos muy diversos, por unos mismos objetivos[26].

23. Cf. STOETT, P., TEITELBAUM, P.(1999-2000) The Hague Appeal for Peace Conference: Reflections on 'civil society' and NGOs, *International Journal*, vol. LV, nº 1, winter, pp. 43-44.

24. WEISS, P., *o. c.*

25. En España, por ejemplo, ninguna noticia fue publicada en los periódicos de ámbito nacional en los días en que esta conferencia se celebró en La Haya.

26. Cf. STOETT, P. y TEITELBAUM, P., *o. c.*, p. 38.

3. PROGRAMA DEL SIGLO XXI POR LA PAZ Y LA JUSTICIA[27]

En sus más de 20 páginas el programa emanado de esta gran conferencia sigue la estructura de un documento internacional pero con un lenguaje y un estilo muy diferente. Comienza por explicar su propio origen que sitúa en "los cientos de organizaciones y particulares que han participado activamente en el proceso del Llamamiento de La Haya por la Paz". A continuación incluye un Preámbulo que, de manera muy general, repasa la situación del mundo urgiendo a cambiarla, al mismo tiempo que establece cuál puede y debe ser el papel de la sociedad civil en ese cambio, "que no puede ponerse únicamente en manos de los gobiernos". Exige el trabajo conjunto de activistas, gobiernos y organismos internacionales hacia un objetivo común e introduce los grandes temas hacia los que debe dirigirse ese trabajo. Entre estos temas –que, presentados en forma de eslóganes o lemas, son los ejes programáticos del Llamamiento–, destacan *Todos los derechos humanos para todos*, *Encontrar dinero para la paz y agotar los fondos para la guerra*, *Mundialización de abajo hacia arriba* o *Reemplazar la ley de la fuerza por la fuerza de la ley*.

Después de esta presentación, el Programa entra en materia con las llamadas *medidas principales*. Se trata de la agrupación de una serie de iniciativas ciudadanas –muchas en funcionamiento desde hace algunos años– estructuradas en forma de campañas en las que se conforman redes mundiales abiertas a la participación de otros ciudadanos u organizaciones que, con sus propias estructuras y medios de difusión (páginas web, principalmente), luchan por objetivos concretos cada uno dentro de su especialidad. Entre estas campañas destacan la de *Eliminación de las armas nucleares*, la destinada a *Impedir la utilización de niños soldados*, la *Red de acción internacional sobre armas ligeras* y, especialmente, la *Campaña mundial de educación para la paz*, que se comenta más adelante.

Por último, el Programa aborda su gran objetivo: "exponer, con la mayor exactitud posible, las cuestiones, iniciativas y principios enunciados por las organizaciones participantes". Para ello, se ofrecen 50 puntos concretos –cada uno con su título– una explicación que desarrolla el enunciado y normalmente denuncia una situación, y la proposición de unas medidas concretas para acabar con esos hechos. Son aspectos que responden a aportaciones previas realizadas por una determinada organización o coalición de ellas en los procesos de preparación de la Conferencia de La Haya, y posteriormente allí convenidos tras "prolongadas deliberaciones con los grupos interesados". Aunque el estilo entre

27. Puede consultarse en castellano en, <http://www.haguepeace.org/agenda/agen_spa.html>

los distintos lineamientos no es uniforme –y no es casual, ya que representa la distinta forma de trabajar de los distintos grupos, algo que no ha querido ser corregido por los redactores finales del Programa "para que las numerosas contribuciones recibidas tengan la mayor repercusión posible"– cabe destacar el tono positivo y concreto de las propuestas, casi siempre en clave de afirmación, sin caer –con algunas excepciones– en la tan fácil y habitual retórica que exclusivamente denuncia y no aporta ninguna solución mínimamente viable.

Los 50 epígrafes que se abordan en el Programa se han subdividido en cuatro lineamientos principales respondiendo a los grandes asuntos en discusión:

1. *Las causas principales de la guerra/la cultura de la paz*;
2. *El derecho y las instituciones internacionales en los ámbitos humanitario y de los derechos humanos*;
3. *La prevención, resolución y transformación de conflictos violentos*;
4. *El desarme y la seguridad humana.*

En el primero de ellos se manifiestan de forma más directa las implicaciones educativas de este Programa.

4. ASPECTOS EDUCATIVOS DEL PROGRAMA

Las reflexiones y demandas de contenido educativo que se lanzan en el Programa no son acerca de la extensión de la educación básica y gratuita a todo el mundo o de lucha contra el analfabetismo, como es el caso del reciente *Foro Mundial de la Educación* celebrado en Dakar[28], sino de promoción de la cultura de paz y no violencia en los sistemas educativos ya existentes. Estas peticiones se sitúan explícitamente de manera directa en el primer punto del mismo –lo cual da idea de la importancia que se les atribuye– y en la presentación de la *Campaña Mundial de Educación para la Paz*. En el resto del Programa también aparecen referencias a la educación pero de manera indirecta, ya sea como enfoque, aproximación o instrumento útil para consolidar la paz y erradicar la violencia.

28. Importante reunión internacional organizada por Naciones Unidas y el Banco Mundial que tuvo lugar a fines del mes de abril en la capital de Senegal, en la que estuvieron representados 145 gobiernos y 200 asociaciones de la Sociedad Civil, que realizaron un foro paralelo. En la Conferencia se adoptó el llamado *Marco de Acción* para hacer realidad el Programa *Educación para Todos*. Al respecto véase, *El País*, Madrid, 29 de abril de 2000. Sobre las propuestas de las ONGs puede consultarse la página web de Intermón, <http://www.intermon.org./html/cam_adu_inf_pre_cont.html>

4.1. Referencias directas

El objetivo de las primeras es consolidar una verdadera "cultura de paz" como mejor forma de "combatir la cultura de la violencia que afecta a nuestra sociedad", especialmente por medio de la reforma de los sistemas de educación y mejora de sus contenidos. Para ello, el primer epígrafe del Programa, titulado *Educar para la paz, los derechos humanos y la democracia*, pide para "la generación venidera (...) una educación radicalmente diferente que, en vez de celebrar la guerra, eduque para la paz, la no violencia y la cooperación internacional". Pero además, el ámbito de aplicación de estas mejoras se extiende más allá de los sistemas educativos formales, y así se pretende dotar "a las personas de todos los sectores de la sociedad" de los instrumentos y herramientas necesarios para alcanzar con éxito esa cultura de paz: "aptitudes de mediación, de transformación de conflictos, de promoción de consenso y cambio social no violento".

Una vez planteados de manera general los objetivos vienen las peticiones, claras y concretas, dirigidas a los Ministerios de Educación, por un lado, y a los organismos gubernamentales de asistencia al desarrollo que trabajen en aspectos educativos, por otro. En el primer caso se sitúan en dos planos distintos: desde el punto de vista de la educación formal, para que hagan "que la educación para la paz sea obligatoria en todos los niveles del sistema educativo" y, en el plano de la educación informal o no formal, para que "los ministerios de educación pongan sistemáticamente en práctica iniciativas de educación para la paz en los ámbitos local y nacional". Con la intención de no encorsetar las variantes ya adoptadas en los sistemas educativos de los diferentes países, no se especifica si la educación para la paz, los derechos humanos y la democracia debe aparecer en los *curricula* como materia independiente o como contenido de los ejes transversales.

En el segundo caso –las demandas a los organismos de asistencia para el desarrollo–, se pide que "promuevan la educación para la paz como componente de la formación de maestros y la producción de material pedagógico". Aparece así el importantísimo papel que puede jugar la cooperación oficial de los países desarrollados a la hora de apoyar y financiar proyectos educativos en países en desarrollo específicamente dirigidos a la formación de formadores, tanto en los contenidos a impartir como en los materiales a utilizar.

4.2. REFERENCIAS INDIRECTAS

Las referencias indirectas a la educación en el Programa del Siglo XXI por la Paz y la Justicia de La Haya aparecen repartidas en algunos de los otros 49 puntos presentes en los cuatro lineamientos principales.

Interculturalidad. Respecto a la necesidad de potenciar una educación intercultural, se propone juntar esfuerzos para "eliminar la manipulación de las diferencias raciales, étnicas, religiosas y de género con fines políticos y económicos"[29]. Además se apoya y se solicita un mayor desarrollo de la educación para la solidaridad como medida necesaria para dotar a la sociedad civil de la capacidad de incidir en la prevención, solución y transformación de los conflictos violentos. Partiendo del hecho de que "para que los esfuerzos por prevenir, resolver y transformar los conflictos violentos sean eficaces a largo plazo, deben contar con la participación de grupos de la sociedad civil local comprometidos en consolidar la paz", se considera que "el fortalecimiento de esa capacidad local es fundamental para el mantenimiento de la paz". Este fortalecimiento puede adoptar distintas formas, entre ellas "la educación, la formación y el fomento del espíritu voluntario en la sociedad"[30].

Integración. Otro aspecto del Programa donde la educación juega un papel destacado es el relativo a la integración de ciertos grupos especiales de marginados o excluidos sociales. Así, por ejemplo, se pide "reintegrar a la sociedad a los jóvenes y a algunos de sus mayores que han sido marginados a menudo como consecuencia de oportunidades económicas limitadas", teniendo en cuenta además que esta marginación ha podido dar pie a "comportamiento violentos"[31]. Otro grupo especialmente sufrido que necesita de la educación para una satisfactoria rehabilitación e integración en la sociedad es el de los ex-niños soldados –menores de 18 años reclutados, muchas veces por la fuerza, en diversas guerrillas o ejércitos regulares y de los que se calcula que más de 300.000 están combatiendo actualmente en algún conflicto del mundo– con grandes problemas afectivos y de valores[32].

29. Punto 5 del Lineamiento 1°, *Eliminar la intolerancia racial, étnica, religiosa o de género.*

30. Punto 28 del Lineamiento 3°, *Fortalecer la capacidad local.*

31. Punto 10 del Lineamiento 1°, *Eliminar la violencia de la comunidad a nivel local.*

32. Punto 19 del Lineamiento 2°, *Impedir la utilización de niños soldados.* Sobre los problemas educativos de los niños que han pasado por este tipo de experiencias, puede verse COHN, I. y GOODWIN-GILL, G.

Voluntariado. Se entra también en el campo de la formación del voluntariado que se concreta, por ejemplo, en la necesidad de formar a los miembros de grupos de la sociedad civil para que "puedan reparar las violaciones del derecho humanitario y de los derechos humanos cometidas en los planos local o nacional mediante recursos de mecanismos regionales o internacionales"[33]. Estos mecanismos, que forman parte del llamado Derecho internacional de los derechos humanos, a pesar de sus muchas limitaciones existen y son a menudo desconocidos por los propios activistas de los derechos humanos. La necesidad de formación en estos campos se amplia en el punto siguiente al resto de ciudadanos víctimas de las violaciones a los derechos humanos, así como a "los encargados de elaborar y hacer cumplir las leyes nacionales". En este amplio abanico de poderes públicos se encuentran los "letrados, legisladores, magistrados y políticos", sin olvidar a las fuerzas de seguridad, civiles y militares[34].

Misiones de paz. La formación en derechos humanos y otra formación específica también se hace necesaria en las cada vez más numerosas misiones internacionales de paz de Naciones Unidas u otros organismos internacionales, gubernamentales o no, donde además de fuerzas militares o policiales se requieren observadores electorales o generales, capacitadores de jueces, personal de derechos humanos, etc. Para todos ellos el Programa constata "una necesidad acuciante de seguir promoviendo la capacitación especializada de civiles –hombres y mujeres– en las técnicas de solución de conflictos, mediación, negociación, etc."[35].

Medios de comunicación. Por otra parte, respecto a la importancia de educar a los medios de comunicación en la educación para la paz, el Programa propone "lanzar una campaña para eliminar, o al menos reducir, la violencia en los medios de difusión y en el lenguaje cotidiano"[36] y el enorme desafío de "seguir utilizando los medios de información de formas creativas e innovadoras para

(1997) *Los niños soldados: un estudio para el instituto Henry Dunant de Ginebra*, pp. 120-132 (Madrid, Fundamentos-Cruz Roja Juventud).

33. Punto 22 del Lineamiento 2°, *Capacitar a organizaciones de base comunitaria para que utilicen mecanismos nacionales, regionales e internacionales en la aplicación del derecho internacional.*

34. Punto 23 del Lineamiento 2°, *Promover un mayor conocimiento, aprendizaje y comprensión por el público del derecho internacional humanitario y del derecho relativo a los derechos humanos.*

35. Punto 31 del Lineamiento 3°, *Promover la capacitación de profesionales de paz de extracción civil.*

36. Punto 9 del Lineamiento 1° titulado, *Proclamar la no violencia activa.*

consolidar la paz y promover la reconciliación"[37]. También se pide de los medios de comunicación una mejor difusión "de la labor de los pacificadores locales", que posibilite una mayor efectividad de su trabajo y un grado superior de reconocimiento al mismo[38].

Financiación. Como medida concreta para conseguir financiar todos estos proyectos educativos, al tiempo que se contribuye al desarme mundial, el Programa hace suya la petición de la asociación *Mujeres por la paz* y pide "la reducción del 5% anual de los gastos militares durante cinco años y a la reorientación de esos recursos sustanciales hacia los programas de seguridad humana y educación para la paz"[39]

5. CAMPAÑA MUNDIAL DE EDUCACIÓN PARA LA PAZ

Para difundir estas peticiones, movilizar al mayor número posible de ciudadanos y organizaciones de la sociedad civil y, con ello, comprometer a los gobiernos en las mismas, se pone en marcha un total de nueve campañas mundiales sobre los diferentes temas que han sido tratados en el Programa. De ellas la que aquí más nos interesa es la llamada *Campaña Mundial de Educación para la Paz*[40]. Esta campaña internacional pretende asentar la cultura de la paz y afirma que para ello se requiere de un aprendizaje que "sólo es posible lograr (...) mediante una educación sistemática para la paz". Sus organizadores consideran que la educación para la paz "incluye enseñanzas sobre derechos humanos, desarrollo y medioambiente, seguridad y desarme, resolución y transformación de conflictos, estudios culturales y de género, y asuntos internacionales", y se considera que "la paz debe ser considerada como la cuarta R (*Reading*, *wRiting*, *aRithmetic* y *Reconciliation*)[41] en los programas educativos, desde la escuela primaria hasta la educación superior"[42]. En la puesta en prácti-

37. Punto 40 del Lineamiento 3°, *Utilizar los medios de información como instrumento activo de la consolidación de la paz.*

38. Punto 28, cit.

39. Punto 43 del Lineamiento 3° titulado, *Desmilitarizar la economía mundial reduciendo los presupuestos militares y redistribuyendo los recursos hacia los programas de seguridad humana.*

40. Cf. la presentación de la campaña en <http://www.haguepeace.org/involved/actions.html>.

41. Para ampliar esta idea puede consultarse el discurso de la presidenta de la Conferencia, Cora Weiss, en la sede de Naciones Unidas en Nueva York en enero de 2000. WEISS, C., Peace education: The 4th R, <http://www.ipb.org/pe/campaignews.htm>.

42. Al anunciarse la campaña en el Programa se solicita, al igual que en el primer punto del mismo, la introducción de la educación para la paz y los derechos humanos en todas las instituciones educacionales,

ca de estos estudios cada institución o comunidad educativa debe decidir "qué tipo de curriculum se dirige mejor a cubrir sus carencias basándose en la propia situación política, social y económica".

Para llevar a cabo esta campaña se prevé la creación de una red mundial de asociaciones dedicadas a la educación, que ya está en funcionamiento bajo la dirección del *International Peace Bureau*[43], y el trabajo de distintos grupos de "ciudadanos y educadores" en el plano regional, nacional o local que "organizan *forums*, escriben cartas, hacen circular peticiones, crean grupos de trabajo, integran delegaciones para reunirse con representantes de sus gobiernos y escribe artículos para ser publicados. Utilizan cualquier técnica que puedan imaginar para apoyar la educación para la paz"[44]. En Europa, por ejemplo, se han realizado reuniones y congresos internacionales sobre el tema en Praga, Ginebra o Santiago de Compostela; y están previstos otros en Atenas, París y Tampere[45].

6. DESARROLLOS E INICIATIVAS POSTERIORES

Una vez adoptado el Programa del Siglo XXI por la Paz y la Justicia en La Haya y con la intención de darle la mayor difusión posible, uno de los participantes gubernamentales de más alto rango en la Conferencia de La Haya, la Primera Ministra de Bangladesh Sheikh Hasina, se comprometió a presentar el documento en las Naciones Unidas. Unos días después, el 17 de mayo de 1999 el Programa fue presentado en la Asamblea General de la ONU siendo adoptado como documento de la misma[46]. De esta forma, además de garantizar una mayor publicidad y difusión mundial, se lograba que este adquiriera un mayor peso institucional al tiempo que se aseguraba su traducción a todos los idiomas oficiales de las Naciones Unidas. Los miembros de la *Llamada de La Haya por la Paz*[47], organización permanente que con sede en Nueva York se encarga de la difusión y puesta en práctica del Programa, han recorrido medio mundo pre-

incluidas las facultades de medicina y derecho. Curiosamente no se incluye a los estudios superiores de Magisterio, Educación o Pedagogía.

43. Asociación internacional pionera en la defensa activa de la paz surgida hace más de cien años de las *Sociedades de Paz*. Puede consultarse su página en internet, <http://www.ipb.org>

44. <http://www.ipb.org/pe/intro.htm>.

45. Véase las actividades más importantes programadas para este año 2000 en el Civil Society Calendar-2000-International Year for the Culture of Peace, p. 15, *Peace Matters. Newsletter of The Hague Appeal for Peace*, vol. 3, nº 1, january 2000.

46. Naciones Unidas, Ref: A/54/98.

47. Hague Appeal for Peace.

sentándolo y recabando apoyos en la sociedad civil al mismo, al tiempo que buscando mayores compromisos de los gobiernos[48].

Además el Programa apoya, como no podía ser menos, la celebración del *Año Internacional de la Cultura de la Paz* (2000) y el *Decenio Internacional de una cultura de paz y no violencia para los niños del mundo* (2001 a 2010) declarados por las Naciones Unidas a iniciativa de la UNESCO[49], al tiempo que se propone "promover actividades relacionadas" con los mismos[50]. En este sentido la Campaña Mundial de Educación para la Paz durante este año 2000 está celebrando multitud de actividades específicas en el campo de la educación para la paz como complemento de la sociedad civil a las propuestas, de alguna forma más institucionales, de la UNESCO[51].

Otro gran acontecimiento del 2000 en el que también está presente la Llamada de La Haya por la Paz y su Programa, es el *Foro del Milenio de las ONGs* que se celebra en mayo en Nueva York y tiene como finalidad preparar las aportaciones y solicitudes que la sociedad civil de todo el mundo tiene previsto presentar en la denominada *Asamblea del Milenio* de las Naciones Unidas. A ésta, que debe celebrarse en septiembre de 2000 en la sede de la ONU, están convocados los representantes de todos los Estados miembros de las Naciones Unidas por iniciativa de su Secretario General Kofi Annan, con la intención de iniciar en profundidad la reforma de la Organización para que pueda enfrentarse con mayores garantías de éxito a los desafíos del nuevo siglo[52].

7. CONCLUSIONES

Lamentablemente, iniciativas como ésta –que ha costado muchos esfuerzos llevar a cabo y que ha producido resultados concretos en forma de propuestas y peticiones factibles dirigidas a los gobiernos nacionales y a los organismos internacionales con capacidad de decidir algo– no gozan prácticamente de ninguna difusión en los medios de comunicación. Muy al contrario de cuando, por medios más contundentes, algunos movimientos sociales más radicales

48. Las actividades que de difusión del programa se están organizando en todos los continentes pueden consultarse en <http://www.haguepeace.org/involved/calendar.html>

49. Véase el *Manifiesto para una Cultura de la Paz* en la página web de esta organización internacional, <http://www2.unesco.org/manifiesto2000/sp/sp_f_depart.htm>.

50. Punto 9, cit.

51. *Supra*, nota 45.

52. Ambos importantes eventos pueden seguirse en <http://www.millenniumforum.org>

se han manifestado, por ejemplo, en las cumbres de la Organización Mundial del Comercio o del Fondo Monetario Internacional, las *famosas batallas* de Seattle y Washington. Incluso entonces, los medios de comunicación exageran los efectos que esas demostraciones públicas más radicales han conseguido.

Pero una Conferencia y un Programa como el de La Haya, consensuado por cientos de organizaciones, sí ayuda a estructurar y organizar mejor una sociedad civil que gracias al trabajo constante de muchos ciudadanos está cada vez más presente y cuenta con mayor peso en las instancias de decisión, local, estatal o internacional. Así ha podido apreciarse en el reciente *Foro Mundial de la Educación* de Dakar que ha adoptado –según las ONGs y organizaciones allí presentes– medidas bastante concretas y efectivas para garantizar el acceso universal a la educación básica, especialmente para las niñas[53]. También cara a la imprescindible reforma de las Naciones Unidas que se quiere plantear en la llamada *Asamblea del Milenio* de Jefes de Estado y de Gobierno, se está contando de manera significativa con las ONGs que celebran en mayo de 2000, el conocido como Foro del Milenio de las ONGs para estructurar sus propuestas[54].

En el campo de la educación en concreto, una conclusión que puede extraerse de la Conferencia de La Haya y en el Programa que en ella se adoptó, es la interrelación que existe entre la verdadera paz y la necesidad de educar en ella[55]. Por su parte, en la Conferencia Mundial de la Educación de Dakar lo que se vincula es el desarrollo con la educación[56]. No existe contradicción en absoluto, ya que ambas iniciativas consideran al desarrollo como condición necesaria para la paz y viceversa. Son dos caras de la misma moneda, de la misma realidad: países o regiones que padecen conflictos armados de cualquier índole avanzarán difícilmente en el verdadero desarrollo y países en donde las necesidades básicas de vida –tanto materiales como espirituales– no están cubiertas no gozan de una verdadera paz y son un caldo de cultivo de conflictos. La educación, en cuanto a su extensión horizontal en Dakar y en cuanto a su crecimiento vertical en La Haya, se presenta no sólo como un derecho humano básico sino, sobre todo, como el instrumento más eficaz para alcanzar esos objetivos comunes del desarrollo y la paz.

53. Cf. *El País*, Madrid, 29 de abril de 2000. Una visión previa algo más crítica en, WATKINS, K. (2000) The world has heard all of these education promises before, *International Herald Tribune*, París, 25 de abril.

54. Cf. <http://www.milleniumforum.org/html/MFsked.html>

55. Cf. Educating for Peace: It's fundamental, *Peace Matters. Newsletter of The Hague Appeal for Peace*, vol. 2, nº 2, september 1999, p. 4.

56. Cf. MAYOR ZARAGOZA, F. (2000) La educación para todos, el gran reto del siglo XXI, *El País*, Madrid, 24 de abril.

ABSTRACT

"*THE HAGUE AGENDA FOR PEACE AND JUSTICE FOR THE 21ST CENTURY*". AN EXPRESSION OF THE GLOBAL AND ORGANIZED CIVIL SOCIETY: EDUCATIONAL ASPECTS

In May 1999 *The Hague Appeal for Peace Conference* took place in The Hague (Holland). Thousands of people from all over the world, representing more than a thousand NGOs and other associations, met together in order to debate and to look for solutions to the problems that threaten the peace and the security of the world. *The Hague Agenda for Peace and Justice for the 21st Century* was the product of that encounter. This document, containing 50 points, adopts specific measures and feasible lines of actions intended to put an end to wars. Since then, this action-plan has been presented worldwide to mass media, to governments and to world leaders who have the responsibility for the developing of society.

Among the proposed measures is the strengthening of the role of Education for Peace, Human Rights and Democracy, from an intercultural and integrative perspective. The so-called *Global Campaign for Peace Education* was also launched in order to promote the culture of peace in every level of the society.

KEY WORDS

Transnational or global civil society; The Hague Appeal for Peace Conference; The Hague Agenda for Peace and Justice for the 21st Century; civic education; education for peace, human rights and democracy; cultural diversity; integration; Global Campaign for Peace Education

DIRECCIÓN DEL AUTOR

Enrique ABAD MARTÍNEZ
Profesor Área de Internacional
IPES (Instituto de Promoción de Estudios Sociales)
c/ San Miguel 8, 2º
31001 Pamplona (España)
E-mail: enabad@unav.es

JOSÉ VASCONCELOS:
PROMOTOR DE LA EDUCACIÓN NACIONAL EN MÉXICO

María del Carmen BERNAL
Universidad Panamericana

José Vasconcelos (1882-1929) marcó especialmente la historia de la educación en México. Llevó a cabo una cruzada educativa en una sociedad que a consecuencia de la revolución y de las nuevas necesidades de adaptación había perdido su sustento cultural. Promovió y puso en marcha un ambicioso proyecto de *regeneración del espíritu a través del impulso de las artes* que elevó de forma admirable el nivel cultural y educativo de los años veinte en México.

Leer a Vasconcelos descubre un mundo lleno de vigor, heroísmo, oposición y esperanza; en la actualidad, se ha hecho necesario su estudio en el ámbito pedagógico, dado que ahora palabras como ciudadanía, multiculturalidad, identidad nacional, entre otras se han vuelto a poner de moda, y cabe decirse que él fue un precursor de la educación cívica en México. Su gran mérito se debió a que supo promover la formación ciudadana, conformando así el ideal tan anhelado entonces de la propia identidad nacional.

Su tesis sobre el nacionalismo en México, ha dejado su impronta en la filosofía mexicana, puso los cimientos de la futura educación moderna, abriendo la puerta a valores cívicos hasta entonces olvidados como la paz, la seguridad, el orden, la justicia, el respeto y la piedad, mediante el impulso y desarrollo de las artes. Cultivar el espíritu para enriquecer y regenerar la sociedad es la novedad propuesta por José Vasconcelos que, al grito de "ser los iniciadores de una cruzada de educación pública y los inspiradores de un entusiasmo cultural [...]" (Fell, 1989, 20), dejó huella en la historia de una nación al saber conjugar las diferencias sinceras y hondamente inspiradas que conforman su riqueza espiritual.

1. EL NACIONALISMO DE JOSÉ VASCONCELOS

La necesidad de un nacionalismo filosófico en México fue fruto de la reflexión hecha por Vasconcelos entorno a tres puntos centrales: conocimiento emocional, armonía sistemática y amor a la patria. Su nacionalismo corresponde propiamente a una filosofía nacional más que a una ideología totalizante, antinomia para su pensamiento. Veía en los nacionalismos radicales un reduccionismo por la supremacía de la raza propia, que en realidad lo único que hacen es empobrecerla, porque la verdadera superioridad está en la trascendencia y espiritualidad, en el enriquecimiento y apertura no en el aislamiento. Un verdadero nacionalismo no debe perder de vista el universalismo. La cuestión racial no es una división en el sentido lógico del término que separa elementos diferentes entre sí. Las distintas razas culturalmente determinadas, constituyen una clasificación de la humanidad, criterio que agrupa características diversas, haciendo posible la interrelación y el enriquecimiento mutuo, así como la organización de lo dado poniéndolo al servicio del espíritu (Vasconcelos, 1950, 665).

Esta forma de entender la realidad habla de un modo de conocer y ser propios de cada nación, de ahí que Vasconcelos proponga una filosofía hispanoamericana para acercarse a la filosofía universal, dado que casi todo pensamiento contemporáneo está teñido de nacionalismo. Con esto se deriva su primera aportación nacionalista: la *universalización*, entendida como trascendencia y espiritualidad. Para conseguirla será necesario crear un pensamiento propio, es decir, diseñado *por y para* los mexicanos, recordando que nadie puede alcanzar la verdad absoluta y aportar algo al respecto, si primero no se conoce y explora a sí mismo.

Esta es la razón por la que Vasconcelos propone acabar con el fenómeno de importación ideológica, tan frecuente en sus días y que ha propiciado fuertes problemas de identidad nacional. La solución para este problema será la construcción de un sistema que rescate todo el bagaje existente fruto del mestizaje, fomentando una *autoestima y unidad nacional*, teniendo como columna vertebral la filosofía, un móvil: el sentido artístico, y un medio: la educación. Su idea es no aislarse ni rechazar todo pensamiento que no sea mexicano, sino conocer la realidad nacional, aceptarla, fortalecerla y valorarla.

Esta universalidad y trascendencia se manifestarán en un entender las cosas conforme a la propia identidad. Vasconcelos rescata la idea perenne de la sociabilidad de la persona humana, caracterizada por ese vivir en sociedad e interactuar, transformar y ser transformados por nuestra situación histórica, cultural y política. Por ello, resulta innegable que los individuos de una raza cultural se encuentran agrupados por características comunes, contribuyendo ello de alguna manera a un cierto parecido temperamental, expresado en una forma similar de entender la realidad.

Vasconcelos llegó a la conclusión de que este modo tan particular y concreto de comprender el entorno se expresa en el *conocimiento emotivo*, ubicándolo en el terreno moral y por ende la capacidad de trascenderse. Esta dimensión esencial observada por el filósofo, alude a un significado mucho más profundo que el de un estado anímico o sentimental, dado que implica al espíritu propiamente dicho.

La trascendencia y la universalidad se implican entre sí, pero es al filósofo y su conciencia a quienes corresponde comprender e integrar esta realidad. La trascendencia se entiende por tanto en orden a la espiritualidad, y es el espíritu el motor para lograr el universalismo, produciendo un triple efecto en la conciencia. Así, *el conocimiento, la emoción y la fantasía,* serán los instrumentos indispensables en el filósofo para lograr la integración. "Quien equilibre estas tres potencias del espíritu, logrará una visión de conjunto capaz de trascender y universalizar independientemente del lugar, tiempo, nación, raza y credo" (Vasconcelos, 1950, 669).

México siempre se ha caracterizado por ser un mosaico de culturas debido a numerosos grupos étnicos que lo integran. Esto lo ha hecho un centro de cultura muy rico que es imposible uniformar e igualar. El nacionalismo que Vasconcelos promovía se dirigía hacia el despertar de la identidad nacional, forjada por la fusión de dos grandes pueblos: el español y el indígena; y fomentar el orgullo de ser mexicanos que por muchos años ha estado dormido. Su profundo conocimiento de México y lo mexicano lo llevó a descubrir que nunca se había dado un pensamiento filosófico propiamente mexicano, entendido como la resultante de un mestizaje espiritual, debido a las fuertes intervenciones francesas y norteamericanas del siglo XIX, propiciando una decadencia cultural que impregnaría todos los rincones, originando un detrimento en la formación integral de las personas. Todo esto lo llevó a concluir que un pueblo requiere de un adecuado nacionalismo para trascender. Comenta: "un pueblo con espíritu libre en el sentido profundo del término, levanta su espíritu sobre lo adverso y formula un pensamiento definitivo, un concepto desnacionalizado que se resuelve en la universalidad de una metafísica, más allá del fracaso y el éxito efímeros" (Vasconcelos, 1950, 681). El nacionalismo vasconcelista por tanto, es plural y asumido estéticamente en el ser mexicano y de Hispanoamérica.

La historia de la filosofía en México le indica que propiamente no hubo un ejercicio filosófico como tal durante los primeros años posteriores a la consumación de la independencia y hasta finales del siglo XIX. Lo atribuye a "la falsa presunción de la universalidad, propia de un imperio que busca dominar a un pueblo no sólo política, económica y comercialmente, sino también en lo cultural, aunque su cultura sea muy inferior a la de los conquistados" (Vasconcelos, 1950, 677). Con estas palabras se está refiriendo a la intervención norteamericana de mediados del siglo XIX, que hasta la fecha ha tenido repercusiones notables en el concepto de identidad nacional, especialmente en las poblaciones cercanas a la frontera con Estados Unidos. Vasconcelos considera esta influencia como un expansionismo imperialista carente de cultura universal y espiritual que busca exclusivamente el enriquecimiento económico.

Esta distorsión que antepone un valor inferior a uno superior tiene su origen en una visión parcial de la vida que conlleva graves consecuencias. Cuando se subordina la filosofía a intereses temporales, aparecen en la historia del pensamiento "esas monstruosidades que se llaman filosofías nacionalistas, raciales e imperiales" (Vasconcelos, 1950, 673). En cambio, cuando en un pueblo la filosofía ocupa el lugar que le corresponde, esa cultura trascenderá a cualquier imperio. Por esto Vasconcelos ve como una posible solución para la conformación de la identidad nacional, la creación de una filosofía propia. Se inspira en la Grecia clásica que ha trascendido por su conciencia nacional arraigada y asimilada, así como por su riqueza espiritual que la ha hecho universal. Su propósito no es el de hacer una burda comparación entre este pueblo y México, sino que mediante una válida analogía, se subraye la importancia de un adecuado nacionalismo en la conformación y consolidación de una filosofía universal y de una cultura firmemente constituida. Con esto se ve claramente que la superioridad no es propia de la pureza racial, ni de un conjunto de condiciones históricas favorables, sino de un pensamiento proveniente del espíritu. "El pueblo griego transmitió sin duda a la posteridad una riqueza de conocimientos imperecederos en forma imperecedera [...]. El pueblo griego es el pueblo filosófico por excelencia. La posición específica del helenismo en la historia de la educación humana depende de la misma peculiaridad de su íntima organización, de la aspiración a la forma que domina no sólo las empresas artísticas, sino también todas las cosas de la vida, de su sentido filosófico universal, de su percepción de las leyes profundas que gobiernan la naturaleza humana y de las cuales derivan las normas que rigen la conducta individual y la estructura de la sociedad" (Jaeger, 1957, 6 y 15).

De lo anterior se infiere una tesis interesante. Se sabe que el objeto de la ética son los actos libres del hombre, si además se acepta que la libertad no es un concepto unívoco, sino análogo y jerárquico, que no se reduce al obrar sino que está ordenada a un fin superior haciendo posible la libertad de pensamiento, entonces será posible pensar que la ética del pueblo vencedor se ha reducido al obrar exclusivamente y que las éticas del nacionalismo radical sean limitadas a su estirpe y excluyentes de la casta vencida, lo cual será un hecho antitético. Vasconcelos lo explica: "el vencido, si merece la calidad de pueblo, levanta su espíritu sobre lo adverso y formula un pensamiento definitivo, un concepto desnacionalizado que se resuelve en la universalidad de la metafísica" (Vasconcelos, 1950, 681).

La nacionalidad mexicana ha tenido dos siglos de formación prehispánica, dos más de gestación colonial y solamente uno de vida propia, por lo que es el tiempo propicio para hablar de un *nacionalismo filosófico.* Vasconcelos afirma: "es menester con urgencia de salvamento dar una filosofía a las razas hispánicas" (Vasconcelos, 1950, 681).

Este pensamiento lo asume desde una Ética apoyada en una Metafísica. De no ser así, el nacionalismo que propone quedaría fundamentado únicamente en la raza, y se convertiría en un prejuicio. Nuevamente reitera que la diversidad propia de las razas es enriquecimiento y que se deben aprovechar sus valores para crecer espiritualmente y fortalecer la propia identidad.

José Vasconcelos se dedicó a demostrar en la práctica que esta Ética nacionalista es posible. Los cargos públicos que ocupó le permitieron poner en marcha programas educativos fundamentados en esta concepción ética. Buscaba ensanchar la propia cultura que más adelante daría una conformación de los grupos humanos según la afinidad de la misma: "[...] si logramos hacer filosofía, contamos con el instrumento que derrota los imperios" (Vasconcelos, 1950, 682).

La Ética vasconcelista, bien conectada con la Metafísica que él mismo propone, está en el terreno poético, acorde también con sus simpatías filosóficas, por ello sugiere así una lectura vitalista–intuicionista de algunos temas de la filosofía clásica, "nuestra urgencia es de hacer; por lo mismo, hemos de considerar el pensamiento no tanto como instrumento, ni como objeto en sí del conocer, sino por su capacidad de desarrollo y de creación" (Vasconcelos, 1950, 687).

2. EMOCIÓN Y ESTÉTICA EN JOSÉ VASCONCELOS

Parte de su proyecto nacionalista comprende el papel de la emoción en la acción ética. Vasconcelos la define como parte constitutiva del espíritu: "examinemos la emoción como instrumento determinativo de la manera de cada valor específico y de los valores en general: en cada valoración hay también una suerte de silogismo que pesa, compara y resuelve. En el término medio, la emoción, está nuestra propia sensación de equilibrio emocional" (Vasconcelos, 1950, 699). La emoción posee una virtualidad integradora que constituye un dato inmediato, obtiene soluciones no según las reglas como la lógica, sino mediante la estimación, el equilibrio y el ritmo de los valores. De ahí, que la Ética vasconceliana se dedicará a estudiarlos, así como a las pasiones, formas de la moral y otros temas propiamente éticos. El filósofo será quien creará los valores y sintetizará el mundo contemporáneo, reconociendo en todo una energía viviente (la emoción).

La visión holística que pretende Vasconcelos, solamente puede proyectarse por la vía estética, mediante un método de exposición poético que reconozca el papel esencial de la emoción en la realidad humana. El verdadero filósofo, será entonces una suerte de poeta con sistema, en cuanto que tenga la capacidad de impregnar de emoción y vitalismo aquello que sea obra de la razón, y de esta manera irá uniendo el mundo de la especulación con el del sentimiento. Así lo que en un principio pudiera pensarse que no es más que un adorno, se convertirá en la puerta hacia un mundo que revela el verdadero sentido de la realidad y de la vida (Vasconcelos, 1938, 429-430).

En este sentido conviene señalar que el conocimiento estético permite que a través de las obras bellas se comprenda mejor al hombre y a la realidad, dado que dicen todo cuanto se puede decir sobre él y el mundo, permiten conocer ese algo que no podemos conocer de otra manera, de ahí su carácter misterioso y simbólico. Xavier Villarrutia, escritor mexicano comenta: "si el fin de la poesía es hacer pensar lo impensable, acaso el objeto de la pintura no sea otro que hacer ver lo invisible" (Olea, 1994, 108).

La estética en Vasconcelos encierra la cadena filosófica y a la vez tiene una dimensión práctica muy importante. Es el punto de partida de una filosofía práctica que aspira a consolidar la trascendencia y espiritualidad planteadas en su *Tratado de metafísica* (1959) y en su ya citada *Ética nacionalista* (1950). Paralelamente elabora una ética de la sencillez de las costumbres y de la comunión con la naturaleza que será el eje de su política cultural entre 1920 y 1924. Esa estética le sugirió una vía del saber en el maestro que pasa de la videncia a la práctica, la cual aprenden y difunden luego sus discípulos a través de ejercicios colectivos, de la música y de la danza, que preparan largas meditaciones en las que el alma se impone pruebas a sí misma. Se trata de ejercitar y dominar el cuerpo para que alcance la serenidad que da la contemplación de la verdad y la belleza (Fell, 1989, 366).

Vasconcelos comenta que un verdadero conocimiento es aquél en el que se entiende a la verdad como adecuación y armonía. Esto significa no excluir ninguna de las partes esenciales de la realidad, sino integrarlas en su intento perenne de acceder a ella. La estética entre otras cosas, tendrá esta virtualidad y coordinará las leyes supremas mediante la emoción. Por tanto, el conocimiento estético se presenta como integrador porque reúne y armoniza tanto los hechos como los sentimientos (Vasconcelos, 1945, 1156).

La emoción estética, comenta Vasconcelos, es la única susceptible de penetrar en el corazón de la realidad, así en el terreno estético–emotivo, el conocimiento es unificación, identidad del mundo con su más íntima naturaleza, "el arte lejos de ser un sensualismo, se convierte en disciplina intelectual que devuelve a la realidad la vida que perdiera al ajustarse a la forma y la restablece a un mundo sobresensible, precisamente de significación espiritual" (Vasconcelos, 1945, 1179).

3. CONCLUSIONES

José Vasconcelos aporta a la filosofía en México: un conocimiento profundo del carácter emotivo del mexicano, siendo la emoción la parte esencial dentro de su filosofía ontológica, dejando de ser una mera tendencia psicológica. Su función es sintetizar y penetrar en los objetos que interpela, no sólo en su forma sino en su esencia, dando una visión íntima, variada y dinámica de ellos (Vasconcelos, 1945, 1156). Este conocimiento del ser mexicano dará la pauta para poner en marcha su proyecto de regeneración del espíritu, al respecto Octavio Paz comenta: "el mexicano necesita de la fiesta, de la revolución o de cualquier otro excitante para revelarse tal cual es; [...] la historia nos enseña que la convulsión es nuestra manera de crecimiento [...] el odio y el amor se abrazan a cada uno de nosotros y sus rostros se funden hasta volverse uno solo, indecible e indescriptible" (Paz, 1993, 27). Por ello Vasconcelos quiso que su plan educativo tuviera como gozne a la estética, vista como una realidad dimensional al integrar: belleza, verdad, bien y unidad; así como por el fuerte influjo que tiene en las emociones, "un pueblo de tan fáciles y brillantes disposiciones para el arte, no puede ser un pueblo condenado [...] buena lectura y gran música ¿no fue este el procedimiento de la Iglesia en la Edad media? ¿no fue ese mismo el programa original de los revolucionarios rusos?" (Vasconcelos, 1938, 169).

El pensamiento e ideales de José Vasconcelos, su amor por el saber y su nación, los plasmó en la promoción y formación de las conciencias colectivas e individuales, estimulando la especulación, educando caracteres y organizando las culturas, teniendo como palanca educativa *las artes*. La estética permeó todo su proyecto educativo, y fue eficaz porque se llevó a cabo con la participación de artistas e intelectuales mexicanos. Supo crear un ambiente propicio para el renacimiento de las actividades culturales y artísticas que consolidaron la tan anhelada identidad nacional del pueblo mexicano. Por mencionar un ejemplo, fue el inspirador de la Escuela Mexicana de Pintura, que en su primera fase ve la creación del Movimiento de Pintura Mural o Muralismo mexicano, destinado en teoría a crear conciencia de los valores patrios entre las masas y entre las razas indígenas. Destacan los pintores Rivera, Siqueiros, Orozco, Montenegro y Charlot que supieron captar la expresión de los tipos populares, los colores de las fiestas y la enorme riqueza artesanal de México, que trasluce el albor de sus orígenes[1]. La función de las artes en esta perspectiva era darle relieve y profundidad a la vida del pueblo y transformar la sociedad mexicana elevando su nivel cultural. La reconstrucción del alma de la nación a través del arte fue la gesta que inspiró toda su labor como intelectual y educador. "Nadie encarna mejor el fértil y desesperado afán de la inmersión en nuestro origen y raíz que José Vasconcelos, fundador de la educación moderna en México. Su obra breve pero fecunda aún está viva en lo esencial. Su empresa, al mismo tiempo que prolonga la tarea iniciada por Justo Sierra extender la educación elemental y perfeccionar la enseñanza superior y universitaria, pretende fundar la educación sobre ciertos principios implícitos en nuestra tradición [...] La nueva educación se fundaría en la sangre, la lengua y el pueblo. Fue una obra social, pero que exigía la presencia de un espíritu capaz de encenderse y encender a los demás" (Paz, 1993, 296-297).

Por último puede decirse que José Vasconcelos en México supo levantar la moral nacional gracias a la confianza que depositó en el pueblo mexicano. Su labor podría resumirse en las siguientes palabras: "cuando los hombres y las cosas se lanzan a lo alto, prevalecen los modos de goce eterno que rescata e inmortaliza la obra" (Vasconcelos, 1945, 617).

BIBLIOGRAFIA

FELL, C. (1989) *José Vasconcelos: Los años del Águila (1920-1925) Educación, Cultura e Iberoamericanismo en el México Post-revolucionario* (México, Universidad Nacional Autónoma de México).

1. Sobre este tema se recomienda la siguiente obra: INSTITUTO NACIONAL DE BELLAS ARTES Y SECRETARÍA DE EDUCACIÓN PÚBLICA (1986) *Diego Rivera Hoy. Simposium sobre el artista en el centenario de su natalicio,* México.

JAEGER, W. (1957) *Paideia. Los ideales de la cultura griega* (México, Fondo de Cultura Económica).

OLEA, F. *et.al.* (1994) *Los contemporáneos: en el laberinto de la crítica* (México, El Colegio de México).

PAZ, O. (1993) *El Laberinto de la Soledad* (Madrid, Cátedra de letras Hispánicas).

VASCONCELOS, J. (1938) *El desastre* (México, Botas).

– (1945) *Estética* (México, Botas).

– (1950) Ética, *Obras Completas* (Madrid, Aguilar).

ABSTRACT

JOSÉ VASCONCELOS: PROMOTER OF NACIONAL EDUCATION IN MEXICO

The concern for education towards a national identity in Mexico is nothing new. The educational work of José Vasconcelos (1920–1924) stands out in this field. Thanks to his exquisite aesthetic sensitivity and the knowledge about the Mexican psychology, he promoted an ambitious project of *regeneration of the spirit through the arts* in order to create an appropriate environment for the rebirth of cultural and artistic activities, which had practically disappeared with revolution. He knew how to take advantage of the arts as the means for the inner formation of the human spirit and the creation of a national identity. His project was efficacious thanks to the Mexican intellectuals and artists that joined this educational crusade in favor of Mexico. Today José Vasconcelos is recognised as an imaginative and energetic educator who serve as a model for current moral educational projects.

KEY WORDS

Aestheic education, emotional intelligence, José Vasconcelos, national unity, mexican philosophy, art and identity.

DIRECCIÓN DE LA AUTORA

María del Carmen BERNAL GONZÁLEZ
Facultad de Pedagogía
Universidad Panamericana
Augusto Rodin #498
Insurgentes Mixcoac
México, D.F. 03920.
E-mail: mbernal@mixcoac.upmx.mx

EL RETO DE LA EDUCACION CIVICA EN UN COLEGIO

José Ignacio MIR MONTES
Colegio Irabia

1. INTRODUCCIÓN

La formación en valores siempre ha estado presente en las escuelas, aunque quizás no desde un punto de vista 'curricular'. Ante la actual situación se han abierto muchos foros de debate y estudio sobre cómo educar en valores, o educar para la ciudadanía (o educar en virtudes)[1]. Quisiera exponer en el presente artículo una serie de consideraciones acerca de la cuestión, tratando de narrarlas desde el punto de vista del maestro, a quien se le ha ido pidiendo que se vaya adaptando a los nuevos modos de enseñar, y ahora se le pide que enseñe a sus alumnos no sólo la ciencia, sino también a comportarse.

Voy a referirme también al modo en que venimos enfocando esta educación en valores en nuestro colegio, acción coordinada por el Departamento de Orientación[2]. Siempre, desde su origen en el año 1964, ha estado presente en el ideario del Centro, y se han ido desarrollando durante estos 37 años modos y estrategias para transmitirlos. Lógicamente, por escasez de espacio, tan sólo podré hacer breves referencias –parte de ellas reflejadas en nuestro Proyecto Educativo de Centro (P.E.C.)– y que su desarrollo llevaría a que este artículo se extendiera más de lo deseable.

1. A lo largo de este artículo se utilizan indistintamente las expresiones 'educación cívica', 'educación en valores', 'educación en actitudes', 'educación en virtudes', etc. Aunque lógicamente no tienen un mismo significado, no hay lugar aquí para un análisis en mayor profundidad.
2. <http://www.irabia.org/castellano/Departamentos/DptoOrientacion/orienhome.htm>

2. SABEMOS QUÉ PASA...

Hoy día abundan los diagnósticos pesimistas acerca de la situación moral de nuestra sociedad: de un tiempo a esta parte, problemas que aparentemente tendrían que haberse superado siguen presentes, e incluso en algunos países se están agudizando: racismo, violencia, separatismo, falta de interés y de participación en la vida pública, etc. El mundo parece perplejo ante esta situación: ¿acaso no hemos propuesto suficientes modelos de libertad, tolerancia y respeto a las opiniones de los demás?; ¿no hemos avanzado en la erradicación de gobiernos y creencias intransigentes en el mundo entero? La sociedad entera está siendo consciente de la decadencia en el modo de comportamiento de nuestra juventud, y se está alarmando enormemente; se ve urgente la necesidad de educar a los jóvenes de hoy en el comportamiento cívico, y por supuesto, esa educación tiene que realizarse en las escuelas.

Indudablemente los valores escasean en la sociedad actual; pero los educadores nos preguntamos: ¿se puede arreglar este problema desde la escuela?; ¿no es un problema más general?; ¿quién transmitía esta formación 'antes' de que apareciera el problema, y por qué ha dejado de hacerlo? Como no sabemos 'por qué' ha sucedido esta regresión moral, se traslada el problema a la escuela, que es la solución más fácil: lo que no hace la sociedad, que lo haga la escuela; y además les diremos cómo tiene que hacerlo. La escuela es consciente de su papel en la formación de los nuevos ciudadanos, pero no estamos seguros de que se haya acertado adecuadamente con la causa del problema. Y si no acertamos en la causa, difícilmente solucionaremos el problema.

3. ...PERO NO POR QUÉ

Muchos autores han propuesto diversas causas a la situación de decadencia moral actual en nuestra sociedad, y las razones apuntadas son complejas. En primer lugar podríamos encontrar un malentendido concepto de libertad, que aplicado al comportamiento de los jóvenes puede tener funestas consecuencias. Mercedes Ruiz Paz lo menciona en su libro *Los límites de la educación*: "Se instaló hace ya unos años en nuestra sociedad una corriente de opinión castigadora de la supuesta manipulación del criterio infantil por parte de padres y educadores, favorecedora de la libertad absoluta para los niños traducida en una permisividad extrema, etc. Muchos padres sucumbieron a ella no sabemos si por convicción o por un problema de propia imagen. (...) Habría sido muy importante que esa corriente de opinión, ese conjunto de sofismas vertidos sobre los apesadumbrados padres y educadores se hubiese contestado de inmediato. Ese conjunto de padres que dejaron de decidir por sus hijos, no es que dejaran de manipularlos, sino que los abandonaron, los dejaron solos, sin orientación, sin posibilidad de formarse un criterio para decidir sobre las cosas más triviales o las más importantes de sus vidas"[3]. A esto se añade la escasa dedicación de los padres en la educación de sus hijos, los modelos que la sociedad aprueba y aplaude a través de la televisión, el cine y otros medios de comunicación. La sociedad presenta y acepta, como normales y valiosas, actuaciones de minorías, que los indefensos jóvenes aceptan, y los padres aprueban temerosos de ser tachados de intransigentes y manipuladores. La desorientación moral producida es evidente; como apunta Julián Marías: "Se asiste a formas de vida y conducta que abarcan el mundo entero. Se acumulan noticias, comentarios, y sobre todo presencia visual, cuya fuerza es extraordinaria. Se habla explícitamente de todas las conductas imaginables, y se las presenta, no ya como reales, sino como aceptables y hasta valiosas"[4]. "Existen grupos organizados y muy activos que niegan o ponen en entredicho las normas antes vigentes; esto se une a la timidez o inseguridad de los que podrían afirmarlas, interpretarlas o justificarlas"[5].

4. ¿EDUCAR EN VALORES?

El mismo concepto de 'Educación en valores' es puesto en entredicho: para algunos no es suficiente con 'presentar' unos valores, sino que el comportamiento humano concreto, diario, debe de ser dirigido hacia ellos. Como señala Leonardo Polo, "la ética es inseparable del perfeccionamiento humano y se basa en la tesis de que, cualesquiera que sean los avatares ligados con la edad, el hombre siempre puede crecer. Se mejora en la medida en que son buenos los actos, lo cual depende del crecimiento de las disposiciones para esos actos. Tales disposiciones son las virtudes morales"[6]. Se evita hoy día hablar de virtudes morales porque se engloban siempre dentro del pensamiento y moral Cristianos, y la sociedad actual es plural. Sin embargo, no basta con 'presentar' valores, sino que hay que formar actitudes, crear hábitos de comportamiento.

3. RUIZ PAZ, M. (1999) *Los límites de la educación*, p. 45 (Madrid, Grupo Unisón ediciones).
4. MARÍAS, J. (1995) *Tratado de lo mejor. La moral y las formas de la vida*, p. 114 (Madrid, Alianza Editorial S.A.).
5. *Ibid.*, p. 119.
6. POLO, L. (1991) *Quién es el hombre. Un espíritu en el mundo*, p. 125 (Madrid, Ediciones Rialp S.A.).

En nuestro P.E.C. reflejamos esta idea al comenzar el apartado dedicado al Sistema de Valores y Actitudes, pues queremos resaltar desde un principio el insustituible papel de los padres en el proceso educativo:

"A) Planteamiento general

1. El Colegio Irabia, desde sus inicios en 1964, ha pretendido impartir una educación a sus alumnos que no se limite al marco académico, sino que contribuya a fomentar ciertos valores humanos en la sociedad.
2. Educar en valores es educar en virtudes. El valor es lo que se descubre como valioso, y pide simplemente ser descubierto y contemplado. Sin embargo la virtud exige su realización por parte del sujeto. No basta contemplarlo: hay que conseguirlo. La frase 'educar en valores' esquiva la tarea más dura. El término virtud expresa con claridad el sentido educativo, dinámico, de esas realidades valiosas, es decir, la necesidad de intervenir activamente para que se produzcan en nosotros. La virtud no se agota y desaparece en el logro de un valor. La virtud es lo máximo a lo que puede aspirar el hombre, manteniendo su significación de principio de actividades u operaciones.
3. Para que esta transmisión de valores/virtudes cale en el alumnado, antes tiene que asimilarla el profesorado, y en primer lugar los padres. Por eso, en el Colegio Irabia, lo más importante es atender a los padres; luego a los profesores; y finalmente, en tercer lugar, a los alumnos".

5. ¿QUÉ VALORES ENSEÑAR?

Ahora que la sociedad exige una mejora en la formación moral en las escuelas, no es capaz de ponerse de acuerdo en qué valores concretos hay que transmitir: puesto que hay que satisfacer a todos, contemplar todas las opiniones, respetar todas las creencias, se cae en un planteamiento excesivamente racional, teórico y general que puede no conducir a ninguna parte. "La sociedad actual es pluralista en valores y en ideologías. En la configuración de ese pluralismo desempeña un papel decisivo la abundancia e informaciones transmitidas por los distintos medios de comunicación"[7]. Las actitudes y valores propuestas por la LOGSE parten de un estudio de la sociedad en que vivimos. El análisis realizado es válido pero, desde mi punto de vista, necesita una mayor concreción: se presentan *'valores para una sociedad axiológicamente plural y democrática'* (libertad, tolerancia, autonomía...), *'valores para una sociedad más justa y solidaria'* (solidaridad, responsabilidad...), *'valores para una sociedad competitiva en cambio permanente'* (superación, afán por la calidad y el trabajo bien hecho...). Se es consciente de la dificultad que esto presenta: "Es preciso reconocer que en nuestro tiempo no es fácil la educación moral y en valores. El pluralismo ideológico y moral de la sociedad moderna, así como la conciencia de crisis de valores, la falta de un consenso acerca de los valores que han de transmitirse, hacen sumamente compleja esta educación"[8].

Algunos autores señalan que se ha producido una disociación entre la moral personal y la ética pública: se busca la segunda, relegando la primera al ámbito de lo personal. ¿Se puede disociar el comportamiento individual del social? ¿No somos acaso 'los mismos' cuando actuamos 'solos', que cuando actuamos 'acompañados'? Que cada uno actúe 'individualmente' según lo que crea que es 'bueno', pero socialmente debe actuar según 'las reglas establecidas'. ¿No existe acaso 'lo bueno' socialmente? Estas ideas han sido expuestas por Alejandro Llano[9]: no nos ponemos de acuerdo en lo que es el Bien Común, por lo que se relega la moral (lo bueno) al ámbito de lo privado, de modo que la moral personal no tiene relevancia pública. La ética social se basa en 'lo justo', en 'lo establecido socialmente', y no en 'lo bueno'; esta ética se rige por reglas que satisfagan a todos. Ahora bien: ¿cómo aplicar estas reglas?, ¿cómo ponernos de acuerdo en las reglas? La única manera es confiando en nuevas reglas; pero así se cae en un proceso al infinito.

Consideramos que los centros educativos deben definir claramente y desde el primer momento, en sus P.E.C., los valores que van a promover. Estos, deben ser conocidos y asumidos por todos los educadores y personal no docente (difícil cuestión en el actual sistema educativo español), y principalmente por los padres; y los padres deberían basar sus criterios de selección de centro principalmente en el tipo de valores que se promueven, comprometiéndose de algún modo en ayudar a consolidar dichos valores desde el ámbito familiar, aprendiendo a hacerlo si es preciso, con la ayuda de la formación específica que los mismos centros educativos les deberían proporcionar.

7. MEC (1987) *Proyecto para la reforma de la enseñanza*, p. 24.
8. MEC (1994) *Centros Educativos y Calidad de la Enseñanza*, p. 39.
9. LLANO, A. (1999) *Humanismo cívico* (Barcelona, Ariel).

En nuestro P.E.C. hemos definido y justificado brevemente los valores que se promueven, con el fin de que toda la comunidad escolar los tenga presentes desde el principio:

"B) Valores educativos

4. La relación de valores/virtudes que consideramos básicos, abarca la totalidad de la persona humana considerada en sí misma y en cuanto a sus relaciones con el mundo exterior.

5. En cuanto a la persona humana considerada en sí misma podemos hacer una primera distinción: la persona en cuanto a su corporeidad y la persona bajo el punto de vista de su intelectualidad: lo que podríamos llamar su "vida interior".

   5.1. En cuanto a su corporeidad, el valor/virtud que regula su bienestar –la salud– estaría mediatizada, controlada –en cuanto a los actos que el ser humano puede realizar– por lo que se denomina el dominio de sí, o simplemente por la templanza. La templanza tiende a regular, controlar, la actividad humana, frenando la tendencia natural que tiene hacia el placer físico cuando esa acción se opone a la dignidad de la persona o va en contra de su salud. Podría hablarse aquí también de sobriedad: los excesos, además de volverse en contra de la dignidad de la persona, hacen que dichos comportamientos sean rechazados socialmente.

   5.2. Desde el punto de vista de su intelectualidad, el valor/virtud regulador es el orden. El orden es la capacidad para situar en el puesto adecuado, dentro del lugar y tiempo, cualquier elemento del pensamiento o de la acción (aquí se puede apreciar su relación estrecha con la prudencia). Para obrar correctamente, en primer lugar hay que descubrir la verdad de las cosas. Conocer (es decir, descubrir la verdad de lo que una cosa es y puede) es la condición para una actuación adecuada. El valor/virtud que fomenta ese amor hacia la verdad es lo que se denomina la sinceridad.

   5.3. Pero el orden y la prudencia no es sólo conocimiento, sino proyección del conocimiento en el uso de las cosas y en la actuación personal. La primera manifestación del orden es el decoro personal en la presencia, actitudes, gestos y palabras. También podemos destacar la capacidad reflexiva: tener criterio propio, unas convicciones propias que guían nuestro actuar con coherencia.

5.4. En cuanto que el orden transciende a nuestra actividad externa debemos tratar el tema de la responsabilidad: no se puede actuar sin pensar previamente qué consecuencias se derivarán de nuestros actos. Al actuar debemos seguir también un orden: en primer lugar lo que nos puede beneficiar realmente, o lo que puede ser provechoso para los demás.

5.5. El orden, finalmente, debe controlar cada actividad y adecuarla a tiempos y medios: dedicar excesivo tiempo a una actividad de descanso puede ser perjudicial; vemos aquí interesante –aunque no se trate de un valor/virtud– tratar el tema del tiempo libre.

5.6. La libertad personal, valor fundamental e irrenunciable de la persona humana, es en definitiva lo que impregna todos estos valores/virtudes tratados anteriormente. Pero no se trata de una libertad descontrolada, caprichosa, sino una libertad responsable, que tenga en cuenta la verdad de las cosas. No se trata tanto de "hacer lo que quiera" sino de hacer lo bueno, porque quiero.

6. Los valores/virtudes de la persona humana considerada, no en sí misma –como hemos visto anteriormente– sino en cuanto a sus relaciones extrapersonales, pueden a su vez subdividirse según sea la realidad con la que se relacione: con las cosas exteriores, con el resto de las personas, y finalmente con la realidad sobrenatural, es decir, con Dios.

6.1. El trabajo es la proyección exterior de la persona que usa las cosas y las modifica con el fin de hacerlas mejores, más útiles y más bellas. El hombre se relaciona con el mundo a través del trabajo, y es precisamente en el trabajo donde el ser humano debe encontrar su autorrealización, y en definitiva su felicidad. El trabajo es fuente de alegría y factor de la construcción personal de la vida, solamente con la condición de que se haga bien. El trabajo-bien-hecho es uno de los valores/virtudes a los que damos mayor importancia. El hombre trabaja para realizar una obra que contribuya al desarrollo de la sociedad, por la que se beneficien sus conciudadanos, que cubra sus necesidades, etc. Podemos encontrar diversos valores/virtudes anejos:

6.1.1. La capacidad de iniciativa es imprescindible para que el trabajo satisfaga personalmente. Hay que evitar el gregarismo en el trabajo y fomentar la iniciativa, el trabajo inteligente, la creatividad. Esto constituye el momento inicial en el trabajo.

6.1.2. Una vez que el trabajo ha comenzado hay que poner en práctica otras virtudes: la reciedumbre, la fortaleza y la constancia permiten realizar ese trabajo sin caer en el hastío o cansancio, y son virtudes que hay que desarrollar constantemente.

6.1.3. Pero, ¿por qué hay que resistir a ese cansancio en el trabajo? El acabamiento del trabajo supone también una serie de virtudes/valores que denominaremos con el nombre de laboriosidad: es ese espíritu de trabajo que nos lleva a comenzar, continuar y terminar bien el trabajo; es esa virtud que nos lleva a trabajar bien por lo que supone de satisfacción personal, por el bien social que se puede obtener con nuestro esfuerzo. El problema actual del trabajo es el encontrar un motivo por el que compensa el esfuerzo, y ese no es otro que la satisfacción por la obra-bien-hecha.

6.1.4. Desde una dimensión religiosa hay que ver el trabajo como la misión que ha dado Dios a los hombres durante su permanencia en el mundo (Dios creó al hombre para trabajar). Si esa es la disposición del Creador, el hombre debe rendirse ante esa realidad y descubrir en el trabajo –por naturaleza y por voluntad del Creador– el elemento fundamental para la autorrealización humana y para su felicidad. El hombre, trabajando bien, ofreciendo ese esfuerzo a su Creador, con el fin de hacer una sociedad mejor y de mejorar la misma creación, puede encontrar su máxima realización, su santidad. Ahí encuentra el hombre un motivo para su trabajo bien hecho.

6.2. La generosidad es el valor/virtud que regula las relaciones del hombre con las demás personas. La generosidad es la virtud social central: la relación que debe encontrarse entre el dar y el recibir. Es un concepto superior a la justicia, que encuentra su límite en dar "lo justo". En cuanto a las relaciones sociales nos quedaríamos cortos hablando de la justicia: no se trata simplemente de dar "lo justo", sino de dar "de lo propio"; en una palabra, darse. Es una virtud de sobreabundancia.

6.2.1. La generosidad es un concepto amplio que hay que detallar más. Un primer nivel en el trato con los demás consiste precisamente en aceptar las normas establecidas socialmente: la obediencia, los hábitos cívico-sociales (educación vial, tono humano en el vestir y comportarse educadamente...), etc. No se pueden ver en estas normas un constreñimiento de la libertad personal (tan típico en los jóvenes de estas edades) sino un reflejo de lo que la sociedad, a lo largo de los años, ha visto como lo mejor.

6.2.2. A otro nivel se encuentra lo referente al respeto, tolerancia y espíritu de convivencia. Para una buena convivencia social hay que conocer y respetar otros puntos de vista, pero al mismo tiempo hay que saber hacer respetar los propios. No hay que caer sin embargo en el reduccionismo de pensar que "lo bueno es lo que yo elijo libremente": hay que respetar otros puntos de vista, pero cada uno debe buscar la verdad.

6.2.3. En un tercer nivel se puede englobar el espíritu de colaboración y ayuda: la solidaridad con las personas y los problemas sociales saca al individuo de sí mismo y nos hace ver que los problemas de los demás son también mis problemas.

6.2.4. En un nivel superior nos encontramos con la amistad y el compañerismo: en las relaciones con los demás no podemos buscar el propio beneficio o la propia satisfacción (amor de interés o amor de concupiscencia) sino que el grado más alto de amistad es aquel en el que no se busca más que el beneficio del otro; es el amor con generosidad, o más bien amor de amistad. En este marco es donde se tiene que englobar la educación sexual: el uso de la facultad generativa es plenamente gratificante, ordenada y moral, cuando no se encierra en el egoísmo de la pareja (simple búsqueda del placer) sino que se abre a la vida, a la comprensión y amistad desinteresada entre los esposos.

6.2.5. El ámbito fundamental donde se fomentan todos los valores/virtudes sociales es la familia; por eso al hablar de generosidad en el trato con los demás siempre haremos referencia a cómo fomentar y manifestar esos valores en la propia familia: respeto mutuo, confianza, relaciones padres-hijos...

6.3. Independientemente de la religión que cada uno profese, la religiosidad ocupa un lugar especial en la persona humana. El hecho religioso es una realidad universal extendida por todos los pueblos a lo largo de la Historia. En el Colegio Irabia –respetando plenamente la libertad personal– se da una formación cristiana. Esta concepción cristiana de la vida constituye un fundamento sólido para las manifestaciones de los valores/virtudes tanto personales como sociales. Las virtudes propias de la religiosidad cristiana son la fe, la esperanza y la caridad, que se podrían concretar en las siguientes manifestaciones:

6.3.1. Conciencia de la filiación divina y la fraternidad humana. El motivo último en nuestras relaciones con Dios y con los demás, el marco para vivir la generosidad en las relaciones sociales es precisamente la conciencia de que todos somos hermanos, hijos de Dios.

6.3.2. El culto y oración personal y comunitaria: el reconocimiento de Dios como creador y Señor del universo debe llevar al hombre a rendirle culto y a procurar su trato personal a través de la oración y el trabajo; el trabajo bien hecho, ofrecido a Dios, es un elemento santificador del hombre.

6.3.3. En definitiva, Dios debe ocupar un puesto central en la vida del hombre: el hombre debe buscar su fundamento en Dios, y orientar hacia El sus relaciones, pensamientos, decisiones y obras.

7. Podemos encontrar un valor/virtud que sintetice todos los demás; todo lo que realizamos lo orientamos hacia un fin. El fin de cualquier actividad humana es la alegría. Es un principio ordenador que hace real la unidad de vida, suprimiendo la dicotomía de lo objetivo y lo subjetivo y remontándose al bien absoluto como justificación y sentido de todos los actos y de la vida entera.

7.1. La alegría es un valor/virtud especial: no tiene propiamente actos propios, sino que opera como un añadido que se espera alcanzar tras cualquier acción virtuosa. La alegría es también la conciencia de que en cualquier circunstancia –adecuadamente interpretada– se encuentra algún bien (optimismo). Resulta ser la síntesis de todas las virtudes porque cualquier operación bien realizada es fuente de alegría.

7.2. Si la vida humana se constituye con la suma y ordenación de todos los actos del hombre, la alegría es el indicador universal de la existencia entera del hombre. Como veíamos anteriormente el trabajo es el resumen de la actividad humana, la sinceridad y la generosidad son fundamento de la convivencia; estos valores/virtudes vienen a indicar los dos grandes medios de educar para la alegría: el trabajo bien hecho y la convivencia bien vivida».

6. DEFINIR TAMBIÉN ACTITUDES

Crear esos hábitos no es misión exclusiva de la escuela, sino principalmente de los padres, y en definitiva de la sociedad entera: el joven pasa más tiempo en casa o en la calle que en la escuela, y si ya es difícil que nos pongamos de acuerdo en qué valores transmitir, el problema se agranda cuando queremos concretar las actitudes englobadas por dichos valores. Un ejemplo: todos estaremos de acuerdo en que la laboriosidad es un valor importante a transmitir, y desde la escuela se fomenta mandando tareas para realizar en casa. Es deprimente para un maestro recibir la queja de unos padres, indignados porque en un puente de cinco días ha mandado a los alumnos la realización de cinco raíces cuadradas. Estos sucesos ocurren habitualmente en un colegio. ¿A quiénes tenemos que formar primero, a los alumnos, o a los padres?

Muchas veces los padres tratan de evitar a toda costa cualquier sufrimiento o exigencia en sus hijos, y no pocas veces los hijos se aprovechan de esa situación. Los padres han dejado de ejercer su autoridad presionados por una sociedad permisiva, y –consciente o inconscientemente– se está minando paulatinamente la autoridad de los educadores. “La paternidad comienza a hacerse responsable cuando los padres no sólo deciden tener al hijo sino que aceptan el compromiso de educarlo. (...) La responsabilidad no empieza cuando se abandona al hijo al capricho egocéntrico propio de la primera infancia y a eso se le llama libertad. Empieza cuando se promocionan algunas conductas, comportamientos y valores y se erradican otros; cuando se le ofrece una información básica y clara acerca de lo que está bien y lo que está mal; cuando se marcan los cauces necesarios para la formación de su persona y la relación con los demás (...). La responsabilidad empieza cuando los padres se comunican con su hijo y no le tienen miedo, cuando le enseñan a crearse criterios y decidir, cuando le enseñan el ejercicio de la libertad, cuando no le niegan su posibilidad de crecer (...). La responsabilidad se hace presente cuando los padres no traspasan al Estado el papel de padre; cuando no delegan su responsabilidad individual en colectivos profesionales como colegios o institutos que son el sujeto pasivo de dicho traspaso"[10].

El colegio debe facilitar a los padres la formación necesaria para que ellos sean capaces de llevar a cabo su tarea formativa en sintonía, al unísono, con el colegio. Por ello, vemos necesario que se especifiquen actitudes concretas que deben promoverse en el ámbito familiar, y garantizar que tengan también su presencia en el tiempo que dedican los jóvenes al ocio y a la diversión. Especificar dichas actitudes, informar con detalle a los padres, y facilitarles los recursos necesarios para que puedan fomentarlas en sus hijos, constituiría un programa de formación en sí mismo, más propio de una Escuela Familiar que de un colegio: pero fomentar la educación en valores en un colegio es pedir al colegio que se convierta de algún modo en una Escuela Familiar. Hemos incluido en nuestro P.E.C. un apartado en el que se recogen algunas de las actitudes que deben promoverse, no sólo en el colegio, sino también en el ámbito familiar:

"C) Actitudes básicas (Desarrollo de los valores)

8. Las actitudes básicas para lograr el desarrollo de los valores/virtudes tienen que abarcar los tres ámbitos de los estudiantes: en la familia, en el colegio, con los amigos. Para no extender demasiado esta relación reflejamos esas actitudes indiscriminadamente, haciendo referencia en general a los tres ámbitos.

9. Dominio de sí, templanza, sobriedad

   - Valorar la higiene y la salud corporal, la conservación de la naturaleza y el medio ambiente.
   - Esforzarse por adoptar hábitos de sobriedad, orden, ahorro de energía y recursos económicos, cuidado de los materiales de trabajo y de los bienes propios y ajenos.

10. RUIZ PAZ, M., *o. c.*, pp. 51-52.

- Prevenir a los alumnos contra el consumo de alcohol, drogas blandas, etc. dadas sus consecuencias negativas.
- Informarles de algunos datos alarmantes en nuestra sociedad derivados del abuso del alcohol, drogas, sexo...
- Que reconozcan que la mayor parte del dinero que gastan es en ellos mismos: aprender a ser generosos.
- Saber distinguir lo que es una necesidad y lo que es un capricho: buscar desordenadamente satisfacer sus caprichos debilita progresivamente su voluntad.

10. Orden

- Tener en orden los cajones, armarios, aula, y cuidar las cosas: ropa, material, etc.
- Ahorrar material.
- Exigirse puntualidad al levantarse, al llegar a clase, al comenzar sus tareas.

10.1. Prudencia

- Ponderar las implicaciones y prevenir las repercusiones al efectuar cualquier elección.
- Reflexionar antes de preguntar o responder.

10.2. Sinceridad

- Fomentar el amor a la verdad.
- Exponer sencillamente sus deficiencias personales cuando deben hacerlo, ser claro, evitar las mentiras.
- Reconocer sus errores.
- Que sean conscientes de que la sinceridad es la base de una firme personalidad.

10.3. Decoro personal

- Su voz, gestos, posturas y movimientos son normalmente correctos.
- Presentar con limpieza y buen gusto las tareas escolares.
- Favorecer en ellos unas actitudes personales de respeto, convivencia y colaboración adoptando normas de comportamiento correctas.

- Destacar el valor del tono humano en la convivencia social: educación, cortesía, buenos modales.

10.4. Criterio propio

- Caer en la cuenta de que para formarse como personas deben tener criterio propio, personal, sin aceptar como principio “lo que piense la mayoría”.
- Aprender a diferenciar la realidad de la fantasía, que abunda en los programas de TV.
- Caer en la cuenta de las finalidades ocultas que frecuentemente alientan la publicidad.
- Saber analizar el trasfondo y estrategias de las que se vale una gran parte de la publicidad: suscitar un sano espíritu crítico.

10.5. Responsabilidad

- Cumplir sus decisiones, propósitos y promesas.
- Tomar responsabilidades en el cuidado del comportamiento propio y de sus compañeros.
- Aceptar responsabilidades sobre el cuidado del aula y del material. Cuidar sus encargos.

10.6. Tiempo libre

- Que tengan sentido crítico y criterio personal a la hora de elegir sus diversiones.
- Proceder con imaginación, iniciativa y autonomía personal a la hora de organizar su tiempo libre.
- Ser conscientes de los riesgos que conllevan las salidas nocturnas incontroladas.
- Que sean conscientes de que la influencia del ambiente se ejerce con más fuerza en el tiempo libre.
- Que aprendan a pasarlo bien con actividades culturales: fomentar la lectura, el teatro...

10.7. Libertad

- Hacerles ver que la libertad humana no es absoluta: tiene limitaciones.

- Explicar el auténtico concepto de libertad: hacer el bien porque me da la gana.
- Distinguir los conceptos de libertad y espontaneidad que, con frecuencia, se confunden.
- Darles a conocer algunos contra/valores que inciden en el uso correcto de la libertad: materialismo, hedonismo, consumismo, las esclavitudes de nuestro tiempo.

11. Trabajo

11.1. Iniciativa

- Iniciativa en la solución de dificultades o en la asunción de compromisos en beneficio de otros.
- Iniciar los trabajos con decisión y prontitud, y deseo de perfección hasta llegar a la obra-bien-hecha.
- Proyectar o aportar iniciativas para trabajos corporativos.
- Tener iniciativas (originalidad, creatividad) para proyectar y llevar a cabo los trabajos, para proyectar actividades festivas y de entretenimiento.

11.2. Reciedumbre, fortaleza, constancia

- Terminar con esmero las actividades que se emprenden.
- Terminar el trabajo comenzado, esforzándose en acabarlo.
- Asistir a las actividades con asiduidad y regularidad.
- Espíritu de superación y de esfuerzo ante la falta de motivación u otras dificultades.
- Volver a empezar, superando el cansancio, tras los posibles fracasos o contrariedades.

11.3. Laboriosidad

- Buscar la perfección humana y sobrenatural en el trabajo: cuidar los pequeños detalles, terminarlos lo mejor posible evitando precipitaciones y chapuzas. La obra-bien-hecha es fuente de alegría y satisfacción. El trabajo bien realizado, hecho por un motivo sobrenatural, nos acerca a Dios.
- Esforzarse por hacer las cosas lo mejor que puedan.

- Proporcionarles consejos prácticos que les ayuden a superar las dificultades que pueden encontrar en sus estudios: falta de motivación, falta de hábito de trabajo, pereza...
- Ofrecer a los alumnos una mayor información sobre los estudios universitarios y otras salidas profesionales.
- Tener un horario de estudio cada día y cumplirlo.

12. Generosidad

- Tener costumbre de pensar antes en los demás que en uno mismo.
- Ayudar a los demás sin esperar a que nos lo pidan.
- Ayudar a los demás sin pedir nada a cambio, incluso sin que se den cuenta. Pasar desapercibidos.
- Que den limosna de su dinero.

12.1. Obediencia, hábitos cívico-sociales

- Aceptar sin dificultad los cambios razonables o imprevistos en una actividad.
- Aceptar sin dificultad notoria las orientaciones de los profesores.
- Pedir las cosas "por favor", dar las gracias, etc.
- Ser educados en el vestir, obrar, hablar...
- Procurar no molestar. Excusarse cuando se molesta.
- Darse cuenta de que las leyes sociales son compatibles con la libertad.

12.2. Respeto, tolerancia, espíritu de convivencia

- Saber escuchar.
- Actitud dialogante y apertura a las opiniones ajenas. Aceptación de las decisiones de la mayoría en las cuestiones opinables.
- Aceptar las críticas.
- Saber manifestar con claridad sus opiniones, sin agresividad.
- Saber disculpar fácilmente a los que obran mal.

12.3. Espíritu de colaboración y ayuda: solidaridad

- Predisposición al respeto, la benevolencia y el perdón en el trato personal y en la convivencia. No ridiculizar ni discriminar a las demás personas por ningún motivo.

- Normalmente, estar dispuesto a ayudar aun con esfuerzo.
- Participar en las actividades de ayuda social que organiza el Colegio: ayudar en un comedor de ancianos, visitas a enfermos...
- Estar bien dispuesto a colaborar en trabajos y juegos.
- Fomentar en los alumnos la preocupación por los problemas sociales: hambre, pobreza, marginación, desempleo...

12.4. Amistad y compañerismo

- Que alcancen un concepto claro de lo que es la amistad; que conozcan y practiquen las principales virtudes que entraña la amistad: lealtad, generosidad, sinceridad, comprensión...
- Tener sensibilidad para darse cuenta de las dificultades de sus compañeros y ayudarles.
- Reconocer los éxitos de sus compañeros.
- Aceptar las decisiones racionales de los otros.
- Tomar conciencia de la importancia del diálogo, respeto y gratitud como valores esenciales para toda convivencia.

12.5. Educación sexual

- Conocer los factores que componen la sexualidad humana: saber diferenciar amor y relación sexual. Aprender a distinguir lo normal de lo bueno.
- Reconocer que la unión sexual del hombre es una acción humana inteligente y voluntaria (nunca fruto del capricho o la pasión).
- Admirarse ante la belleza del matrimonio, ante la capacidad de darse por completo, ante la armonía que supone la castidad y la pureza cristiana.
- Es necesario, para una correcta educación sexual, que los padres sean los protagonistas: ellos son los que deben explicar a sus hijos esta realidad humana.

13. Religiosidad

13.1. Filiación divina

- Ser conscientes de que somos hijos de Dios, y que Dios cuida continuamente de nosotros a través de su Providencia.

- Convencimiento de que todo lo que nos sucede ha sido querido por Dios para nuestro bien.
- Ver en los demás a nuestros hermanos.

13.2. Piedad personal: santificación del trabajo, oración, sacramentos

- Dar valor a las obras para alcanzar el fin sobrenatural: la fe sin obras es una fe muerta.
- Los medios de que disponemos para alcanzar esa perfección sobrenatural son la oración, los sacramentos, y el trabajo ofrecido a Dios y realizado con perfección humana.

13.3. Orientar toda actividad humana hacia Dios

- Ser conscientes de que toda actividad humana puede dar gloria a Dios y convertirse en un medio de lograr la perfección sobrenatural: el trabajo, las diversiones, el trato familiar y con los demás...

14. Alegría, optimismo

- Optimismo y fomento de un clima de alegría, orden y confianza mutua.
- Manifestar frecuentemente la alegría con palabras, gestos y posturas.
- Alegrarse tras un trabajo bien hecho.
- Alegrarse tras haber ayudado a los demás.
- Procurar no quejarse.
- Deportividad en las competiciones.
- Hacerles ver que Dios es el único ser capaz de hacer plenamente feliz al hombre".

7. MODO DE TRANSMITIR LOS VALORES

La educación en valores (o en actitudes) no consiste simplemente en 'presentar' unos valores abstractos y consensuados, sino sobre todo, modelos de carne y hueso que encarnen esos valores, al tiempo que se corrigen y enderezan actitudes concretas de acuerdo con esos valores propuestos. Los padres y educadores deben ser modelos de referencia clara para los jóvenes, reflejando con su conducta los valores que enseñan. La enseñanza cívica no puede reducirse ni centrarse en una transmisión meramente teórica, 'propagandista' de ciertos valores; el joven debe interiorizarlos, asimilarlos y conformar su actitud con el valor propuesto; pero esto se consigue sólo con el ejemplo y el diálogo. Si existiera ese ejemplo y diálogo, ¿haría falta una educación en valores? La misma sociedad sería entonces una 'escuela de valores'.

La calle es la misma para todos, lo mismo ocurre con la televisión, el cine y los demás medios de comunicación. Los alumnos que acuden a un mismo centro educativo, a una misma clase, reciben la misma formación académica y en valores... y sin embargo, al final de todo, unos incorporan esos valores y otros no. ¿A qué se debe esto? Sin duda la influencia familiar influye enormemente en el proceso de formación de los jóvenes; hay padres preocupados y otros que viven ajenos al problema. Para ser consciente de ello basta organizar en el colegio una sesión de padres con una clara finalidad formativa: los que acuden (seguramente un bajísimo porcentaje) son una parte de los padres preocupados, que además probablemente no necesitarían esa formación.

No intento rehuir la responsabilidad que tenemos en las escuelas de proporcionar una sólida educación cívica a nuestros alumnos; pero estoy convencido de que con una mera transmisión –vertical o transversal– de dichos valores, no se solucionará el problema. Más se conseguiría desde las productoras cinematográficas americanas que desde las escuelas, si consintieran en realizar un esfuerzo real por presentar modelos de comportamiento virtuoso, atractivos para la juventud. La escuela debe procurar principalmente formación a las familias, a los profesores, y crear relaciones entre profesores y alumnos, entre la familia y la escuela para que los alumnos tengan puntos de referencia claros en su comportamiento. Ante el peligro de convertir la educación en valores en una mera 'campaña publicitaria' ineficaz, señala Mercedes Ruiz Paz: "las primeras experiencias de relación social, de ajuste entre el yo y los otros, de identidad individual, se dan en la familia. La pretensión de educar a los jóvenes a través de campañas que proponen modelos de respeto, tolerancia o no violencia, puede resultar infructuosa en ausencia de estos mismos valores en el ambiente familiar"[11].

Por todo lo dicho anteriormente, se entiende que la transmisión de valores, si se reduce meramente a la inclusión de unas líneas transversales en los diseños curriculares de las asignaturas, resulte del todo insuficiente. La formación en valores debe incluir acciones formativas –transmisoras de dichos valores– dirigidas no sólo a los alumnos, sino también a los padres y los profesores. Ade-

11. *Ibid.*, p. 38.

más, deben favorecerse desde la escuela situaciones de relación estrecha entre profesores y alumnos, familias y escuela, al margen de la relación académica, para que los alumnos y sus familias tengan un punto de referencia 'práctico' de cómo vivir esas actitudes en todas las situaciones y circunstancias.

En nuestro colegio hemos desarrollado diversas líneas de actuación para conseguir que esta transmisión no se haga solamente desde un punto de vista teórico, o sólo se dirija a los alumnos. Casi todas estas acciones, aunque me referiré a ellas como medios de transmisión de valores, tienen también un contenido de orientación académica. La misma estructura de gobierno del centro gira alrededor de esta misión: además de un Director de Estudios en Primaria y otro en Secundaria y Bachillerato, existe en nuestro centro la figura de los Subdirectores de Formación (también dos, con la misma división antes mencionada) que, en colaboración con los Directores de Estudios velan por que esta transmisión de valores en nuestro centro sea lo más eficaz posible.

Antes de pasar a su análisis, es preciso aclarar la figura del *Orientador Personal*, tal y como se entiende en nuestro colegio. La LOGSE prevé el papel a desempeñar por el llamado *Orientador del Centro*: es el encargado de hacer los estudios psicotécnicos oportunos –tests, informes psicopedagógicos, atención a alumnos con necesidades educativas especiales–, facilitar a los alumnos una eficiente orientación profesional, etc. En nuestro colegio –desde sus comienzos hace 37 años– así como en muchos colegios de todo el mundo, venimos ofreciendo a los alumnos y a los padres un servicio de asesoramiento individualizado: todos los alumnos tienen asignado un profesor –también llamado Asesor u Orientador Personal– que habla con cada alumno cada quince días y con la familia una vez por trimestre. Es un asesor académico, transmisor de las indicaciones y estudios realizados por el Departamento de Orientación del Colegio, y al mismo tiempo el que garantiza que los alumnos individualizan la formación en valores que el Centro imparte. Para los alumnos y sus familias es un amigo, y a él acuden para recibir consejo ante los problemas que la vida escolar conlleva. Este sería el papel a desempeñar por el *Tutor*, tal y como contempla la LOGSE, pero aunque la ley establezca sus funciones con detalle, no se le proporciona tiempo de dedicación suficiente para desempeñar su tarea.

7.1. TRANSMISIÓN DE VALORES A LOS ALUMNOS

a) *Colectivamente*

Transversalidad. Una vez que los valores y las líneas transversales están bien definidas, los profesores deben hacer referencia a ellas en sus programaciones de aula. Este es el punto principal que la LOGSE propone, y como el lector podrá observar, aquí se proponen muchos otros que consideramos de vital importancia para conseguir el objetivo propuesto.

Plan de desarrollo de actitudes (P.D.A.)[12]. Semanalmente todos los cursos disponen de una hora dedicada a la tutoría; durante esa hora, una vez cada quince días, el Tutor expone durante media hora un valor o actitud a los alumnos, dando pie al diálogo, a la realización de actividades. La finalidad a largo plazo de dichas sesiones es múltiple: crear las condiciones para que el alumno se forje los criterios y alcance los conceptos necesarios sobre cuestiones de especial interés para él; conseguir que aprenda a reflexionar sobre temas que tienen una clara dimensión educativa (social y personal); enseñarle a analizar, profundizar y argumentar sobre estos temas importantes y de actualidad; fomentar en el alumno el desarrollo de esos valores con coherencia.

En los primeros cursos de Primaria disponemos de cierto material publicado; en el resto de los cursos (hasta Bachillerato) lo hemos creado nosotros, incluyendo algunos videos, artículos publicados, noticias de prensa, etc. Los valores y actitudes a los que hemos hecho referencia más arriba se distribuyen y temporizan en los distintos cursos, de modo que en el transcurso de una etapa, son varias las veces que se han abordado los mismos valores desde distintas perspectivas, con ejemplos distintos. Todos los profesores y Orientadores Personales conocen qué valor se está exponiendo en cada curso esa quincena, de modo que puede hacer referencia a ellos.

En los primeros cursos de Primaria se escribe en la pizarra alguna manifestación concreta de la práctica de dicho valor. Tiene la forma de objetivo a conseguir por la clase durante esa quincena. Los alumnos llevan también a sus casas un dibujo con el enunciado del valor o actitud de la quincena para que les sirva de recordatorio. Dicho dibujo dispone

12. <http://www.irabia.org/castellano/Departamentos/DptoOrientacion/valores.htm>

de un espacio en blanco para que los padres concreten alguna actitud en casa relacionada con el valor expuesto esa quincena en el colegio.

Momentos de convivencia. Se fomentan momentos de convivencia entre profesores y alumnos (jornadas deportivas, excursiones de uno o varios días, actividades deportivas los fines de semana, atender acciones de solidaridad en el tiempo libre...). Todas estas actividades tienen una finalidad formativa, y aunque el contexto no es académico y se procura un trato familiar con los alumnos, se hace especial hincapié en la práctica de los valores y actitudes que promueve el centro. Para esto hace falta dedicación y entrega por parte de los profesores, además de que ellos vivan ejemplarmente los valores y actitudes que se pretenden promover.

Así los alumnos llegan a tener modelos claros de comportamiento, a los que en muchas ocasiones intentan imitar.

b) *Grupos intermedios*

El Consejo de Curso. Existen conductas individuales y conductas de grupo. Decimos que este grupo es así y aquél de otra manera; que los componentes del grupo se comportan individualmente de una manera y de forma distinta cuando están en grupo. En cada clase, los alumnos eligen a principios de curso, cuatro vocales y un secretario, que junto con el tutor de la clase, componen el Consejo de Curso. La misión del Consejo de Curso es analizar la conducta de grupo, detectar los aspectos a mejorar y emprender acciones de mejora. Estas acciones van desde que el Consejo de Curso o el Tutor hablan a la clase sobre un tema de especial relevancia para la clase, pasando –por ejemplo– por organizar una actividad colectiva para favorecer la unidad del grupo, hasta acciones dirigidas a la mejora de un alumno: favorecer su integración en la clase, formular sugerencias, etc.

Los Consejos de Curso han de plantearse como un "órgano de consulta y acción para la mejora del grupo y de sus individuos". Siendo tan importante esta colaboración del Consejo de Curso, hay que tener en cuenta otro aspecto importante: la educación de esos alumnos en una mentalidad de servicio en favor de los demás, para contrarrestar la mentalidad tan extendida hoy del liderazgo como forma de provecho propio.

c) *Individualmente*

El Orientador Personal. Se ha explicado más arriba cuál es su función en la interiorización de los valores por parte de los alumnos y sus familias. Podríamos resumir sus funciones en las siguientes: ayudar a formar el carácter mediante un plan definido para adquirir hábitos; fomentar aficiones culturales; encauzar y fomentar las aficiones deportivas; cuidar las costumbres que expresan educación y cortesía, modo de hablar, urbanidad, etc.; conocer las influencias positivas y negativas del ambiente en que se mueve el alumno (TV, fiestas, cultura familiar, etc.).

El orientador ha de tener en todo momento presente los objetivos marcados al alumno en el Programa de Desarrollo de Actitudes para cada quincena, el plan de acción fijado con los padres y la información remitida por los profesores sobre la actitud del alumno y su comportamiento en clase.

7.2. TRANSMISIÓN DE VALORES A LAS FAMILIAS

a) *Colectivamente*

Informar de los valores que se están transmitiendo. Se ha mencionado más arriba que en los primeros cursos de Primaria los alumnos llevan a casa un dibujo recordatorio del valor o actitud tratado durante esa quincena. Del mismo modo el centro publica mensualmente el Servicio de Documentación[13]: un doble folio que se les envía a principios de mes con los objetivos de ese mes y algunos textos seleccionados que les puedan ayudar a tratarlo con los hijos, en casa.

13. <http://www.irabia.org/castellano/Departamentos/DptoOrientacion/sdocument.htm>

Las reuniones de Coordinación. Al comenzar cada curso escolar, y al finalizar cada evaluación, se tiene lugar una reunión de Coordinación dirigida a los padres de cada curso. En estas reuniones de aproximadamente cincuenta minutos de duración, además de tratar aspectos académicos específicos del curso, se da una sesión de formación en valores a los padres, en la que se intenta orientarles en los valores que el centro propone, así como en consejos prácticos para que desde la familia se apoye esta acción formadora. La asistencia media de los padres a estas reuniones ronda el 80%.

Sesiones de formación específica[14]. Además de las sesiones arriba mencionadas, cada curso organiza anualmente diversas reuniones de padres para tratar algunos temas relacionados con la educación en valores o simplemente temas educativos o familiares en general.

Diversión familiar. El colegio también promueve entre las familias algunas actividades de tiempo libre durante los fines de semana (excursiones, visitas culturales, celebración de cumpleaños, etc.). Son una ocasión estupenda para crear lazos de amistad entre los profesores y las familias y para orientarles de modo práctico en la práctica de los valores propuestos por el centro.

b) *Individualmente*

Orientación familiar individual. El Orientador se entrevista con cada familia al menos una vez al trimestre. Además de tratar diversos aspectos académicos, el Orientador proporciona a las familias la ayuda necesaria para que la tarea formativa del colegio continúe en el ámbito familiar.

14. <http://www.irabia.org/castellano/Departamentos/DptoOrientacion/prg escp.htm>

7.3. Transmisión de valores a los profesores

No deben faltar en los colegios acciones formativas dirigidas a los profesores, aunque lo ideal sería que el centro pudiera tener en cuenta la afinidad con el ideario a la hora de contratar a su personal. También aquí caben acciones colectivas e individuales:

a) *Colectivamente*

Sesiones de formación. Desde hace varios años las tardes de los miércoles no hay clases en nuestro centro; ese tiempo se dedica a celebrar reuniones de departamentos, de profesores de Ciclo, etc. Hemos ido incluyendo todos los años diversas sesiones de formación dirigidas a perfeccionar la tarea orientadora de todos los profesores.

a) *Individualmente*

Despachos personales. En los despachos personales que los miembros del equipo directivo tienen con el profesorado, la misión orientadora ocupa un lugar destacado.

8. ENCUESTAS DE SATISFACCIÓN

Desde hace tres años venimos implantando en nuestro colegio el Modelo Europeo de Calidad Total en la Gestión (E.F.Q.M.), y una de las primeras tareas llevadas a cabo ha sido la de medición de la satisfacción de padres, profesores y alumnos. Se ha seguido una escala de 1 a 5, siendo el valor 1 el de 'muy insatisfecho' y el de 5 'muy satisfecho'.

Señalo a continuación algunos de los resultados obtenidos en diversas encuestas realizadas durante el año 1999, destacando aquellos *items* que guardan una mayor relación con el contenido del presente artículo. Confío que puedan aportar algunas luces complementarias al lector.

Preguntas dirigidas a los padres sobre su grado de satisfacción en...	Puntuación
Las entrevistas de los Orientadores Personales con las familias	4,11
Las entrevistas de los Orientadores Personales con los alumnos	3,96
La formación humana de los alumnos	3,99
Las actividades formativas dirigidas a los padres	4,20
El Servicio de Documentación	4,60
La atención de los hijos por parte de los profesores	4,06
La atención de los padres por parte de los profesores	4,01
Las reuniones de Coordinación	4,27

Cuadro 1: Medición del grado de satisfacción en los padres del centro (E.F.Q.M.)

Preguntas dirigidas a los profesores sobre su grado de satisfacción en...	Puntuación
Los valores humanos, profesionales, religiosos, etc.; es decir, la visión de la vida que Irabia transmite siguiendo su ideario	4,5

Cuadro 2: Medición del grado de satisfacción en los profesores del centro (E.F.Q.M.)

Preguntas dirigidas a los alumnos	Puntuación
¿Te comportas ante tu Orientador Personal con sinceridad, tal como eres y piensas?	4,3
¿Ves en tu Orientador a una persona que desea ayudarte y colaborar contigo en la solución de tus problemas?	4,23
¿Crees que tu Orientador sólo busca tu bien?	4,2
¿Tienes confianza con tu Orientador?	4,19
¿Piensas que tu Orientador te exige lo suficiente?	4,01
¿Crees que el Orientador debe exigirte?	3,8
¿Sales satisfecho de las entrevistas de orientación?	3,77

Cuadro 3: Medición del grado de satisfacción en los alumnos del centro (E.F.Q.M.)

9. CONCLUSIONES FINALES

Es indudable que la escuela debe contribuir positivamente en la formación en valores de los jóvenes; pero el esfuerzo social por procurar esta educación a las nuevas generaciones no debe limitarse a lo que se pueda hacer desde la escuela. Desde todas las instancias deben presentarse modelos concretos de conducta, tratando de exponerlos sin caer en un excesivo racionalismo. Para conseguirlo, previamente debe reflexionarse acerca de los valores cívicos tratando de salir de un excesivo pluralismo axiológico que puede llevar a proponer modelos de conducta tan generales que sean ineficaces.

Durante la última década del pasado siglo, la *RJR Nabisco Foundation* creó el programa de las Escuelas del Próximo Siglo (*Next Century Schools*). Dicha Fundación invirtió cerca de treinta millones de dólares en cuarenta y dos escuelas con el fin de detectar programas 'emprendedores' en la educación. En sus conclusiones hacen referencia al modo más eficaz de procurar una enseñanza en valores, conclusiones que comparto plenamente: "¿Cómo se enseñan estos valores, y cómo se aprenden? Mediante el ejemplo y la práctica, pocas veces por medio del estudio. En lugar de conferencias y catecismos, el modo más eficaz de influir en los estudiantes es que los adultos que los rodean sean modelos de la conducta a la que los jóvenes deben aspirar"[15]. Y dentro de las estrategias para procurar una efectiva reforma educativa, analiza el papel que los padres deben asumir en dicho proceso: "Así como a los primeros maestros de sus hijos hay que enseñar a ser padres, a los padres hay que enseñarles a ser maestros (en el hogar y en la escuela) y a participar en las decisiones sobre la política y los programas escolares"[16].

BIBLIOGRAFIA

DELORS, J. y otros (1996) *La educación encierra un tesoro* (Madrid, Santillana).
GERSTNER, L. V. y otros (1996) *Reinventando la educación* (Barcelona, Paidós).
LLANO, A. (1999) *Humanismo cívico* (Barcelona, Ariel).
MARÍAS, J. (1995) *Tratado de lo mejor. La moral y las formas de la vida* (Madrid, Alianza Editorial S.A.).
MAYORDOMO, A. (1998) *El aprendizaje cívico* (Barcelona, Ariel).
MEC (1987) *Proyecto para la reforma de la enseñanza.*
MEC (1994) *Centros Educativos y Calidad de la Enseñanza.*

15. GERSTNER, L. V. y otros (1996) *Reinventando la educación*, p. 166 (Barcelona, Paidós).
16. *Ibid.*, p. 77.

NAVAL, C. (1995) *Educar ciudadanos. La polémica liberal-comunitarista en educación* (Pamplona, EUNSA).
POLO, L. (1991) *Quién es el hombre. Un espíritu en el mundo* (Madrid, Ediciones Rialp S.A.).
RUIZ PAZ, M. (1999) *Los límites de la educación* (Madrid, Grupo Unisón ediciones).

ANEXOS

1. AMAT RUIZ, J. y GALIÁN TUDELA, M. (1993) *Vamos creciendo. Educación de los valores humanos* (Madrid, Editora Social y Cultural S.L.). Ficha de trabajo utilizada en primero de Primaria para la educación en valores. Estas fichas son quincenales y combinan un objetivo en clase y otro en casa, que los padres deben concretar y evaluar.
2. Ficha de trabajo en educación en valores, confeccionada por el Departamento de Orientación del Colegio Irabia, utilizada en 1° de Secundaria.

ABSTRACT

THE CHALLENGE OF CIVIC EDUCATION WITHIN THE SCHOOL

We explain the steps followed to provide our students in Irabia School (Pamplona, Spain) with an appropriate Education on Human Values. We consider it is necessary to go beyond a theoretical exposure to these values, for the youth really need model behaviours to emulate, first in their families and after in their teachers and in the society that sorrounds them. Thus, our main concern is to educate the families themselves and involve them in our formative activities whenever it is possible.

KEY WORDS

Values education, civic education, citizenship

DIRECCION DEL AUTOR

José Ignacio MIR MONTES
Colegio Irabia
C/ Cintruénigo s/n.- Ap. 1114
31015 Pamplona (España)
Tel.: 00 34 (9) 48 12 62 22
E-mail: jmir@irabia.org o también <http://www.irabia.org>

LA FORMACIÓN DEL CARÁCTER A TRAVÉS DEL CINE Y LA LITERATURA: UNA EXPERIENCIA DOCENTE

Concepción NAVAL DURÁN
Carmen URPÍ GUERCIA
Universidad de Navarra

"El fin principal de esta asignatura es no tanto instruir como educar, y se educa formando el corazón de los niños en la práctica del bien"

Diario del Padre Manjón

1. INTRODUCCIÓN

Pamplona, año académico 1999-2000. Varios meses antes de emprender el nuevo curso nos habíamos planteado ofrecer de nuevo en nuestro plan de estudios, para las licenciaturas de Pedagogía y Psicopedagogía, aquella asignatura optativa que se había impartido cuatro años antes bajo la denominación "Educación Moral y Estética", pero esta vez estábamos convencidas de la necesidad de adoptar una nueva perspectiva, menos convencional y más acorde con los planteamientos teóricos que queríamos llevar al aula. Nuestro reto era impartir una materia que, siendo de base teórico-reflexiva, no perdiera en ningún momento la conexión con la práctica real de la vida, de la cual provenía sin lugar a dudas todo su sentido.

Por tanto, se presentaba una propuesta conceptual y metodológica que pretendía dar un nuevo giro a la actual corriente de la educación en valores, generalizada en nuestro país, que pone su acento –a veces, de modo exclusivo–

en el elemento intelectual o racional de la enseñanza moral y cívica. La enseñanza de la ética o la formación moral pasa necesariamente por una educación estética y una educación sentimental, que comienzan ya en los primeros años de vida y toman consistencia a lo largo de toda la infancia, adolescencia y juventud. La educación del gusto estético, de la imaginación, de la afectividad, se muestran imprescindibles para la formación moral de nuestros jóvenes; en definitiva, para alcanzar en la madurez una auténtica formación integral del carácter[1].

El cine y la literatura se nos ofrecían así como llamadas constantes hacia esa formación moral integradora de la persona desde su más tierna infancia. Esto se debe a que permiten al niño, al joven o al adulto experimentar en la imaginación las conductas morales de sus personajes, vivirlas de manera vicaria[2]. Así ocurre desde los primeros cuentos narrados, con las primeras lecturas, con los relatos de animación audiovisual, las películas de ficción, la novela, la poesía, el teatro, etc. La participación afectiva e intelectual que exigen del espectador o lector será el complemento necesario de una auténtica educación moral.

¿En qué consiste ese tipo de experiencia estética que ofrecen el cine y la literatura para que en ocasiones pueda considerarse favorable y de gran eficacia para la educación moral?

Con esta pregunta dábamos comienzo a nuestra asignatura. Éstos son, de modo sintético, los presupuestos desde los cuales partíamos:

a) Uno de nuestros principales presupuestos fue la imposibilidad de una verdadera educación moral y estética que no parta de la realidad misma de quien se educa y no se dirija a esa misma realidad vital.

b) Por ello, nos propusimos huir de los métodos de tradición puramente cognitivista, excesivamente racionalistas, y atender también aquella otra vertiente de la educación de las emociones que considerábamos imprescindible para un desarrollo efectivo de la materia.

c) Por tanto, era requisito de primer orden procurar acercarse y entender las condiciones reales de las vidas de nuestros estudiantes para ofrecer una dinámica que resultara favorecedora de su aprendizaje.

1. Cf. ALTAREJOS, F. Y NAVAL, C. (2000) *Filosofía de la educación* capítulo III, 2ª Parte, 206-245 (Pamplona, Eunsa).

2. Cf. URPÍ, C. (2000) *La virtualidad educativa del cine a partir de la teoría fílmica de Jean Mitry 1904-1988* (Pamplona, Eunsa).

d) Todas las sesiones debían estar orientadas a suscitar el interés y la participación del alumno no sólo en el contenido sino también en el desarrollo de la misma, lo cual suponía adherirse a una metodología ágil, dinámica y abierta, y de constante reclamo personalizado.

e) Era imprescindible que todos los conocimientos teóricos y prácticos que se impartieran aparecieran de modo unitario, integral, sujetos a distinciones metodológicas pero inseparables en la realidad educativa.

Escogimos un subtítulo que concretara más el título otorgado oficialmente a la materia unos años antes, y que nos parecía demasiado genérico. Ahora, bajo la nueva denominación *Educación Moral y Estética. Educación del carácter: la formación a través del cine y la literatura*, se podía cursar una asignatura optativa de 6 créditos dentro de los programas de las licenciaturas de Pedagogía y de Psicopedagogía.

2. PROGRAMA DE LA ASIGNATURA

El programa de la asignatura contemplaba tres partes bien definidas que se corresponden con tres objetivos diferenciados:

1) Nociones histórico-filosóficas-antropológicas de la Educación Moral y Estética, dirigidas a:
   - dotar al alumno de los conocimientos básicos para situar el panorama actual de la Educación Moral y Estética de nuestro país y del mundo contemporáneo occidental y reconocer los fundamentos filosóficos y antropológicos subyacentes en él.
2) Nociones antropológico-pedagógicas de la dimensión educativa del arte y sus relaciones con la educación moral, con el objetivo de:
   - entender la importancia de la educación de la sensibilidad y de la educación de las emociones y sentimientos para la formación del carácter y de la conducta moral y cívica.
3) Dimensión pedagógica del cine y la literatura, orientada a:
   - saber apreciar las experiencias estéticas del cine y la literatura como verdaderas experiencias formativas del carácter.

3. DINÁMICA DEL CURSO

La dinámica de las clases no desarrollaba linealmente esta triple estructura, de manera continua, sino que, siguiendo una metodología integradora –afín a nuestros principios directrices–, abordaba paralela y progresivamente las tres partes, combinándolas y distribuyéndolas a lo largo de todas las sesiones semanales. Así, generalmente, y para seguir un esquema ordenador que facilitara el trabajo a las alumnas y alumnos, se disponía de una sesión a la semana de 45 minutos correspondiente a la primera parte de conocimientos, de mayor fundamentación teórica, seguida de otra sesión de la misma duración correspondiente a la segunda parte centrada en cuestiones específicas sobre las relaciones entre el arte y la moral, la realidad y la ficción, la educación afectiva, intelectual y moral, etc., mientras que se reservaba la sesión semanal de mayor duración (1 hora y 30 minutos) para la última parte de índole completamente práctica, siguiendo dos modalidades distintas: sesiones de cine y sesiones de cuentos.

3.1. SESIONES TEÓRICAS

Aunque la asignatura *Educación Moral y Estética. Educación del carácter: la formación a través del cine y la literatura* respondía a un espacio y lugar muy concretos dentro del plan de estudios de las licenciaturas de Pedagogía y Psicopedagogía, la teoría de esta materia de estudio se planteó desde una perspectiva de transversalidad[3] que afectara al conjunto de la carrera. Así, se pretendía que su estudio y reflexión reflejara y se viera reflejado sobre el conjunto de las materias estudiadas a lo largo de los cursos (Antropología de la Educación, Teoría de la Educación, Orientación Educativa, etc.).

Era necesario acudir a algunos de los textos oficiales más destacados del momento histórico que estamos viviendo, en el cual se hace sentir la necesidad de una formación moral y cívica y en el cual las distintas reformas educativas del mundo occidental van respondiendo a esta demanda social. Así, se revisaron: el llamado "Informe Delors", publicado bajo el título *La educación encie-*

3. El concepto de transversalidad proviene de la reforma educativa de la LOGSE donde aparece la propuesta de unas materias de estudio *transversales*, dando a entender que sus enseñanzas se impartían desde las distintas asignaturas de los cursos, ciclos y niveles educativos (Geografía, Literatura, Matemáticas, etc.), así como desde otras instancias como el asesoramiento personal o las actividades extraescolares; y en las cuales cada centro podía introducir variaciones según su proyecto educativo. Así, se puede hablar de Educación para la paz, Educación para el consumidor, Educación para el cuidado del medio ambiente, etc.

rra un tesoro, (Santillana, Madrid, 1996), el *Manifiesto 2000* de la UNESCO y la LOGSE (Ley de Ordenación General del Sistema Educativo, España, 1990).

Dentro del margen de los créditos teóricos que esta materia nos ofrecía, interesaba abordar el contenido desde un doble enfoque: histórico y temático. Éramos conscientes del riesgo –mejor decir imposibilidad– de abordar en profundidad todas las cuestiones, y por tanto, era necesario apoyarse en conocimientos ya adquiridos en otras materias cursadas hasta el momento.

En la primera parte, correspondiente al enfoque histórico de la educación moral, interesaba tomar contacto con las principales versiones rivales de la educación moral a lo largo de la historia: Aristóteles, Locke, Rousseau y Kant en una primera serie, y otros puntos de vista contemporáneos: Durkheim, Dewey, la teoría psicoanalítica, las teorías del aprendizaje social, las teorías del desarrollo cognitivo, etc. L. Kohlberg, C. Gilligan y N. Haan ocuparán un lugar especial entre estos últimos por su papel central en la discusión acerca del desarrollo moral entre psicólogos y científicos sociales. En este vector histórico contemporáneo se subrayan cinco puntos: a) educación moral y socialización: la teoría de Durkheim; b) crítica de Piaget a Durkheim; c) la educación moral y el desarrollo cognitivo: la aportación de Kohlberg; d) la escuela y los valores; y e) la filosofía de la educación moral.

La educación moral ocupa un lugar importante también dentro de la filosofía política contemporánea en el debate entre los teóricos liberales y sus críticos. Temas claves que se plantean son: la noción de libertad, la relación del individuo con la sociedad, los roles de la familia, la escuela y la ley en la formación moral de los niños, el derecho de los padres a educar a sus hijos como ven adecuado, la posibilidad o conveniencia de una educación pública en valores *neutros*, etc.

El gran tema que se apunta, que por cierto es una cuestión estrella en la panorámica actual, es la educación moral (o educación del carácter, según las denominaciones) con otros temas relacionados: la autonomía personal; el concepto de auto-regla; la neutralidad y los valores; la formación de la identidad personal en un marco social; el mismo concepto de hombre y de sociedad que señalarán el fin de la educación; los fines, contenidos y proceso de educación en una democracia liberal; el hombre como ser sociable por naturaleza; el papel de la tradición en la formación de la personalidad humana; el concepto de ciudadanía, educación cívica; el concepto de igualdad; el pluralismo y el multiculturalismo; la autoridad en la educación; el juicio ético y la deliberación como momentos educativos; el discurso educativo, etc.

Un lugar preferente ocupa el debate que se plantea entre *autonomía* y *perfección*. Junto a la autonomía se señala la capacidad crítica, analítica, etc., y al lado de la perfección estaría la formación del carácter y la práctica de las virtudes.

El enfoque que se adopta es el de una estrecha interconexión entre los conceptos de educación, persona y sociedad. La educación se entiende así como una práctica social, realizada desde la *praxis* personal, de acuerdo con una tradición social y no simplemente como una transacción entre individuos aislados.

En la parte temática, además de las múltiples cuestiones que van surgiendo al hilo de la consideración de las versiones rivales de la educación moral, interesaba plantear cuatro grandes puntos: a) punto de partida de la educación moral; b) las funciones apetitivas: apetitos e inclinaciones; deseos e impulsos; c) actos y virtudes y d) función del educador.

Para el estudio de las concepciones históricas rivales de la educación moral acudimos al libro de C. Naval (1995) *Educar ciudadanos*, capítulo III, punto C (Pamplona, Eunsa); para la explicación de la génesis y los medios de la Educación Moral nos basamos en A. Millán Puelles (1963) *La formación de la personalidad humana*, 3ª Parte (Madrid, Rialp); y para abordar los contenidos de la formación moral acudimos a F. Altarejos y C. Naval (2000) *Filosofía de la educación*, capítulo III, 2ª Parte, 206-245 (Pamplona, Eunsa).

3.2. SESIONES DE CINE

El cine nos muestra vidas en acción, seres humanos que tienen que tomar decisiones, sufrir contrariedades, gozar de ciertas vivencias. Una película se puede presentar al espectador como la oportunidad para experimentar todas esas vivencias a través de las acciones que realizan los personajes, y al mismo tiempo, para sentir la propia vida –los sentimientos y recuerdos personales– reflejada en la vida de la pantalla, proyectarse uno mismo sobre las acciones que aquellos personajes realizan. Se trata de dos efectos complementarios que actúan unitariamente y que podríamos equiparar a los antiguos efectos de la *mimesis* y la *catarsis* que proporcionaba la tragedia griega: el espectador se identifica por imitación con las acciones del *film* y, a su vez, proyecta su propia personalidad en la interpretación de los hechos de la narración, de los sentimientos de los personajes, etc. Por eso, toda experiencia fílmica es creativa, crítica, participativa cuando el espectador pone algo de su parte, y por eso también es enriquecedora siempre que aquella identificación o *mimesis* del espectador permita descubrir una parte de sí mismo en el *ideal* que se proyecta sobre el protagonista de la historia, el héroe de la pantalla. Esa *catarsis*, reclamada por la propia *mimesis*, se puede sentir, por tanto –y tal como se ha traducido el término–, como una verdadera liberación del yo, como una purgación, o reconciliación, o si se prefiere, también como una evasión o éxtasis contemplativo, el cual nunca supone pérdida del yo sino reencuentro con uno mismo desde nuevos lugares.

Sobre estos planteamientos teóricos propusimos unas actividades en el aula a partir de la proyección de tres películas, sobre las que alumnos y alumnas de distintos cursos y licenciaturas debían trabajar en pequeños grupos las dimensiones educativas que encerraba cada una (educación de la sensibilidad, educación afectiva, educación cognitiva, educación moral y cívica). Las películas seleccionadas fueron, en orden de proyección:

1) *El festín de Babette* de Gabriel Axel (Dinamarca, 1986) para la educación de la sensibilidad.

2) *Smoke* de Wayng Wang (USA 1991) para la educación afectiva y cognitiva.

3) *Tasio* de Montxo Armendáriz (España, 1984) para la educación moral y cívica, la educación social.

La primera actividad fue bastante sencilla: después de ver *El festín de Babette*, proponíamos un cuestionario sobre la película de 7 preguntas aproximadamente, muy abiertas, que el alumnado debía responder en grupos de 3 o 4. Las preguntas que planteábamos se centraban en los aspectos de mayor relevancia para la educación de la sensibilidad y del gusto estético, aunque también se recogían ciertas cuestiones relativas a elementos sociales, cognitivos, morales... Se suscitó un debate a partir de las respuestas dadas por cada grupo, el primer debate y reflexión sobre cine, sobre una película concreta, que se desarrollaba en el aula entre los alumnos y alumnas de la materia.

La siguiente actividad fue de mayor complejidad. Después de ver *Smoke*, los grupos (reducidos ahora a parejas) debían elaborar ellos mismos un cuestionario sobre la película, atendiendo a las dimensiones educativas explicadas en clase previamente: sensitiva, afectiva, intelectual, social y moral, y dirigiéndose a alumnas y alumnos de bachillerato o primeros años universitarios. Las preguntas debían ser suficientemente abiertas, pero también suficientemente concretas, siguiendo la línea del primer cuestionario trabajado. En otra sesión práctica, los grupos intercambiaron sus cuestionarios y los respondieron, otorgando junto a cada respuesta una valoración a la pregunta planteada por sus compañeros, a modo de evaluación del cuestionario.

Esta película nos permitió otra actividad en la que cada alumno podía evaluar su propia sugestibilidad emocional, su imaginación y su memoria visual. Se trataba de revisar y contrastar el cuento final de la película que en primer lugar es narrado sin imágenes por uno de los personajes y al cierre de la película ese mismo cuento se pone en imágenes con un fondo musical.

Por último, con *Tasio*, pretendíamos ir más allá del mundo sensitivo cuestionado por *El festín de Babette* y el mundo de las relaciones personales y los sentimientos suscitado por *Smoke*. *Tasio* nos ofrecía la posibilidad de penetrar en el complejo y debatido mundo de la participación social y el individualismo, de las relaciones entre la vida privada y la vida pública, y en los dilemas que plantea el binomio naturaleza-cultura. Aquí, el compromiso moral se muestra más explícitamente. Analizar el personaje de *Tasio*, su cultura y las decisiones que va tomando a lo largo de su vida podía darnos una referencia concreta y cercana de todas estas cuestiones, sobre todo si tenemos en cuenta que la mayoría de nuestro alumnado era de origen navarro y la película se sitúa en un pueblo de Navarra.

3.3. SESIONES DE CUENTOS

Las sesiones de cuentos siguieron el mismo planteamiento inicial, y se trabajaron de forma intercalada con las películas mencionadas. Los textos escogidos fueron:

1) "Continuidad de los parques" de Julio Cortázar (1995) *Cuentos Completos* (Madrid, Alfaguara).
2) "Descenso a los infiernos de la imaginación" de Marco Denevi (1984) "Falsificaciones", *Obras Completas* (Buenos Aires, Corregidor).
3) "Sin querer" de Leon Tolstoi (1964) *Obras completas* (Madrid, Aguilar).

Con el análisis y el comentario de "Continuidad de los parques" de J. Cortázar se plantearon las relaciones tan íntimas que se establecen entre la ficción y la realidad, descubrimos los límites imprecisos que separan ambos mundos, y acabamos intuyendo cómo lo más real puede vivirse como ficticio e irreal, mientras la mayor ficción puede vivirse como verdadera y real.

A su vez, este mismo cuento nos dio también una viva idea de cuál debe ser la disposición del lector o espectador si pretende realmente disfrutar y participar activamente en la lectura de un cuento o viendo una película. Sólo con este tipo de disposición puede verse realmente enriquecido, y sólo así es posible hablar de educación.

El cuento de M. Denevi, "Descenso a los infiernos de la imaginación", nos permitió ponernos en el lugar del abogado del diablo respecto a la imaginación humana. La imaginación puede ser creativa y fantástica, sin dejar de asentarse en la realidad, pero también corre el riesgo de volverse fantasiosa y obsesiva, evocar historias sin fundamento alejadas de la realidad del hombre. La imaginación desbocada puede separarnos de la realidad y llevarnos a una interpretación deformada del mundo y de la vida; se trata de ciertos riesgos que la educación no puede dejar de mencionar y que pueden darse en forma de manipulación, tergiversación, alienación, etc.

Por último, "Sin querer" de L. Tolstoi plantea uno de los temas más importantes de la educación moral: la educación de la voluntad. ¿Qué papel juegan los hábitos adquiridos en la educación de la voluntad? ¿Y los afectos y emociones vividas? ¿Qué importancia puede tener la virtud de la sinceridad en la educación de la voluntad? ¿Se puede juzgar una mala acción realizada "sin querer"? ¿Se puede rectificar? Todos estos interrogantes podían suscitar una interesante reflexión y debate.

3.4. Guía Didáctica

Por último, cada alumno debía elaborar individualmente y fuera del horario de clases un ejercicio práctico denominado "Guía Didáctica", para el cual se le daba a escoger entre un listado de películas y obras literarias, para elaborar sobre una de ellas una guía de uso pedagógico para educadores (padres, maestros, profesores). Esta guía debía contemplar aquellos aspectos más relevantes trabajados en las clases y la evaluación de la misma suponía para el alumno una cuarta parte del resultado final de la asignatura, que junto a las prácticas en el aula sumaban la mitad de este resultado; mientras que los conocimientos adquiridos sobre la historia y la fundamentación teórica de la Educación Moral y Estética, sumaban la otra mitad. De este modo, conseguíamos dar igual importancia al elemento teórico y al elemento práctico del aprendizaje.

4. CONCLUSIONES

Entre los aspectos positivos de esta experiencia que merecen una mención especial podemos citar:

a) En primer lugar, el mayor nivel de implicación de los alumnos en los conocimientos de la materia, así como una mayor referencia de éstos a la vida real.

b) Una mayor reflexión y participación en clase, lo cual nos hace suponer una mejor disposición de ánimo y una mayor inquietud e interés por estos temas y, sobre todo, por la reflexión teórica acerca de las cosas y de la vida.

c) La adquisición de una apreciación mayor de las experiencias estéticas del cine y la literatura como verdaderas experiencias formativas del carácter personal.

d) Un mayor contacto entre el alumnado y las profesoras, no sólo a escala general sino también individual, con visitas más frecuentes al asesoramiento académico personal, motivado por las dudas e intereses suscitados en las clases.

e) También un trato más cercano entre los mismos alumnos y alumnas matriculados en la asignatura, que contaban un total de 117, procedentes de distintos cursos y licenciaturas, puesto que la asignatura se impartía como optativa para todos los alumnos de Pedagogía y Psicopedagogía, y como asignatura de libre configuración para alumnos de otras licenciaturas. Los trabajos en equipo entre esta diversidad de estudiantes permitían compartir diversas experiencias y conocimientos de distintas materias de varios cursos relacionadas con las actividades planteadas por la nuestra.

5. BIBLIOGRAFÍA

A continuación detallamos la bibliografía que se utilizó a lo largo del semestre en que se impartió esta materia.

5.1. DE ESTUDIO

ALTAREJOS, F. Y NAVAL, C. (2000) *Filosofía de la educación*, capítulo III, 2ª Parte (Pamplona, Eunsa).

MILLÁN PUELLES, A. (1963) *La formación de la personalidad humana*, 3ª Parte (Madrid, Rialp).

NAVAL, C. (1995) *Educar ciudadanos*, capítulo III, punto C (Pamplona, Eunsa).

5.2. DE UTILIDAD PARA REALIZAR LOS TRABAJOS PRÁCTICOS

COMISIÓN INTERNACIONAL SOBRE LA EDUCACIÓN PARA EL SIGLO XXI. DELORS, J. y otros (1996) *La educación encierra un tesoro* (Madrid, Santillana).

GRIMALDI, N. (1994) "El aprendizaje de la vida a través del cine y la literatura", *Nuestro Tiempo*, diciembre, 116-125.

Ley de Ordenación General del Sistema Educativo (LOGSE) B.O.E., 4 de octubre de 1990.

UNESCO, *Manifiesto 2000*, http://www.unesco.org

URPÍ GUERCIA, C. (2000) *La virtualidad educativa del cine a partir de la teoría fílmica de Jean Mitry* (Pamplona, Eunsa).

5.3. DE APOYO

ARISTÓTELES (1981) *Ética a Nicómaco* (Madrid, Centro de Estudios Constitucionales).

ARISTÓTELES (1992) *Poética* (Madrid, Gredos).

BEARDSLEY, M.C. y HOSPERS, J. (1986) *Estética. Historia y fundamentos*, pp. 149-156, punto II.7. "Arte y moralidad", (Madrid, Cátedra).

MARÍAS, J. (1992) *La educación sentimental*, cap. XVII: "La función del cine en el siglo XX" (Madrid, Alianza).

MARÍAS, J. (1995) *Tratado de lo mejor. La moral y las formas de la vida*, (Madrid, Alianza Editorial).

NAVAL, C. (1995) *Enseñanza y comunicación* (Pamplona, Eunsa).

ABSTRACT

CHARACTER EDUCATION THROUGH CINEMA AND LITERATURE: A TEACHING EXPERIENCE

We present a project carried out in the Department of Education, at the University of Navarre, in which we offered a 6-credit optional subject called "Moral and Aesthetic Education. Character Education through Cinema and Literature" for the Graduate Degrees on Pedagogy and Psychopedagogy. We present the theoretical principles underlying the structure and scope of the course. Besides, the students were required to apply their understanding of the principles by developing practical projects in a group or individually.

KEY WORDS

Moral education, character education, aesthetic education, film appreciation, education through literature, education through art.

DIRECCIÓN DE LAS AUTORAS

Concepción naval durán
Departamento de Educación
Universidad de Navarra
31080 Pamplona (España)
Tel. 00 34 (9) 48 42 56 00
E-mail: cnaval@unav.es

Carmen URPÍ GUERCIA
Departamento de Educación
Universidad de Navarra
31080 Pamplona (España)
Tel. 00 34 (9) 48 42 56 00
E-mail: curpi@unav.es

CLAVES PARA UNA DIMENSIÓN EUROPEA DE LA EDUCACION

Marta RUIZ CORBELLA
Universidad Nacional de Educación a Distancia (Madrid)

1. EUROPA COMO IDEAL

No hay duda de que la educación debe darnos las coordenadas necesarias para afrontar el futuro, por lo que no puede quedarse ajena a los temas emergentes en la sociedad, siendo, como es, un medio esencial a partir del cual enseña a ser, a hacer, a conocer y a vivir juntos (Delors, 1996). Los continuos cambios sociales, las innovaciones humanas, científicas y tecnológicas, así como las nuevas problemáticas que en todos los órdenes estamos afrontando, conllevan, lógicamente, cambios en el proceso educativo, a la vez que reclaman una formación acorde a estas nuevas necesidades. La educación debe saber adelantarse a las exigencias que todo individuo va a tener que satisfacer y afrontar en un futuro cada vez más inmediato, ya que "(...) la esencia de la educación reside, precisamente en la posibilidad de garantizar un futuro" (Bárcena, 1997, 17). Entre estos temas emergentes está la construcción de una Unión Europea sólida, democrática y solidaria, que, a lo largo de estas últimas décadas, ha alcanzado logros incontestables. Si repasamos la historia de Europa podemos comprobar que estamos ante un ideal pretendido desde sus orígenes. Ahora, en la actualidad se hará realidad únicamente si formamos a los individuos que van a formar parte de ella como ciudadanos con plenos derechos y deberes. Si les educamos como ciudadanos europeos responsables del futuro de esta nueva propuesta. Además "Europa, en su configuración actual, se halla todavía en la fase intermedia entre lo nacional y lo postnacional, donde las viejas estructuras se resisten a morir y las nuevas no acaban de aflorar. (...) Aún no sabemos cuál será el perfil de Europa" (Flores, 1994, 115). Ni sabemos cual será el perfil del profesional y del ciudadano del mañana. Pero lo que sí sabemos es que todos debemos sentirnos como en casa, que, en definitiva, se trata de que todos puedan, sepan y quieran participar en su construcción.

El ideal de la Unión Europea es ya una vieja ambición que en cada momento histórico se ha concretado de forma diferente, modelando paulatinamente nuestro modo de ser europeos. Españoles, franceses, belgas, alemanes... nos sabemos pertenecientes a este continente, ahora aún no nos sentimos realmente europeos. Hoy por hoy la nación sigue primando sobre el continente, y si ahondamos un poco mas, la región por encima del Estado. Prima aún la idea de 'nosotros y los otros', y no la de 'nosotros europeos' (Ryba, 1995). Ahora bien, Europa nunca ha sido un modelo estático, sino que siempre ha ido evolucionando y abriéndose a nuevas posibilidades. El dinamismo ha sido una constante de la historia europea, fruto del innegable mosaico de expresiones culturales sobre las que se asienta nuestra civilización.

En 1975 el primer ministro belga, Tindemans, destacaba que la construcción europea era algo más que una forma de colaboración económica entre los Estados miembros. Se pretendía también un acercamiento entre pueblos que tratan de adaptar conjuntamente sus sociedades a las nuevas condiciones del mundo, fomentando los valores que constituyen su patrimonio común (Fontaine, 1994). Se estaba reclamando "(...) el 'rostro humano' de Europa, lo que supone la construcción o integración de una Europa con espacios comunes no sólo en lo económico, sino también en lo social, en lo político, en lo cultural y en lo educativo" (Medina Rubio, 1997, 72). La Unión Europea para el siglo XXI nació sobre acuerdos económicos. Ahora, cada vez se ha hecho más evidente que este esfuerzo político no alcanzará realmente su objetivo si no se apoya en la participación activa de sus ciudadanos. Y esto se logrará únicamente desde presupuestos educativos y culturales, no desde unos planteamientos exclusivamente económicos.

A pesar de que esta idea estaba presente desde hacía tiempo en las intenciones de gran parte de los políticos europeos, será precisamente en los dos últimos Tratados (Maastricht, 1992; Amsterdam, 1997), donde se afronta por vez primera el problema de la realidad de dos Europas: la de los políticos y la Europa 'real', cotidiana, de los ciudadanos, muchos de ellos ajenos a este proyecto, defendiendo que ninguno de estos objetivos se consolidará si no se logra la implicación de todos ellos. El desarrollo de la Unión ya no es un simple proceso técnico cuya apreciación incumbe únicamente a las instituciones o a los gobiernos. La seguridad, el empleo, la política exterior, la defensa y la legitimidad de nuestras instituciones afectan directamente a todos los ciudadanos

(DG X, 1997). El ciudadano debe implicarse en Europa, ya que Europa es para el ciudadano, será la idea constante. Sin ellos será difícil que este proyecto arraigue.

De ahí la mención constante a partir de estos Tratados a la figura del ciudadano y, especialmente, a su educación como uno de los objetivos prioritarios de la Unión, junto con la apuesta por la cultura como elemento unificador ya que será necesaria la comprensión del otro sin negar la diferencia (Beneyto, 1999). Con esta nueva perspectiva se plantea el logro de "(...) la integración social y el desarrollo personal, mediante la compartición de valores comunes, la transmisión de un patrimonio cultural y el aprendizaje de la autonomía" (COM, 95/590, 3). Por ello se exigirá a la educación que no debe "(...) limitarse únicamente a transmitir conocimientos, sino que debe formar también en los jóvenes en el espíritu de la democracia, en la lucha contra la desigualdad, en la tolerancia y en el respeto de la diversidad" (COM 93/457, 6). Estas serán las claves para formar al futuro ciudadano de la Unión Europea.

2. EL SENTIDO DE EUROPA

Volver la atención sobre Europa implica indagar en sus raíces, repasar su historia, sus aportaciones culturales... sin ellas poco podemos comprender. Cualquier propuesta humana que no se asiente en la memoria histórica y cultural, difícilmente podrá arraigar en un futuro. Europa siempre ha sido proyecto, idea viva que ha ido acogiendo los rumbos más diversos, apoyada en unas constantes axiológicas que son las que le han ido configurando como promotora de humanidad. Europa, antes que nada, es, y ha sido, esencialmente, una realidad cultural, y no en primer término una creación económica o jurídica (Beneyto, 1999). Independientemente de su geografía, o sus fronteras, Europa siempre ha poseído una personalidad propia no tanto como entidad política, sino como expresión de una civilización y educadora de humanidad. Junto con las diferentes expresiones culturales de este continente, Europa muestra una unidad cultural coherente, como manifestación de ideales, costumbres, modos de vida... comunes. Pero para una auténtica reconstitución de este continente, es necesaria una revisión de la historia europea que no niegue sus caras oscuras, dirigida hacia el reconocimiento de nuestra historia común. Para ello será necesario, en primer lugar, la comprensión del otro, sin negar la diferencia, a partir del conocimiento expreso del valor de esa diferencia (Beneyto, 1999).

Sin duda, Europa ha sido cuna de la cultura occidental, que siempre ha estado desasida generosamente de los estrechos límites de cada pueblo. Lo propio de ella ha sido la apertura, la dinamicidad. Consecuentemente podemos afirmar que la cultura europea no se ha detenido nunca, ni nunca ha permanecido encerrada en sus límites geográficos. Europa es el resultado de un crisol de culturas que ha sido el origen del mundo occidental, con sus aciertos y sus errores. Culturas que, de un modo u otro, siguen estando presentes configurando ese ámbito que denominamos 'identidad europea', que comprende la afirmación de unos ideales educativos y de un conjunto de valores (Medina Rubio, 2000). Pensadores tan significativos como Vives, Erasmo, Comenio, Leibniz, Montesquieu..., y si volvemos la vista a nuestra historia reciente, Ganivet, Unamuno, Ortega, Costa, Madariaga, Zambrano... han defendido e intentado aportar ideas para la armonización de los pueblos europeos en una identidad supranacional. La europeización ha sido un ideal constante de civilización, de defensa de las libertades, signo de un sugestivo proyecto de vida en común. Estamos ante una realidad que rebasa lo meramente geográfico, ya que existe una verdadera concepción de vida común, una comunidad de intereses y valores, junto con un destino histórico compartido. Podemos repasar todos los elementos unificadores de Europa que se han ido originando a lo largo de la historia, pero, sin duda, ha sido la cultura la que más ha contribuido a la hora de plasmar la visión unitaria de nuestro continente (Calero, 1997). Además, en el Tratado de la Unión Europea (1997) se señala que no existe una configuración espacial predeterminada de la Unión Europea, sino que lo que existe es la europeidad, que aglutina las naciones en términos de cultura y valores comunes: el respeto a la dignidad humana, los derechos humanos, los derechos y libertades fundamentales, el pluralismo cultural, la solidaridad, la justicia social, la tolerancia, el respeto a la diversidad... (Medina Rubio, 2000).

Si repasamos la historia europea, comprobamos que las naciones han ido apareciendo y desapareciendo, las fronteras han cambiado constantemente, sin embargo, los pueblos de Europa han continuado ofreciendo su carácter estable y homogéneo. Su capacidad de perpetuación tiene que ver más con sus formas culturales, con su ethos colectivo estable, que con ideologías políticas más o menos permanentes (Esteva, 1994). Es el elemento cultural, entendido este como expresión del modo de interpretar, comprender y vivir el mundo..., la interrelación con el otro, de formas de expresión en todos los órdenes, de creencias, tradiciones, etc. propias de cada pueblo. Este es un comportamiento aprendido en el seno de cada grupo, gracias al cual cada uno va consolidando cómo resolver las diferentes situaciones, cómo integrarse en el mundo que vive. En definitiva, le va otorgando el sentido de pertenencia, de identidad, esa conciencia subjetiva de pertenencia, de considerarse miembro de una colectividad (Colom, 1992).

En la vieja Europa la diversidad cultural es precisamente la manifestación de su riqueza. Ahora bien, en esta diversidad se puede descubrir un denominador común que hace posible la apuesta por una Unión Europea, realidad que únicamente se hará factible si se fomenta esa misma cultura europea que nos une. La idea de la Europa de los ciudadanos surge de la aspiración de unir el desarrollo socioeconómico a una identidad cultural común, más sólida y tangible; un sentimiento colectivo de pertenencia y una ciudadanía basada en la democracia y en los derechos del hombre (Pérez Alonso-Geta, 1991). Sin duda, en Europa hay más elementos que unen que lo que nos desune, por ello la construcción de la Unión Europea deberá estar fuertemente arraigada en un interculturalismo, que entiende la identidad de cada grupo, de cada pueblo como "(...) sinónimo de interacción, de intercambio, de apertura y solidaridad. La identidad no puede baremarse como antaño por la fidelidad ancestral a mores y costumbres; hoy, la identidad de los pueblos debe construirse dicotómicamente, manteniendo las antiguas fidelidades y abriéndose al exterior para acelerar los procesos de innovación. En caso contrario, identidad, podría ser sinónimo de fosilización" (Colom, 1992, 70). Lograr una conciencia europea, continua este autor, basada en la defensa de valores colectivos y de identidades específicas, que abriese el camino hacia el logro de una identidad europea, ya que esta "(...) se realizará en función del fortalecimiento de las culturas nacionales y de su capacidad de proyección hacia el exterior" (Beneyto, 1999, 263). Nos encontramos entre la defensa de los nacionalismos, y la realidad cada vez más acuciante del mundo como gran 'aldea global', en el que debemos reforzar la pertinencia de Europa como ámbito de intervención. En un mundo incierto y en movimiento, Europa debe ser un factor de organización, que tiene justamente su fuerza en la unidad, que respeta y fomenta la diversidad (COM 95/590, 7). En este sentido, debe saber mantener en el orden mundial un papel indiscutible:

- como factor de paz, de prosperidad y equilibrio, que contribuya a un orden mundial más justo y solidario;
- como una Europa pluricultural que predique con el ejemplo, que sea capaz de volver a ser un crisol de culturas, de lenguas...;
- que logre la prosperidad económica, y esto sólo se consigue si permanece unida;
- que acometa proyectos solidarios con otros países, especialmente en las propuestas de paz;

- capaz de seguir manteniendo una tupida red de caminos, de relaciones, de proyectos y programas conjuntos, que conectan entre sí lo diverso, para que la diversidad siga siendo la riqueza y atractivo de Europa (Fernández, 1993).

En definitiva, conseguir que las diversas esferas de influencia de la sociedad sean conscientes de la necesidad de su cooperación, no homogeneizando mentalidades, sino ofreciendo modos de vida coherentes con lo que debe ser un ciudadano europeo. Ahora, sensibilizado con esta identidad cultural, con una concepción del Estado basada en los principios de libertad, democracia, respeto a los derechos humanos y las libertades fundamentales, y con la garantía de una concepción liberal de la vida humana, el problema de la convivencia estriba en encontrar formas adecuadas de organización política, social y educativa que aseguren esos valores y que se adecuen a esa concepción de vida (Medina Rubio, 2000).

3. LA POLÍTICA EDUCATIVA Y CULTURAL EN LA UNIÓN EUROPEA

Si analizamos la política educativa que se ha llevado a cabo en la Unión Europea, comprobamos que esta ha evolucionado, como sabemos, de forma muy diferente a las decisiones políticas en otros ámbitos de dicha Unión. "De hecho, aunque sus primeros seis miembros firmaron el Tratado de Roma en 1957, en el que se declaraba que su finalidad era 'establecer las bases de una unión cada vez mayor entre los pueblos de Europa', el Tratado no contenía artículo alguno relacionado con la educación escolar (...)" (Ryba, 1993, 49), a excepción de lo relacionado con la formación profesional, dada su estrecha interdependencia con el progreso económico. Al estudiar el tiempo transcurrido entre la firma del Tratado de Roma (1957) y el Tratado de Amsterdam (1997), nos damos cuenta que no ha existido una intención real y eficaz de acometer una política educativa y cultural de carácter comunitario. Desde esta perspectiva, Europa no ha sido ningún modelo de cooperación e integración. La unificación en el ámbito económico estaba clara y, sin embargo, los recelos nacionales surgían en cuanto se traspasaba esta frontera. El impacto de la Comunidad Europea en las políticas educativas nacionales ha sido limitado, ya que los propios Estados no han permitido que se interfiriera en estas (Abellán, 1994). No ha existido en ningún momento una política comunitaria clara y constante en el campo educativo, debido básicamente a la diversidad de los sistemas educativos a la vez que por miedo a perder autonomía, sufrir injerencias en la política educativa de cada país, poder ver mermada de alguna manera su identidad nacional, o sentir minusvalorada la propia cultura. Por ello, la educación quedó, hasta entrado los años 70, fuera de los temas tratados por la Comunidad. Tuvo que transcurrir todo ese tiempo para que los forjadores de la política europea se dieran cuenta de la necesidad de la educación para el logro de sus objetivos: el tema educativo debería ser, sin duda, el elemento configurador de la Europa de los ciudadanos, ya que los pactos económicos y políticos por sí mismos no eran ni serán suficientes. "Es decir, Europa debía ser construida no sólo desde los aspectos materiales y económicos, sino también y, sobre todo, desde su dimensión humana, incluyendo los aspectos educativos y culturales" (Rodríguez Carrajo, 1996, 32).

Toda esta situación de miedos y recelos condujo a las diferentes etapas, intervenciones y acciones comunitarias en la política educativa y cultural de la Comunidad. Un recorrido lleno de luces y sombras, en el que la política educativa era vista con recelo, ante esa posible injerencia en la identidad propia de cada país. Sin embargo, poco a poco se va imponiendo la necesidad de una cooperación entre los Estados, dirigido al logro de una Europa pluricultural caracterizada por el respeto de las identidades lingüísticas y culturales, donde la dimensión europea de la enseñanza hará que aumente en los jóvenes el sentimiento de pertenencia a Europa y donde el plurilingüismo será un instrumento de diálogo y de intercambio. Construir una Europa de la movilidad a través de una formación de calidad para todos. Desarrollar constantemente una Europa abierta al mundo. Se abre, así, una nueva perspectiva, ya que "la Europa a la que la educación ha de contribuir es la Europa de la solidaridad, de la interculturalidad, de la cooperación con los países en desarrollo, etc., y no sólo la Europa de la competencia y el mercado" (Rodríguez, 1993, 20). Esta propuesta se verá respaldada finalmente en el Tratado de Amsterdam (1997), donde se reconoce como "(...) fundamento de la política comunitaria: la idea de la dignidad de la persona humana, la concepción radical de la libertad en la vida individual y social; la 'Carta europea de los derechos fundamentales', los valores emergentes de los 'Derechos Humanos', la creación de la 'Ciudadanía europea', (...)" (Medina Rubio, 2000, 127), todos ellos principios aglutinantes y conformadores básicos de la política educativa europea.

Este nuevo tratamiento de la educación se plasmó en una serie de acciones comunitarias de gran alcance. En primer lugar, el reforzamiento de los Programas comunitarios, ahora englobados en tres grandes proyectos: Sócrates, Leonardo y Juventud con Europa, que "(...) muestran al público en general en la práctica el sentido de la dimensión comunitaria y el valor del trabajo en conjunto. Tienen también un importante efecto multiplicador en la libre circulación de ideas y personas y desarrollan el sentido de colaboración en empresas conjuntas. (...) desarrollan el entendimiento mutuo de las diferencias culturales y disminuyen la xenofobia, ofreciendo a los jóvenes una ventana a un mundo más amplio" (COM 89/236, 3). La idea que justificó la puesta en marcha de todas estas acciones (Lingua, Erasmus, Comenius, Arion...) fue la de formar a los ciudadanos de los diversos Estados miembros de la Unión en una clara mentalidad europea. Ahora bien, todas estas medidas no contemplaban toda la problemática educativa existente. Nos encontramos temas a los que se les ha dedicado un gran esfuerzo y atención, como es, por ejemplo, el estudio de las lenguas; otros sobre los que se pasa de puntillas, como es la homologación de titulaciones, y otros que todavía no se han acometido, como es la introducción de la Dimensión Europea en los planes de estudio. Las decisiones para propiciar acciones concretas dirigidas a proporcionar la movilidad, el aprendizaje de idiomas... han sido numerosas. En cambio, los problemas y el silencio han surgido en torno a las decisiones sobre los contenidos conceptuales, las habilidades y los valores mínimos propios para todo ciudadano europeo, y presente, de una forma u otra, en todo sistema educativo de la Unión Europea, o la implantación de programas comunes en materias tan decisivas para la cultura europea como es la historia.

Por último, hemos defendido que lograr esa ciudadanía europea implica no sólo aprender en las instituciones educativas una serie de contenidos, valores y destrezas que posibiliten el sentimiento de pertenencia a una Europa unida, sino también el aprendizaje de una cultura que nos ayude a comprendernos mejor, a la vez que la vivencia de esos valores europeos que se perciben no sólo en las instituciones educativas sino también en todo ámbito de convivencia. Cultura que se entiende, según se extrae de los diversos documentos oficiales, como "(...) el conjunto de factores de tipo espiritual, material, intelectual y sensible que caracterizan a una sociedad o a un grupo social. Engloba, además de las artes y las letras, los modos de vida, los derechos fundamentales del ser humano, los sistemas de valores, las tradiciones y las creencias" (Duque, 1993, 19). Gracias a ella, se quería alcanzar auténticos espacios culturales europeos, en los que se lograra no sólo los contactos entre Estados, sino especialmente entre las personas (García Carrasco, 1992). En este punto resulta fundamental la política cultural que se apruebe, ya que va a determinar esos espacios de convivencia que en muchas ocasiones presentan una influencia mayor que las propias escuelas. Nos referimos, por ejemplo, a los medios audiovisuales, las propuestas culturales que se difunden y a los que se apoya económicamente, las ofertas culturales de cada ciudad, la literatura que se fomente, etc. Saber respetar y promover las diferentes culturas presentes en la Unión Europea, defender la identidad cultural de cada nación, de cada región es un objetivo innegable, que es, a la vez, compatible con la consolidación de una cultura europea. Poner de relieve aún más los valores y raíces culturales comunes de los ciudadanos europeos como elementos claves de su identidad y su pertenencia a una sociedad basada en la libertad, la democracia, la tolerancia y la solidaridad. Para lograr este objetivo se propone la educación intercultural como una tarea absolutamente necesaria, en la que cada individuo sea capaz de ver al otro como otro igual, valorando su cultura y las posibilidades que esta me brinda. Sin olvidar que las culturas nunca se han desarrollado de forma paralela, como si unas fueran aceite y otras agua, sino que han ido practicando desde sus orígenes un inevitable y sabio mestizaje, en virtud del cual más ricas son cuanto más 'impuras'; más raquíticas, cuanto más intolerantes (Cortina, 1998). Por ello la educación deberá preparar "(...) para el encuentro intercultural, y para el consenso de unos valores comunes que abriesen el camino hacia el logro de una identidad europea, cada día más conformada y coparticipada" (Colom, 1992, 75).

Tanto la política educativa como la cultural son esenciales para la formación de una mentalidad europea. Europa se construye sobre la base de sus ciudadanos, pero se ha estado obviando que "la ciudadanía común se forja a lo largo de la historia, en la vivencia colectiva y la *affectio societatis*, que une a los hombres y les confiere el sentimiento de pertenencia colectiva" (Fontaine, 1993, 17), y esto no es cuestión de derechos, sino de voluntades. Ahora bien, aunque se han asentado las bases de la cooperación en materia de política educativa, todavía no se ha logrado la armonización real de los diferentes planteamientos y sistemas educativos de la Unión.

4. LA DIMENSIÓN EUROPEA DE LA EDUCACIÓN

A lo largo de todo este proceso de concreción de una política educativa comunitaria, poco a poco se fue haciendo evidente un elemento básico para el logro de los objetivos de la Unión Europea: desarrollar una auténtica identidad europea entre sus ciudadanos. Sin este prerrequisito, todos los esfuerzos no tendrían los resultados esperados. Era necesario ir consolidando esa identidad europea, ahora bien, defender y desarrollar este tema no fue fácil. Como primer paso para su logro se propuso la inclusión de una dimensión europea en la educación.

La iniciativa de introducir y desarrollar una dimensión europea en el currículum fue una propuesta relativamente nueva, aunque precedida por numerosos intentos de europeizar la educación, que resultaron infructuosos (Ryba, 1995). En esta línea, debemos destacar la labor desarrollada por el Consejo de Europa desde su creación, ya que la difusión y fomento de la identidad europea ha sido siempre uno de sus objetivos prioritarios (Ryba, 1992; Hansen, 1998). Por otro lado, también subrayamos el papel desempeñado por las 'escuelas europeas' desde 1957, como claros exponentes de un modelo de europeidad.

Ahora, la idea de la Dimensión Europea de la Educación se plantea por primera vez de forma explícita en la "Propuesta del Programa de Acción en Educación" de 1976, al afirmar que hay que dar una dimensión europea a la experiencia de los docentes y alumnos de las escuelas primarias y secundarias de la Comunidad, ya que construir una Unión más estrecha entre los ciudadanos europeos exige una mayor comprensión y conocimiento mutuos. Sin ella, esta meta sería imposible de alcanzar. También es importante recalcar que se esta planteando una Dimensión Europea de la Educación y no una educación europea o una educación sobre Europa. Con este término se está abogando por formar en los elementos comunes que unían a los Estados miembros, por educar en los fundamentos culturales de Europa, clave que posibilita de forma real la Unión. Para ello no se trata de añadir una nueva materia al currículum, sino de integrar este elemento, a partir de valores, destrezas, conceptos, a lo largo del sistema educativo. Se quiere ayudar a las jóvenes generaciones a entender e insertarse en esta nueva situación, a conocer sus derechos y responsabilidades, o conocer los otros pueblos que configuran Europa, su historia, sus lenguas... y así desarrollar sus capacidades para actuar y vivir en este contexto europeo (Ryba, 1995). Ello se hará posible, principalmente, sobre la base de la defensa de los derechos humanos, como el mejor portador de los valores europeos, y una concepción integral de la persona, portadora de la ciudadanía europea (Medina Rubio, 2000).

La escuela es la que debe tomar ese papel esencial en el desarrollo de esta identidad europea a través de su currículum. En este sentido, se aprueba en 1980 un Informe del Comité de Educación en el que defiende como aspecto esencial el conocimiento de la Comunidad Europea en sus aspectos geográficos, históricos y políticos, con una clara proyección curricular interdisciplinar, y en la elaboración de materiales que traten de la Comunidad Europea. De igual modo, se propone tomar en consideración la dimensión europea de la educación en la formación inicial y continua del profesorado (Comité de Educación, 1980). No obstante, y aunque a partir de 1976 se empezaron a desarrollar los diferentes programas comunitarios (Erasmus, Lingua, Comett...) de intercambio y fomento de la movilización para estudiantes y profesionales, y a pesar de la aprobación para incluir contenidos curriculares sobre Europa en las escuelas, las decisiones sobre acciones concretas para europeizar el currículum fueron mínimas. Tenemos que esperar a la Declaración de Stuttgart (1983), en la que se establece la cooperación entre centros de enseñanza superior y la mejora de la información sobre la historia y la cultura europeas, para retomar la idea de promover una verdadera conciencia europea. Y, especialmente, a la Declaración de Fontainebleu (1984), que destaca la importancia de promover una identidad específica de la Comunidad así como la formación de sus propios ciudadanos. Ambas Declaraciones asientan definitivamente la necesidad de definir y concretar el concepto de ciudadano europeo. Ahora, será ya en 1985, gracias especialmente al Informe Adonnino sobre la Europa de los ciudadanos, cuando se da un nuevo impulso a esta idea.

Todo ello, condujo a que en la Reunión del Consejo y de los Ministros de Educación, en 1985, acordaran dar un mayor realce a la Dimensión Europea. "La unión cada vez más estrecha entre los pueblos de Europa, prevista por el tratado constitutivo de la Comunidad Económica Europea, sólo podrá alcanzarse sobre la base de la comprensión, por parte de los ciudadanos, de la vida política, social y cultural de los demás Estados miembros. Asimismo, es importante que los ciudadanos estén informados de los fines de la integración europea y de los medios de actuación de la Comunidad Europea. Por lo tanto, la enseñanza de la dimensión europea es parte integrante de la educación de los futuros ciudadanos de Europa" (Conclusiones del Consejo, 1985). Consecuencia de esta propuesta fue la Resolución comunitaria de 1988 dedicada específicamente a este tema. "La importancia de esta Resolución, que fue aceptada unánimemente por todos los estados miembros de la Comunidad, radica especialmente en su reconocimiento de que era necesario un acuerdo de alcance comunitario en el que se establecieran de manera explícita tanto las razones que exigían el desarrollo de la dimensión europea de la educación como los pasos que hacía falta dar para asegurar dicho desarrollo" (Ryba, 1993, 52).

Es decir, hasta ahora no se había producido una decisión real para elaborar una política europea educativa. Muchos lo achacan a ese miedo a una injerencia de la Comunidad en las decisiones específicas de cada país miembro. Recelo a un posible intento de homogeneización de las diferentes identidades nacionales, al planteamiento de un único sistema educativo europeo. Nada más lejano, ya que siempre se ha defendido la necesidad de consolidar, en primer lugar, la identidad nacional para construir, ya después, una identidad europea sólida. O en palabras de Madariaga, cuanto más europeo, se es más español, cuestión que sólo se alcanzará gracias a ese diálogo y apertura al otro que se manifiesta a través de la convivencia y concurrencia entre los países europeos (Beneyto, 1999).

Ya la Resolución del 6 de junio de 1988, concretó para el logro de una dimensión europea, la contribución al desarrollo de esa ciudadanía europea, fortaleciendo "(...) en los jóvenes el sentido de la identidad europea y aclararles el valor de la civilización europea, de las bases sobre las cuales los pueblos europeos pretenden hoy en día fundar su desarrollo, concretamente la salvaguardia de los principios de la democracia, la justicia social y el respeto de los derechos humanos; así como prepararles para una mejor inserción social y profesional". Esta propuesta supuso, como bien se puede deducir, una base sólida para empezar a plantearse la idea de europeizar los *curricula* de los Estados miembros, así como para promover diversas iniciativas en este campo. Lógicamente, estas medidas supusieron un impulso para la formalización de acciones concretas. A lo largo de estos años surgieron numerosos materiales sobre Europa dentro de la enseñanza formal, cursos de formación del profesorado, diferentes proyectos, concursos, intercambios entre escuelas, la celebración del Día de Europa, etc. Ahora bien, la inclusión de esta dimensión en el desarrollo del *curriculum*, la reelaboración de los planes de estudio, apoyando materias que difundieran explícitamente valores europeos, etc. no fueron aún acometidos. Las primeras no exigían compromiso político alguno, eran fácilmente planificables y evaluables. En cambio, el planteamiento curricular en materias como la historia o la literatura, la concreción de una educación cívica, la formalización de valores determinados, etc., sí que entrañaba ya un compromiso político más arriesgado, que no todos querían acometer.

Sin embargo, la necesidad seguía latente. Esta vez será el Consejo de Europa el que realice una Recomendación (1.111/89) en la que se concreta que una Dimensión Europea de la Educación es la que, si se quiere lograr realmente una sociedad democrática, hará posible que sus ciudadanos sepan defender sus derechos y deberes sobre la base de los derechos humanos, la tolerancia y la solidaridad. Más tarde esta idea se verá respaldada por el Tratado de Maastricht (1992), en el artículo 126.2, al concretarse la necesidad de desarrollar la dimensión europea en la enseñanza, aunque lo centrará exclusivamente en el aprendizaje y de la difusión de las lenguas de los Estados miembros.

5. EL LIBRO VERDE 'LA DIMENSIÓN EUROPEA DE LA EDUCACIÓN'

Todos estos antecedentes fueron propiciando la redacción del Libro Verde sobre la Dimensión Europea de la Educación, publicado en 1993. En él se define esta Dimensión como la contribución a la formación de una ciudadanía europea, además de contribuir a mejorar la calidad de la enseñanza con el objeto de preparar a los jóvenes para una mejor inserción social y profesional. Es decir, aporta como valor añadido a los objetivos propios de la escuela, la contribución a "(...) una ciudadanía europea basada en valores comunes de solidaridad, democracia, igualdad de oportunidades y respeto mutuo, y permitir, asimismo, aumentar las posibilidades de mejorar la calidad de la enseñanza, así como permitir una mayor preparación para una mejor inserción social y profesional" (COM 93/457). Para ello defiende que todo el esfuerzo educativo debe centrarse en la atención a:

- el respeto a las identidades y a las diferencias culturales y étnicas;
- la formación en el espíritu de la democracia, de la tolerancia y el respeto a la diversidad;
- la educación cívica.

Esto se lograría, especialmente, a través de:

- el aprendizaje de idiomas;
- el conocimiento de los demás países;
- la socialización mediante intercambios transnacionales;
- un mayor conocimiento de la realidad de la construcción europea;
- el trabajo en torno a proyectos transnacionales;
- la formación del profesorado;
- la enseñanza a distancia y la contribución de los sistemas multimedia.

A partir de estos puntos se concretan diferentes propuestas en materia educativa: la igualdad para todos, proclamando acciones especiales para los más desfavorecidos (programas en favor de la mujer, los emigrantes, los discapacitados...). El fomento de la capacidad de autonomía y responsabilidad de cara a su formación como ciudadanos, potenciando el aprendizaje a lo largo de toda la vida, así como la solidaridad entendida como la acción de construir juntos Europa (programas Erasmus, Comett, Lingua...). "En efecto, la mejora de los conocimientos lingüísticos, el conocimiento mutuo de las prácticas y de las culturas de los demás Estados miembros o también la capacidad para trabajar con personas de otros países o en otro medio son factores importantes que facilitan una mejor inserción en la toma de conciencia de la sociedad y una mayor como ciudadano europeo" (COM 93/457, 3).

En este sentido, es lógico que se defendiera "(...) una ciudadanía europea basada en valores comunes de solidaridad, democracia, igualdad de oportunidades y respeto mutuo (...)" (COM 93/457, 6), ya que es un deber de los diferentes sistemas educativos formar a los jóvenes en el espíritu de la democracia y enseñarles a ser ciudadanos. Esta ciudadanía deberá fundamentarse, en primer lugar, en el respeto a las identidades y a las diferencias culturales y étnicas, ya que la referencia Europa no pretende eliminar o suplantar la identidad local o nacional, sino que las debe enriquecer. "La atención que debe prestarse al respeto de las identidades y de las diferencias culturales y étnicas, y la importancia de luchar contra toda forma de chauvinismo y de xenofobia son componentes esenciales de la acción educativa" (COM 93/457, 6).

La cooperación y la participación serán otros de los valores claves, ya que Europa solo tendrá razón de ser si se construye entre todos. Si todos los ciudadanos saben, pueden y quieren participar. Participación real en todos los ámbitos de convivencia humana, que lleva, indudablemente, a un enriquecimiento mutuo y a un refuerzo de nuestra identidad (personal, local, nacional y europea).

En definitiva, el desarrollo pleno de cada alumno, fortaleciendo "(...) en los jóvenes el sentido de la identidad europea y hacer comprender el valor de la civilización europea, de las bases sobre las cuales los pueblos europeos pretenden hoy en día fundar su desarrollo, concretamente la salvaguardia de los principios de la democracia, la justicia social y el respeto de los derechos humanos" (COM 93/457, 19). De este modo, se pretendía fomentar una educación basada en los principios expuestos en el Cuadro 1.

Valores	Acciones
respeto	Conocimiento de otros países defensa de los derechos humanos intercambio transnacionales
libertad	Defensa de los derechos humanos Diversidad
participación	Aprendizaje de idiomas proyectos transnacionales comunes conocimiento de otros países
socialización	Intercambios transnacionales conocimiento de otros países, otras culturas
reflexión	Mayor conocimiento de la realidad europea y de la construcción de la Unión
igualdad	Igualdad de oportunidades Diversidad
tolerancia, solidaridad....	Igualdad de oportunidades defensa de los derechos humanos conocimiento de otros países, otras culturas cooperación

Cuadro 1: Valores y acciones educativas para una dimensión europea de la educación

Gracias a ellos se logra un mejor conocimiento y comprensión de los otros, cuestión que nos llevará a la participación, la igualdad, el respeto, la tolerancia, la solidaridad..., además de ofrecer mayores posibilidades de participación a todo ciudadano europeo. Sin duda, todos estos valores son condición necesaria para todo individuo, si queremos salvaguardar la autonomía, la identidad y la unidad de cada cultura (Bell, 1995). En definitiva, la educación debe fundarse en una visión paneuropea, para que cada ciudadano tome conciencia, más allá de las particularidades nacionales e individuales, de que pertenece íntegramente a la civilización de nuestro continente (COM 93/457).

Por otro lado, ante la problemática política propia de la Unión, y ante las reticencias, reparos... surgidos en diversos países, resultó más fácil, como ocurrió en la puesta en práctica de directivas anteriores, llevar a la práctica acciones encaminadas a la enseñanza de lenguas extranjeras, la movilidad de profesores y estudiantes, etc., que desarrollar programas que se centraran en la formación en lo común, como son la formación en valores, la ciudadanía europea, la enseñanza de los derechos humanos, o de una historia europea, etc. Era más sencillo, de cara a resultados tangibles en estadísticas, informes..., el desarrollo de acciones concretas, como es el caso del programa Lingua, que la introducción de valores europeos en los *curricula* de los diferentes sistemas educativos. Desde estos presupuestos se entiende que se acometieran unas acciones y no otras, y que las sucesivas presencias y ausencias de dichas propuestas, dependieran mas del clima de confrontación o armonía reinante en la política (Bárcena et al., 1994), que de una auténtica decisión de formar ciudadanos europeos.

6. DE LA DIMENSIÓN EUROPEA DE LA EDUCACIÓN A LA CIUDADANÍA EUROPEA

Ahora bien, a lo largo de los documentos que se refieren a la inclusión de una Dimensión Europea en la Educación, se va percibiendo gradualmente un cambio. Se va pasando poco a poco de la insistencia en la incorporación de esta Dimensión, a hablar cada vez con mayor fuerza del logro de una ciudadanía europea. Paulatinamente, formar ciudadanos con una clara identidad europea se convierte en uno de los objetivos prioritarios. La diferencia entre una propuesta y otra, en el fondo, no difiere. Hablar ahora de ciudadanía tal vez recoja mejor el espíritu de formar ciudadanos con una mentalidad democrática, tolerante, solidaria..., además de competentes. La década de los 90 ha sido denominada la década de la ciudadanía, tal vez porque recoge uno de los objetivos más necesarios a escala mundial: acometer la formación de cada individuo como ciudadano, como miembro activo y responsable que debe ser en la sociedad en la que vive. En este sentido, la política educativa de la Unión Europea pasa a comprometerse a formar a los miembros de cada uno de los Estados miembros como ciudadanos de este Estado supranacional.

Como sabemos, al hilo de la publicación del Tratado de la Unión Europea (1992), se aprobó la creación de la ciudadanía de la Unión, que quedó definida como "todo aquel que posea la nacionalidad de un Estado miembro" (TUE, art. 8), por lo que son tanto titulares de derechos, como sujetos de deberes. Se destacan como los más significativos la libre circulación y residencia, el ejercicio del voto en las elecciones municipales en el país de residencia, la protección en un tercer país (TUE, 1992, arts. 8A-8E). Pero todas estas intenciones y propuestas no llegaron hasta los ciudadanos, por lo que en este momento se produjo una situación contradictoria: por un lado, la vida del ciudadano de cada país europeo, y por otra, las actividades y objetivos de los diferentes organismos comunitarios. Sin embargo, estas mismas instituciones reconocieron que "hasta Maastricht, la Comunidad carecía de una auténtica vertiente humana que trascendiese los aspectos puramente económicos. Por esta razón, entre otras, el ciudadano se desinteresaba de la construcción europea. Los escasos precedentes de iniciativas para colmar esta laguna (...) no constituyeron una masa crítica suficiente para lograr una verdadera ciudadanía de la Unión, entendida como un conjunto de derechos políticos, sociales y económicos de los ciudadanos garantizados por la Unión, (...)." (TUE, 1992, XXXI) Estaba claro que, sin el apoyo y la participación de los ciudadanos de los diferentes Estados, el proyecto europeo no sería viable.

Audigier (1999), en un reciente informe sobre la ciudadanía, destaca que a pesar de las diferencias que se pueden establecer entre las diferentes lenguas, podemos encontrar elementos comunes en este concepto. Siempre se subraya, lógicamente, el sentimiento de pertenencia a una comunidad, que entraña unos derechos. Esta comunidad se entiende, principalmente, como un estado, una nación que le confiere una serie de derechos simplemente por pertenecer a ella. Por ello, ciudadanía siempre se presenta delimitada a un territorio, a un grupo al que está sujeto, en primer lugar, por elementos políticos y legales. Mucho más tarde, y únicamente en espacios democráticos, comienza a surgir la idea del ciudadano como miembro activo de ese Estado, junto con la necesidad de la participación, de la solidaridad para su configuración. Sin embargo, la mayoría de los diccionarios de las diferentes lenguas europeas no recogen aún, dentro de este vocablo, esta dimensión participativa de la ciudadanía, pero cada vez se evidencia con mayor fuerza que este nuevo concepto de ciudadano implica:

- una identidad que posee un individuo que será formal o legal (identidad estática que le es concedida por el hecho de pertenecer a un estado, a una comunidad) y social o cultural (identidad dinámica, por lo que debe hacer el esfuerzo de poseerla y mantenerla, y que genera un sentimiento de pertenencia);
- unos valores que son requeridos: respeto, solidaridad, igualdad, tolerancia, justicia, participación...;
- unas destrezas básicas: participación, flexibilidad, comunicación, trabajo en equipo...;
- un compromiso político que implica siempre participación.

En definitiva, ser ciudadano es aquel que posee derechos, pero también toma parte en la organización de su comunidad, es capaz de contribuir significativamente al bien público y al interés común. La formación de una ciudadanía europea activa deberá fundamentarse, por un lado, en esa dimensión política, lógicamente, pero, por otro, es imprescindible que se apoye en una dimensión afectiva, ligada a su identidad cultural y personal. Cada ciudadano tiene que conocer y comprender sus responsabilidades y deberes, sus derechos y su identidad, en sus variadas expresiones (personal, local, nacional y europeo). Una educación para la ciudadanía con una dimensión europea está claramente ligada con la democracia, los derechos humanos y las libertades fundamentales, y con la adquisición de las destrezas y actitudes que le ayuden a defender, cambiar y participar en la sociedad (Osler, 1997).

Una formación para la ciudadanía implica, especialmente, la formación en valores que configuran una auténtica mentalidad europea, valores que siempre han formado parte de la herencia cultural europea. Lógicamente, ningún valor es exclusivo de la cultura europea, aunque si podemos afirmar que todos ellos están basados en los principios de justicia, respeto, igualdad y solidaridad, que son propios de la civilización occidental, y que siempre se han irradiado a otras culturas. Es decir, ser europeo no implica encerrarse en un nuevo espacio políticamente delimitado, sino saber y querer cooperar en el logro de un mundo más humano. Fomentar la interculturalidad, fruto de una mente más rica, abierta, posibilista y creadora que se forja en la afirmación libre y crítica de la propia cultura, a la misma vez que con la diversidad, con la peculiaridad de los demás que con ella conviven (Escámez, 1992). De esta forma, la Europa de los ciudadanos ha de ser así una comunidad que impulse el derecho a ser hombre más allá de cualquier nacionalidad, teniendo como referencia que un hombre educado en y desde Europa es el que respeta y promociona los derechos humanos en su cultura y fuera de ella (Bárcena et al., 1994). Hablar de ciudadanos europeos no es volver a caer en otro tipo de nacionalismo europeo, sino formar hombres con una clara mentalidad supranacional, abierta a la solidaridad, la convivencia, la defensa de los derechos humanos. En definitiva, formar gentes deseosas de crear riqueza, capaces de trabajar en equipo, inclinadas hacia la solidaridad y dispuestas a asumir el liderazgo desde un alto sentido de la responsabilidad (Díez Hochleitner, 1996).

Ser ciudadano europeo es aquel que posee un status jurídico, conferidos por unos derechos y deberes legales (derecho al voto, libre circulación, etc.), a la vez que personalidad cívica con destrezas, valores, intereses propios de la cultura europea, que sabe, quiere y puede participar en la construcción de ese proyecto común. "La clave para una ciudadanía europea parece estar, pues, en una unidad que defiende la diversidad cultural, la pluralidad de pensamiento, la tolerancia religiosa y el hábito de situar los principios y valores cívicos en la libertad, la justicia social, los derechos humanos y el imperio de la ley" (Stromnes, 1997, 223-224). Un proyecto en el que los europeos sientan que les pertenece como ciudadanos activos que son, no por compartir una cultura común, no porque se procede de unas raíces comunes, sino porque el sentido de esta ciudadanía va a emerger de una nueva relación social que los propios europeos van a establecer entre ellos mismos (DG XXII, 1997). A partir de este convencimiento se centra ya la atención en la educación para la ciudadanía activa en la Unión Europea. En este momento la dimensión europea de la educación queda asumida por esta iniciativa, y se engloba en una educación cívica de mayor alcance. Todo ello nos conducirá a ayudar a los jóvenes de nuestros países a entender esta nueva situación en la que están creciendo y en la que deben encontrarse a sí mismos; a conocer los nuevos derechos y responsabilidades que conlleva y a desarrollar sus capacidades para saber actuar plenamente en este emergente contexto europeo (Ryba, 1995).

BIBLIOGRAFÍA

ABELLÁN, J. L. (coord.) (1994) *El reto de Europa: identidades culturales en el cambio de siglo* (Madrid, Trotta).

AUDIGIER, F. (1999) *Basic concepts and core competences of education for democratic: an initial consolidated report* (Strasbourg, Council of Europe).

BAALIIBAR, E. (1994) ¿Es posible una ciudadanía europea? *Revista Internacional de Filosofía Política*, 4, pp. 22-40.

BÁRCENA, F. (1997) *El oficio de la ciudadanía* (Barcelona, Paidós).

– et al. (1994) Los valores de la Dimensión Europea en la educación. La política educativa de la Comunidad y el reto de la construcción de una ciudadanía europea. *Revista Complutense de Educación*, 5:1, pp. 9-43.

BELL, G. H. (ed.) (1995) *Educating European Citizens* (London, David Fulton Publishers).

BENEYTO, J. M. (1999) *Tragedia y razón. Europa en el pensamiento español del siglo XX* (Madrid, Taurus).

CALERO, F (1997) *Europa en el pensamiento de Luis Vives* (Valencia, Ajuntament de Valencia).

CALZADA, T. E.; GUTIÉRREZ, B. (ed.) (1989) *Guía de la educación en la Comunidad Europea* (Madrid, MEC/ ICE Universidad Autónoma de Barcelona).

COLOM, A. J. (1992) Identidad cultural y proyectos supranacionales de organización social. En: X CONGRESO NACIONAL DE PEDAGOGÍA *Educación Intercultural*

en la perspectiva de la Europa Unida (Salamanca, Sociedad Española de Pedagogía), v. I, pp. 67-85.
COMISIÓN EUROPEA (1993/457) *Libro Verde 'Dimensión Europea de la Educación'* (Luxemburgo, Oficina de Publicaciones Oficiales de las Comunidades Europeas).
– (1995/590) *Libro Blanco 'Enseñar y aprender. Hacia la sociedad cognitiva'* (Luxemburgo, Oficina de Publicaciones Oficiales de las Comunidades Europeas).
CORTINA, A. (1998) *Hasta un pueblo de demonios. Etica pública y sociedad* (Madrid, Taurus).
– (1997) *Ciudadanos del mundo. Hacia una teoría de la ciudadanía* (Madrid, Alianza).
DELORS, J. (1996) *La educación encierra un tesoro* (Madrid, Santillana/UNESCO).
DG XXII (1997) *Accomplishing Europe through education and training* (Luxemburgo, Oficina de Publicaciones Oficiales de las Comunidades Europeas).
DÍEZ HOCHLEITNER, R. (1996) *Aprender para el futuro. Desafíos y oportunidades* (Madrid, Fundación Santillana).
DUQUE, J. F. (1993) El espacio cultural europeo en la Europa de los ciudadanos. En: CENTRO DE DOCUMENTACIÓN EUROPEA UNIVERSIDAD DE VALLADOLID, *La Europa de los ciudadanos* (Valladolid, Lex Nova), pp. 13-44.
ESCÁMEZ, J. (1992) Estructuración y desestructuración de la comunicación interpersonal en contextos interculturales. En: X CONGRESO NACIONAL DE PEDAGOGÍA *Educación Intercultural en la perspectiva de la Europa Unida* (Salamanca, Sociedad Española de Pedagogía), v. I, pp. 87-102.
ESTEVA, C. (1994) Dialécticas: pueblos, naciones y Estados. En: ABELLÁN, J.L. (coord.) *El reto de Europa: identidades culturales en el cambio de siglo* (Madrid, Trotta), pp. 41-54.
EURYDICE (1996) *Thematic Bibliography. The European Dimension in Education* (Brussels, Eurydice European Unit).
FERNÁNDEZ, J. A. (1993) Europa: la hora de la educación y la cultura. *Cuadernos de Pedagogía*, n.211, pp. 8-15.
FLORES, X. (1994) El sueño de Europa. En: ABELLÁN, J. L. (coord) *El reto de Europa: identidades culturales en el cambio de siglo* (Madrid, Trotta), pp. 107-118.
FONTAINE, P. (1994) *La Europa de los ciudadanos* (Luxemburgo, Oficina de Publicaciones Oficiales de las Comunidades Europeas).
GARCÍA CARRASCO, J. (1992) Bases sociales y antropológicas de la educación intercultural. En: X CONGRESO NACIONAL DE PEDAGOGÍA *Educación Intercultural en la perspectiva de la Europa Unida* (Salamanca, Sociedad Española de Pedagogía), v. I, pp. 15-37.
GONZÁLEZ FERNÁNDEZ, A.; REQUEJO, A. (coord) (1995) *A Dimensión Europea da Educación* (Santiago de Compostela, Consello Escolar de Galicia/ Xunta de Galicia).
HANSEN, P. (1998) Schooling a european identity: ethno-cultural exclusion and nationalist resonance withhin the EU policy of 'The European Dimension of Education', *European Journal of Intercultural Studies*. 9: 1, pp. 5-23.

LENARDUZZI, D. (1991) El programa educativo de la Comunidad Europea *Educadores*, n. 157, pp. 39-58.

LÓPEZ-BARAJAS, E. (ed.) (1999) *La educación y la construcción de la Unión Europea* (Madrid, UNED).

MEDINA RUBIO, R. (1997) El marco competencial de la educación y de la cultura en el Tratado de la Unión Europea. En: SANTOS REGO, M.A. *Política educativa en la Unión Europea después de Maastricht* (Santiago de Compostela, Escola Galega de Administración Pública/Xunta de Galicia), pp. 71-91.

– (2000) La política educativa comunitaria y la construcción de una nueva 'polis' europea, en RODRÍQUEZ NEIRA, T. et al. *Cambio educativo: presente y futuro* (Oviedo, Servicio de Publicaciones de la Universidad de Oviedo), pp. 121-149.

MENCIA, E. (1996) *Educación cívica del ciudadano europeo* (Madrid, Narcea).

MOLERO, A. (1999) Política y educación en la Unión Europea: un proyecto emergente. *Revista de Ciencias de la Educación.* n. 178 - 179, pp. 243-259.

NEAVE, G. (1987) *La Comunidad Europea y la Educación* (Madrid, Fundación Universidad - Empresa).

OREJA AGUIRRE, M. (coord) (1998) *El Tratado de Amsterdam. Análisis y comentarios* (Madrid, McGraw Hill), 2 vols.

ORTEGA Y GASSET, J. (1985) *Europa y la idea de nación* (Madrid, Alianza).

OSLER, A. et al (ed.) (1995) *Teaching for citizenship in Europe* (London, Trentham Books).

– (1997) *The contribution of community action programmes in the fields of education, training and youth to the development of citizenship with a european dimension. Final synthesis report* (Luxembourg, European Commission).

PÉREZ ALONSO-GETA, P. M. (1991) Europa: valores comunitarios básicos. III Congreso Nacional de Teoría de la Educación. *Educación multicultural y Europa* (Madrid, Facultad de Educación, Universidad Complutense).

RODRÍGUEZ, V. M. (1993) De Roma a Maastricht: 35 años de cooperación comunitaria cn cducación. *Revista de Educación*, n. 301, pp. 7-24.

RODRÍGUEZ CARRAJO, M. (1996) *Política educativa en la Unión Europea* (Salamanca, Universidad Pontificia de Salamanca).

RODRÍGUEZ CRUZ, Mª P. (1997) Los valores en la Dimensión Europea de la Educación. *VI Congreso Interuniversitario de Teoría de la Educación, Educación Moral.* Murcia. doc. policopiado

RYBA, R. (1992) Toward a european dimension in education: intention and reality in European Comunity. Policy and practice. *Comparative Education Review.* 36: 1, pp. 10-24.

– (1993) La incorporación de la dimensión europea al currículum escolar. *Revista de Educación*, n. 301, pp. 47-60.

– (1995) Developing a European Dimension in the curriculum. En: BELL, G. H. (ed.) (1995) *Educating European Citizens* (London, David Fulton Publishers), pp. 145-159.

SANTOS REGO, M. A. (1997) *Política educativa en la Unión Europea después de Maastricht* (Santiago de Compostela, Escola Galega de Administración Pública/Xunta de Galicia).

STROMNES, A. L. (1997) La educación como amalgama de unidad y diversidad. En: SANTOS REGO, M.A. (1997) *Política educativa en la Unión Europea después de Maastricht* (Santiago de Compostela, Escola Galega de Administración Pública/Xunta de Galicia), pp. 215-238.

TAYLOR, M. (Ed.) (1994) *Values Education in Europe: a comparative overview of a survey of 26 countries in 1993* (London, NFER/CIDREE).

TRUYOL SERRA, A. (1994) La identidad europea: pasado, presente y futuro, en ABELLÁN, J. L. (coord.) *El reto de Europa: identidades culturales en el cambio de siglo* (Madrid, Trotta), pp. 99-106.

– (1999) *La integración europea. Análisis histórico institucional con textos y documentos* (Madrid, Tecnos).

ABSTRACT

KEY FACTORS TO A EUROPEAN DIMENSION OF EDUCATION

In the last decades, the project of constructing a European Union has succeeded in diferent ways, specially in the economic sphere. But, if we want this project to take root, it is necessary to educate all its citizens so that all may know the rights and responsibilities called for by this situation and to act accordingly in this emergent European context. The needed European dimension of education entails the education for European citizenship based on the shared values of solidarity, democracy, equal opportunities and respect for each other.

KEY WORDS

European dimension of education, values, citizenship

DIRECCIÓN DE LA AUTORA

Marta RUIZ CORBELLA
Dpto. Teoría de la Educación y Pedagogía Social
Facultad de Educación
Uiversidad Nacional de Educación a Distancia (UNED)
C/ Senda del Rey, 7
28040 Madrid (España)
E-mail: mruiz@edu.uned.es

NOTAS BIOGRÁFICAS

Enrique Abad Martínez es profesor del Área de Internacional del Instituto de Promoción de Estudios Sociales de Pamplona y coordinador del Aula Permanente de Derechos Humanos de este instituto. Actualmente realiza una tesis doctoral sobre el sistema interamericano de protección de los derechos humanos. Ha publicado diversos artículos sobre temas de derechos humanos, sociedad civil y relaciones internacionales en revistas especializadas y es secretario de redacción de la revista *Derechos*.

María del Carmen Bernal González es directora de la Facultad de Pedagogía de la Universidad Panamericana (México) y miembro del consejo técnico para el examen de calidad profesional de la educación (CENEVAL). Investiga actualmente la educación estética en la pedagogía de José Vasconcelos. Ha publicado "Asomarse al mundo del símbolo" en *Saberes y quehaceres del pedagogo* (2000) y "Una nueva forma de aprender: la aventura con el arte" en *Reflexiones sobre el constructivismo* (1997).

Aurora Bernal Martínez de Soria es profesora adjunta de Antropología de la Educación y Ética en la Universidad de Navarra. Su línea actual de investigación se centra en la educación cívica bases antropológicas y éticas. Es autora de *Movimientos feministas y cristianismo* (1998) y *Educación del carácter-Educación moral. Propuestas educativas de Aristóteles y Rousseau* (1998).

Mª Victoria Gordillo Álvarez-Valdés es catedrática en el Dpto. de Métodos de Investigación y Diagnóstico en Educación de la Universidad Complutense de Madrid. Coordina el área de Psicología y Educación en la Agencia Nacional de Evaluación y Prospectiva (ANEP) y es autora de diversos libros entre los que destacan: *Desarrollo moral y educación* (1992), *Manual de orientación educativa* (1993) y *Orientación y comunidad* (1996). Actualmente dirige un *master* interdisciplinar en SIDA en colaboración con el Instituto de Salud Carlos III.

Concha Iriarte Redín es profesora adjunta de Orientación Personal, Intervención Psicopedagógica en Dificultades de Aprendizaje y Psicología del Desarrollo, en la Universidad de Navarra. Es autora de diversos artículos y capítulos en obras colectivas relacionadas con el desarrollo de la personalidad. En la actualidad, es integrante de un grupo centrado en la investigación sobre la Educación para la Ciudadanía.

Mª Carmen González Torres es profesora adjunta de Psicología de la Educación, Psicología de la Instrucción y Procesos Psicológicos Básicos en la Universidad de Navarra. Entre sus publicaciones cabe destacar *Autoconcepto y rendimiento escolar* (1994) y *La motivación académica* (1997). Actualmente participa en un proyecto de investigación sobre Educación para la Ciudadanía.

José Ignacio Mir Montes es licenciado en Filosofía y Letras (Sección de Filosofía) por la Universidad de Navarra (Pamplona, 1989). Actualmente es director del Colegio Irabia, en Pamplona. Ha publicado recientemente, junto a Charo Repáraz y Ángel Sobrino, *Integración curricular de las nuevas tecnologías* (2000).

Madonna Murphy es *Professor* de "Historia y filosofía de la educación" y "Educación del carácter" en la University of St. Francis. Desde hace algunos años ha puesto en marcha varios programas de educación del carácter en distintas escuelas estadounidenses y forma parte de un comité nacional para promover la educación del carácter en instituciones de formación del profesorado. Recientemente ha publicado *Character Education in America's Blue Ribbon Schools*.

Concepción Naval Durán es profesora adjunta de Teoría de la Educación de la Universidad de Navarra y directora del Departamento de Educación. Es autora de diversos estudios, entre los que cabe destacar *Educar ciudadanos* y *Filosofía de la Educación*. Ha coordinado un equipo interdisciplinar de investigación sobre Educación para la Ciudadanía que ha publicado recientemente *Educación Cívica Hoy. Una aproximación interdisciplinar*

Petra Mª. Pérez Alonso-Geta es catedrática de Antropología de la Educación, directora del departamento de Teoría de la Educación y subdirectora del Instituto de Creatividad e Innovaciones Educativas en la Universidad de Valencia. Ha publicado, junto a otros autores, un estudio interdisciplinar sobre *Valores y pautas de crianza familiar. El niño de 0 a 6 años* (1996); y un capítulo sobre "Educación Estética" en AA.VV., *Filosofía de la Educación hoy* (1998).

Marta Ruiz Corbella es Profesora Titular de Teoría de la Educación en la Universidad Nacional de Educación a Distancia (Madrid). Posee amplia experiencia en la formación inicial y permanente del profesorado, tanto presencial como a distancia. Son temas de su investigación: la influencia de la teoría crítica en la educación, la formación en valores, la fundamentación antropológica de la tarea educativa y el análisis de la política educativa española y europea. En torno a estos temas ha publicado diversos artículos en revistas y monografías.

Holly Salls es profesora y directora de Character Education en la Willows Academy (Chicago, USA). Vicepresidenta del Center for Character Education de Chicago, ha investigado la trayectoria de la Educación del Carácter en los EE.UU., presentando algunos de sus resultados en la Midwest Society of Philosophy of Education bajo el título *Character Education in American Schools: is John Dewey the Answer?* Es editora de la revista *Tidbits for Parents* sobre educación del carácter en la familia.

Carmen Urpí Guercia es profesora adjunta de Pedagogía del Ocio y Tiempo Libre de la Universidad de Navarra. Su área de investigación se centra en la Educación Estética y participa en un equipo interdisciplinar sobre Educación para la Participación Social. Recientemente ha publicado *La virtualidad educativa del cine a partir de la teoría fílmica de Jean Mitry* (*1904-1988*).

COLECCIÓN
CIENCIAS DE LA EDUCACIÓN

DAVID J. FOX: *El proceso de investigación en educación* (2.ª ed.).

DAVID ISAACS: *Teoría y práctica de la dirección de los centros educativos* (4.ª ed.).

JAVIER TOURÓN: *Métodos de estudio en la universidad.*

JAVIER VERGARA CIORDIA: *Colegios seculares en Pamplona, 1551-1734. Estudio a la luz de sus constituciones.*

AUTORES VARIOS: *Lo permanente y lo cambiante en la educación.*

CHARO REPÁRAZ y JAVIER TOURÓN: *El aprendizaje mediante ordenador en el aula.*

JOSÉ LUIS GONZÁLEZ-SIMANCAS: *Educación: libertad y compromiso.*

MARÍA DEL CARMEN GONZÁLEZ y JAVIER TOURÓN: *Autoconcepto y rendimiento escolar. Sus implicaciones en la motivación y en la autorregulación del aprendizaje* (2.ª ed.).

FRANCISCO JAVIER LASPALAS PÉREZ: *La "reinvención" de la escuela. Cinco estudios sobre la Enseñanza Elemental durante la Edad Moderna.*

CONCEPCIÓN CÁRCELES LABORDE: *Humanismo y educación en España, 1450-1650.*

CONCEPCIÓN NAVAL DURÁN: *Enseñanza y comunicación* (2.ª ed.).

JAVIER TOURÓN, CHARO REPÁRAZ y ÁNGEL SOBRINO: *Manual de prácticas de análisis de datos con el SPSS. Técnicas básicas.*

CHRISTINE WANJIRU GICHURE: *La ética de la profesión docente. Estudio introductorio a la deontología de la educación* (2.ª ed.).

JOSÉ MIGUEL ESPINOSA SARMIENTO: *El seminario de El Escorial en tiempos de San Antonio María Claret (1861-1868).*

MARÍA G. AMILBURU (Ed.): *Education, the State and the Multicultural Challenge.*

M.ª CARMEN GONZÁLEZ TORRES: *La motivación académica. Sus determinantes y pautas de intervención* (2.ª ed.).

JULIO CÉSAR DURAND: *Dirección y liderazgo del departamento académico en la Universidad.*

JAVIER TOURÓN, FELISA PERALTA y CHARO REPÁRAZ: *La superdotación intelectual: modelos, identificación y estrategias educativas.*

JAVIER LASPALAS, M.ª CARMEN GONZÁLEZ TORRES y M.ª DEL CORO MOLINOS TEJADA (Eds.): *Docencia y formación. Estudios en honor del profesor José Luis González-Simancas.*

AURORA BERNAL MARTÍNEZ DE SORIA: *Educación del carácter/Educación moral. Propuestas educativas de Aristóteles y Rousseau.*

FRANCISCO ALTAREJOS: *Dimensión ética de la educación.*

JAVIER LASPALAS (Ed.): *Historia y teoría de la educación. Estudios en honor del profesor Emilio Redondo García.*

JOSÉ LUIS VELASCO GUZMÁN: *La participación de los profesores en la gestión de calidad en educación.*

M.ª GABRIELA ORDUNA ALLEGRINI: *La educación para el desarrollo local. Una estrategia para la participación social.*

CONCEPCIÓN NAVAL y JAVIER LASPALAS (Eds.): *La educación cívica hoy. Una aproximación interdisciplinar.*

CARMEN URPÍ GUERCIA: *La virtualidad educativa del cine a partir de la teoría fílmica de Jean Mitry (1904-1988)*

CONCEPCIÓN NAVAL DURÁN Y CARMEN URPÍ GUERCIA (EDS.): *Una voz diferente en la educación moral.*